Francesco Alberoni

———————————

Sexo y amor

BIBLIOTECA
Alberoni

BIBLIOTECA

Alberoni

Sexo y amor

Francesco Alberoni

Título del original italiano:
Sesso e amore
© 2005 RCS Libri S.p.A., Milano

Traducción: Anna Jolis Olivé

Diseño de cubierta: Sylvia Sans

Primera edición: febrero del 2006, Barcelona

Derechos reservados para todas las ediciones en castellano

© Editorial Gedisa, S.A.
Paseo Bonanova, 9 1º-1ª
08022 Barcelona (España)
Tel. 93 253 09 04
Fax 93 253 09 05
Correo electrónico: gedisa@gedisa.com
http://www.gedisa.com

ISBN: 84–7432–118–2
Depósito legal: B. 9940–2006

Impreso por: Romanyà Valls
Verdaguer, 1 – 08786 Capellades (Barcelona)

Impreso en España
Printed in Spain

Índice

I
La complejidad del erotismo

1. Sexualidad y amor

En el estado de ánimo de los seres humanos actúan impulsos contrapuestos que conllevan dudas y dilemas y que conducen a formas de actuar contradictorias. Dos de estas tendencias que pueden entrar en conflicto, reconciliarse y oponerse de nuevo a lo largo de nuestras vidas son la sexualidad y el amor. No siempre nos damos cuenta de ello porque a menudo sexualidad y amor se nos presentan fundidos o porque en muchos de los casos el amor conduce a la sexualidad. Ahora bien, la razón principal de la confusión es otra: a lo largo del último siglo ha prevalecido una escuela de pensamiento, el psicoanálisis, que tiende a identificar el placer, el amor y el sexo. El placer con que el bebé, pegado al pezón, succiona el seno de la madre es en sí misma una imagen sexual perteneciente a la sexualidad oral. El placer que sentimos al relajar los esfínteres en el momento de defecar es en sí misma una imagen sexual perteneciente a la sexualidad anal. Constituyen formas de sexualidad pregenital que después se mantienen en la vida adulta incluso cuando ya se ha impuesto la primacía de la sexualidad genital. Pero no sólo los placeres del recién nacido tienen un origen sexual; también lo son los sentimientos que experimenta hacia su madre. Es sexual la alegría, la felicidad que siente cuando, tras haberla buscado y anhelado, corre hacia sus brazos y se duerme dulcemente en su seno. Es sexual el deseo que sentimos al observar a una bailarina, a una prostituta, la pasión que sentimos por nuestra amada, el deseo espasmódico de verla cuando estamos lejos de ella, la alegría de oír su voz diciéndonos «te amo». En resumidas cuentas, todo es sexual.

Demasiadas cosas a la vez. Tras un siglo de adhesiones casi unánimes a esta tesis, aun reconociendo a Freud el inmenso mérito de haber entendido la importancia de la sexualidad en la vida humana, ha llegado el momento de reestablecer de nuevo algunas distinciones elementales. Aunque ciñamos estrictamente el examen a los adultos y a lo que Freud llama sexualidad genital, se mantiene siempre y en todos los casos la diferencia entre el acoplamiento rápido, el paso de una cama a otra por curiosidad, la pasión desesperada por nuestro amado o amada y la dulce ternura que experimentamos por nuestros hijos e hijas.

Existe una sexualidad empapada de amor y otra que nada tiene que ver con él, sino, al contrario, que le es plenamente antitética, como las violaciones, sobre todo las violaciones cometidas en épocas de guerras y de saqueos. En las guerras antiguas, las ciudades conquistadas eran saqueadas, los hombres, incluidos los niños, eran asesinados y las mujeres, violadas. Ahora bien, aún en el siglo pasado los soldados alemanes de las SS abusaron de las chicas judías obligándolas a prostituirse antes de matarlas y los soldados rusos que avanzaban sobre Berlín violaron a centenares de miles de mujeres alemanas que huían despavoridas.

También hay formas de sexualidad no violenta totalmente separadas del amor, como la más impersonal característica de las orgías, donde se establecen indistintamente relaciones con una u otra persona. Por último, también hay casos en los que el deseo sexual no coincide sino que entra en conflicto con la persona a la que se ama.

La sexualidad, nos recuerda Bataille,[1] es desenfreno, violación de las reglas, de los tabúes, del orden del deber cotidiano. Vive en el presente. Es capricho, disipación, olvido de los deberes, de las preocupaciones. Para el adulto es el juego máximo, incluso desde el punto de vista del relajamiento del cuerpo. El deporte requiere disciplina, reglas. Sólo la danza puede ser espontánea, pero no alcanza los excesos del erotismo. De ahí que la sexualidad parezca adaptarse mejor a la ruptura de los vínculos que a la creación de los mismos. Sin embargo precisamente el gran amor, el amor apasionado del enamoramiento que establece vínculos emotivos muy fuertes y nuevas reglas de vida, a menudo nace también de la sexualidad y constituye su triunfo.

En el libro *Te amo*[2] establecí ya la diferencia entre vínculos emotivos débiles, medios y estrechos o fuertes. Los *vínculos débiles* son los que mantenemos con los conocidos, con los vecinos, con los compañeros. Pero también aquellos que establecemos con una prostituta o que tenemos con una persona con la que mantenemos una relación sexual esporádica. La simple relación sexual, por sí sola, no establece vínculos estrechos. Por *vínculos medios* entendemos aquellos que tenemos con los amigos. Nos confiamos a ellos, confiamos en ellos, recurrimos a ellos para que nos ayuden. Sin embargo, si bien cuando el hijo se porta mal con su madre ella continúa amándolo, cuando el amigo nos miente o nos traiciona el vínculo se rompe. También son medios los vínculos eróticos que duran hasta que se mantiene vivo el placer y que desaparecen ante la primera dificultad o sinsabor. Por el contrario, son *vínculos fuertes o estrechos* los que se establecen entre padres e hijos y entre hijos y padres. De hecho resisten a la decepción, al dolor y a la amargura. También son fuertes los vínculos que surgen del enamoramiento porque seguimos amando incluso a aquellos que nos hacen sufrir. Finalmente, es un vínculo fuerte el amor que se ha ido consolidando a lo largo de una vida compartida en la que el uno se ha hecho indispensable para el otro hasta el punto de que, cuando uno de los dos muere, a menudo el otro lo sigue.

Los antropólogos, tras haber estudiado las costumbres sexuales y matrimoniales de cientos de sociedades y culturas, han llegado a la conclusión de que en nuestra especie hay una fuerte tendencia a la monogamia, a la exclusividad amorosa y sexual. Pero contemporáneamente, en toda sociedad, existe siempre un cierto grado de infidelidad conyugal, tanto entre los hombres como entre las mujeres. Existen, pues, entre nosotros dos tendencias, dos deseos de base que están presentes a la vez y en conflicto. El que nos lleva hacia una persona en particular, única, inconfundible, con la que establecemos un vínculo amoroso duradero y del que nos sentimos celosos. Y el otro, un impulso de exploración que nos empuja a todos, hombres y mujeres, a buscar encuentros eróticos y relaciones con personas nuevas y variadas. Sólo en el caso del enamoramiento coinciden ambos impulsos porque se dirigen a una persona nueva con la que se establece un vínculo exclusivo. Éste es el motivo por el cual estudié el tema con tanta atención.[3] Tras Stendhal,[4] de hecho, se había descuidado. El psicoanálisis rehuía cualquier intento de explicación y, además, la tradición científica dominante, la anglosajona, lo infravalora, lo ignora, lo considera un fenómeno cultural temporal, hasta el punto de carecer incluso de un vocablo para designarlo y de conformarse con llamarlo todavía *romantic love*, como si hubiera aparecido en el siglo XIX, cuando no hay más que leer la Biblia para encontrarlo ya en el pasado más remoto.

En el campo de las relaciones entre sexo y amor, el enamoramiento exalta y une la máxima sexualidad y el vínculo amoroso más fuerte. La sexualidad conserva su carácter desenfrenado, rompedor. Pero el enamoramiento no se reduce a un enorme placer sexual. Es un renacimiento, es juventud, exceso, éxtasis. Hace añicos los vínculos anteriores, suspende la ley, instaura el propio derecho soberano. Transfigura el mundo, nos pone en contacto con las fuentes profundas del ser y crea un fuerte vínculo, duradero, exigente. La mujer enamorada antepone el amado al padre, a la madre, a su ídolo preferido. El hombre ve en su amada a la mujer más seductora de todas las heteras, la más erótica de todas las cortesanas.

Pero si se insiste demasiado en el enamoramiento se termina por ensombrecer, por infravalorar la importancia de otras experiencias eróticas y de la sexualidad como tal. Los dos impulsos a los que me he referido, aquel que nos une a una persona y aquel que nos empuja a buscar algo distinto, nunca desaparecen y si ahora prevalece el primero, después puede ser que prevalezca el segundo o incluso pueden llegar a manifestarse los dos a la vez.

Basándome en estas consideraciones, estimo que ha llegado el momento de estudiar de un modo más profundo y sistemático la gran variedad de relaciones entre sexualidad y amor.

Partiré de la sexualidad violenta para llegar a aquella en la que ni tan siquiera está presente el otro en su integridad, la sexualidad impersonal. A continuación trataré la sexualidad en la que el otro tiene presencia como persona pero donde todavía no hay amor. Después, las relaciones sexuales con vínculos más o menos duraderos, hasta el caso del enamoramiento o el del amor que dura. Por último, el proceso de deserotización de la relación nacida del enamoramiento. Porque, tras un tiempo, la fusión entre amor y sexualidad se debilita y se rompe. Las dos tendencias, que se habían fundido, se separan y pueden entrar nuevamente en conflicto. Los maridos, aunque continúan queriendo a sus esposas, es fácil que se dejen atraer sexualmente por otras mujeres. Las esposas, aunque continúan queriendo a sus maridos, se dejan tentar por una aventura sexual.

2. Lenguaje vulgar y científico

Murray Davis, en su libro *Smut*,[5] ha evidenciado que para nombrar los órganos y las actividades sexuales existen dos lenguajes completamente distintos. Por un lado encontramos el lenguaje popular, vulgar, obsceno y, por el otro, el oficial, culto y correcto. Entre los dos hay un abismo. Se emplea uno o se emplea el otro, pero no se pueden mezclar. De vez en cuando algunas palabras del lenguaje vulgar pasan al lenguaje correcto y también hay palabras que realizan el recorrido inverso. Ahora bien, una vez se ha producido este paso, sólo se puede emplear uno u otro lenguaje sin mezclarlos. De hecho, si al emplear el primer registro se insiere una frase del segundo, o viceversa, el efecto obtenido es grotesco o cómico.

Davis observa que, en la Edad Media, la Iglesia había censurado fuertemente el sexo, si bien empleaba las palabras más corrientes para referirse a los órganos sexuales y a los actos sexuales. Sólo más adelante, sobre todo en los siglos XVIII y XIX, empezaron a considerarse obscenas e impronunciables las expresiones populares, hasta el punto de llegar a desaparecer del diccionario. Este resultado es el producto de dos procesos opuestos.

El primero lo llevan a cabo aquellos que desean crear un espacio para el erotismo, hacer literatura erótica, como los libertinos, quienes lo consiguen eliminando las palabras vulgares para eludir a la censura. En su lugar introducen imágenes, metáforas que evocan las experiencias eróticas de un modo nuevo. Después, en la época victoriana, se intenta eliminar cualquier posible referencia al sexo en cualquiera de sus posibles formas. Todo aquello que tiene que ver con el sexo es omitido y sustituido por alusiones o metáforas cada vez más alejadas del objeto. Al final, el embarazo se convierte en un «estado interesante».

El segundo proceso tiene lugar en el siglo XIX cuando el sexo se trata desde un punto de vista médico. La anatomía da un nombre concreto a los órganos sexuales y a sus partes, mientras que el nombre vulgar los indica globalmente. Se diferencia el monte de Venus, la vulva, de los labios mayor y menor, el clítoris, el secreto de las glándulas de Bartolino, la vagina, el cuello del útero, etcétera. En el otro género, el escroto, las gónadas, la próstata, las vesículas seminales, el pene, el glande, el frenillo, el esperma. Surge, entre tanto, la sexología como disciplina científica independiente y se describen y nombran con precisión las distintas actividades sexuales y las «perversiones». De esa época son las expresiones *coito, cunnilingus, fellatio, escoptofilia, coprofilia, onanismo, sadismo, masoquismo, fetichismo, urofilia, hipoxifilia*, etcétera. Las demás aportaciones proceden de la antropología, que pone en evidencia las diferencias entre las costumbres sexuales y la moralidad sexual existentes entre la población a un nivel etnológico.

Nació así un lenguaje científico internacional aséptico, que aceptó denominar, describir y analizar los comportamientos sexuales sin poner en movimiento la emoción que siempre suscita el lenguaje vulgar, una emoción que puede ser de excitación, de disgusto o de rechazo, pero que siempre resulta intensa.

¿Por qué existe esta radical dicotomía? ¿Por qué el lenguaje popular, el lenguaje vulgar, suena obsceno y suscita a la vez una excitación sexual próxima a la pornografía, mientras que el lenguaje médico es preciso y se conforma con referirse a cada cosa tal como es sin producir ninguna emoción erótica?

En su conocido libro *Hacer el amor* el psicólogo Eric Berne explica que el lenguaje vulgar, según el modelo psicoanalítico clásico, deriva de la infancia, de las experiencias desagradables directamente experimentadas o inculcadas por los padres durante la infancia. «Una palabra deviene obscena cuando la imagen que la acompaña es primaria [de la primera infancia] y repugnante.»[6] Y puesto que cada nueva generación recoge de su propia infancia experiencias repugnantes específicas, «aunque los adultos borraran todo el lenguaje obsceno de su vocabulario, éste volvería a aparecer en la siguiente generación».

Respondemos a esta observación psicoanalítica de Berne recordando que los niños aprenden el lenguaje obsceno de los niños mayores y de los mismos adultos. Y lo aprenden porque designa las partes del cuerpo y los actos sexuales de los que, sea como sea, los adultos prohíben hablar. De este modo entienden que son palabras y cosas prohibidas y las usan para violar el tabú de los adultos, para transgredir sus órdenes, primero a escondidas y después abiertamente. La revolución sexual de los años sesenta y setenta adoptó explícitamente este lenguaje con la intención de llevar a cabo una revuelta ofensiva, y, así, la blasfemia, la imprecación y la obscenidad relacionadas con lo divino se usaron del mismo modo y con la misma función. Recuerdo que durante los dos años que pasé como rector de la Universidad de Trento, uno de los centros del movimiento estudiantil italiano, muchos estudiantes (no los líderes, que usaban un lenguaje marxista) no conseguían articular más de tres palabras seguidas sin insertar una obscenidad o una blasfemia. El lenguaje sexual obsceno, en estos casos, no tenía ninguna función de evocación erótica, sino de pura trasgresión, de ofensa al orden constituido, a la religión, al Estado.

A diferencia de Berne, Bataille sostiene que la obscenidad forma parte del erotismo porque en su esencia es trasgresión, exceso, fractura del orden social y del trabajo. Destruye al individuo socializado, funde su conciencia y libera la carne, su convulsión ciega. Aquel que es presa del frenesí erótico deja de ser humano, se deja llevar, como los animales, por un desenfreno ciego. De ahí que incluso los amantes honestos –observa el autor–, los que respetan el tabú, para excitarse, para vivir hasta lo más profundo una experiencia erótica desenfrenada, usan a su vez palabras vulgares y obscenas violando incluso su propia corrección. El erotismo es, pues, siempre laceración, fractura, profanación del tabú, de las costumbres, del lenguaje. Su palabra, la palabra de la excitación erótica, por consiguiente, siempre es obscena, vulgar.

Bataille observa, basándose en el comportamiento Kinsey,[7] que quien realiza un trabajo regular tiene una actividad sexual mínima y, por el contrario, la actividad máxima se relaciona con la gente de mala vida, que controla los clubes nocturnos, los juegos de azar y la prostitución. Es decir, con aquellos que viven alejados de trabajos cotidianos, monótonos y disciplinados y que están más cerca de la violencia y de los abusos. Y es de la mala vida y de la prostitución de donde nos llega el lenguaje obsceno, porque es el lenguaje del odio, de la profanación.

No hay ninguna duda de que el lenguaje obsceno incluye la violencia de la trasgresión adolescente del orden adulto, la violencia de la mala vida, la de la revolución de los movimientos y de las rebeliones. Tras la batalla de Carberry Hill, María Estuardo cae prisionera de los lords escoceses y el pueblo se subleva en su contra. En Edimburgo la increpan con un coro de insultos obscenos, el más leve de los cuales es «puta católica».[8] Durante la Revolución Francesa, el proceso, la condena y el trayecto final hasta la guillotina iban siempre acompañados de horrendos corredores de obscenidades. Pero también existe la violencia de la sociedad correcta cuando ataca a quien condena. Las recatadas mujeres religiosas y castas demuestran tener un extraordinario conocimiento del lenguaje obsceno cuando deben escribir una carta anónima o insultar a una mujer a la que menosprecian.

Pero también se reconoce como cierto que la experiencia erótica normalmente no coincide con la violencia. Sucede en Sade, en algunas novelas del propio Bataille, pero normalmente no. Si hubiera una identidad, ¿qué necesidad tendríamos de usar una expresión opuesta como *sadismo*? Bastaría con decir *erotismo*. Durante las revoluciones, en la mala vida la palabra obscena es odio, es insulto, es pura agresividad. Pero en la mayor parte de las relaciones eróticas el lenguaje vulgar no expresa odio ni violencia. Se usa como un algo que sirve para excitar a los amantes en la intimidad. Incluso en la pornografía, tampoco hay ninguna voluntad de hacer mal alguno. Este lenguaje vulgar es transgresivo en el sentido de que nos aleja de la vida normal, del riguroso control del cuerpo y de las vestiduras, de la corrección, y nos lleva hasta una esfera separada donde no existen los rigores del deber, donde se consiente la unión de los cuerpos, la mezcla de sensaciones, deseos, espasmos violentos, jadeos, gritos, placeres que deberían esconderse.

Por lo tanto, una misma palabra, una misma expresión puede ser usada en dos contextos distintos. El primero, agresivo, que expresa y excita a la cólera, al odio, al deseo de hacer daño, de matar socialmente y moralmente al otro. Ello conlleva la expulsión del enemigo de la sociedad, lo condena a la «muerte civil», a menudo a la muerte propia y verdadera. El segundo, erótico, no excluye, no mata. Con él nos aislamos, nos autosegregamos de la sociedad para abandonarnos a un juego desenfrenado. La primera es una condena, un asesinato, un destierro, una expulsión; la segunda, un aislamiento, unas vacaciones, una licencia para tener la libertad de hacer lo que nos venga en gana. Es cierto que ante el erotismo estamos desnudos y que obtenemos placer al reencontrar nuestra naturaleza animal que nos ayuda a olvidar la civilización y sus reglas. Pero la sociedad no prohíbe este comportamiento, esta experiencia, tan sólo nos pide que la practiquemos en privado, reservadamente, y no en público, donde debemos respetar las reglas de la convivencia organizada.

Pero también es cierto que existe una sexualidad, un erotismo intrínsecamente violento, como aquel del hombre que viola, que disfruta sexualmente haciendo sufrir y que vomita obscenidades, o como aquel otro del hombre que, dado a la mala vida, además de rapiñar, torturar y matar, controla también el sexo no oficial, la prostitución o la pornografía, creando y gestionando espacios de desenfreno sexual de los que disfrutan sus miembros y que luego venden a la gente de bien que quiere «separarlo del trabajo y la familia». Y al hacerlo de este modo establece una relación todavía más violenta con la sexualidad porque trata como un instrumento a las mujeres que usa, a menudo incluso con brutalidad, y desprecia al cliente que explota.

3. El mundo erótico

Murray Davis, utilizando los conceptos de la fenomenología de Alfred Schutz,[9] introduce el concepto de *realidad vital*, en particular la distinción entre la realidad cotidiana, la que vivimos habitualmente, y la realidad erótica, en la que debemos entrar para vivir eróticamente. En nuestras relaciones de trabajo, deportivas, cuando estamos sumidos en una actividad absorbente, nos hallamos fuera del mundo erótico. Entramos en él en el momento en que leemos un libro erótico o miramos una película o iniciamos una experiencia erótica. Si bien se necesita muy poco para pasar de un lado al otro, fenomenológicamente se trata de un paso radical.

El mundo erótico es un mundo separado en el que no sólo hay sensaciones propias y también un lenguaje propio, sino en el que todas las cosas cambian de significado y de tonalidad. Nuestro horizonte se estrecha, se concentra en el cuerpo y en ciertos aspectos eróticos del cuerpo, olvidamos las obligaciones cotidianas e incluso nuestros dolores, absorbidos por el nuevo interés. Murray Davis observa que los prisioneros intentan a menudo mantenerse inmersos el máximo tiempo posible en sus fantasías eróticas porque son unos de los pocos paliativos contra la angustia que suscitan los barrotes y el lentísimo fluir del tiempo. El género literario o cinematográfico erótico lo son porque permiten al usuario adentrarse en el «mundo erótico». Un ingreso que el lenguaje científico no suscita.

Detengámonos un momento en la diferencia entre el análisis de Murray Davis y el de Bataille. Bataille sostiene que el erotismo es una escapada agresiva, brutal, de la vida cotidiana, la ruptura de un tabú.[10] Murray Davis nos dice que no es más que el paso de un campo fenomenológico a otro. Y, leyendo su libro, parece que el paso se lleva a cabo pacíficamente. Es probable que los dos tengan razón. Hay casos en los que el paso es brusco y traumático. Pensemos en una persona que por primera vez vea una película pornográfica *hardcore*. Se sentirá excitado, trastornado. Lo mismo le ocurriría a un hombre al que llevaran por primera vez a un burdel. Contrariamente a ello, en la vida cotidiana de dos esposos o de dos amantes puede producirse el paso natural de una actividad erótica a otra no erótica. Ahora conversan con los amigos y al cabo de unos pocos minutos se abandonan al éxtasis sexual en la cama. Y en otras situaciones el ingreso en el mundo erótico, más que a la violación de un tabú, también puede parecerse a una escapada de la cotidianeidad.

La escapada puede ser más o menos drástica, más o menos huida, y siempre es un poco transgresiva. Por eso la literatura erótica, aunque sea la oficial, la elogiada, la premiada, objeto de estudio y de conferencias, continúa siendo un género aparte. En las conferencias, a veces se incluyen lecturas de fragmentos, pero se suelen comentar mediante el lenguaje científico o literario del mundo cotidiano. Y no puede ser de otra manera porque esta literatura no intenta explicar, razonar, analizar, sino sumergir al lector en el mundo erótico y hacérselo vivir. Nos arrastra, nos conduce fuera de la realidad habitual para introducirnos en una realidad erótica en la que nos sentimos excitados, deseosos, emocionados. De este modo nos ayuda a transgredir las reglas de la vida cotidiana, su asepsia. Un universo separado que debemos abandonar enseguida para regresar a la realidad de siempre y poder, así, hablar de él, analizarlo e incluso alabarlo.

No hay escapatoria. Murray Davis, que empleó, mezclándolos, ambos lenguajes, en las primeras páginas del libro pide excusas al lector: «Me veo obligado a pasar de un registro a otro», nos dice, «aun provocando una sensación desagradable, una disonancia. Como el adolescente que todavía no tiene plenamente modulada su voz y que empieza como tenor para pasar de repente a hacer de bajo y de ahí a soprano».[11]

El psicólogo Berne,[12] más conformista y a la vez más incómodo que él, excluye de su exposición de la sexualidad todas las palabras obscenas basándose en que son infantiles y las sustituye con expresiones extraídas del lenguaje cotidiano adulto y correcto. Para evitar que le acusen de no ser científico evita incluso las expresiones poéticas. El resultado es un libro preciso pero plano. No despierta ni el deseo ni las emociones que debería analizar o explicar.

Por esta razón, cualquiera que quiera escribir sobre erotismo debe hacer una elección previa. Si quiere evitar suscitar sensaciones y emociones eróticas debe emplear las expresiones científicas o las de la etiqueta cotidiana. Si, por lo

contrario, quiere evocar las emociones eróticas y hacer fenomenología, hasta cierto punto debe abandonar el lenguaje científico y médico para usar las expresiones más comunes, cotidianas e incluso vulgares capaces de evocar la
experiencia.

En mi caso, tuve que afrontar un problema lingüístico
análogo cuando escribí *Enamoramiento y amor*[13] y *La amistad.*[14]

Empecemos por el primer libro. Mi estimadísimo amigo
Roland Barthes quería abordar el tema del amor, pero se daba cuenta de que, adoptando un lenguaje esterilizado, no
comunicaría nada. Entonces resolvió el problema escribien-
do *Fragmentos de un discurso amoroso,*[15] tomando una serie de
temas determinados y profundizando en ellos fenomenológicamente con citas de poetas, escritores y artistas. En mi
caso, lo que hice fue construir primero una verdadera teoría
científica del enamoramiento y para exponerla después
usé el lenguaje amoroso clásico. El entramado teórico, el esqueleto era el que ya había elaborado en el libro *Movimento
e istituzione.*[16] Pero después a este esqueleto le puse músculos, nervios y sangre usando el lenguaje de la experiencia
amorosa. El éxito de este libro me empujó a usar el mismo
procedimiento a la hora de estudiar la amistad.[17] De hecho,
también la amistad tiene una estructura profunda que se
mantiene idéntica e incluso dispone de un lenguaje específico que es el mismo que emplean desde Cicerón hasta Mon-
taigne o Voltaire.

Muchos han pensado que esta elección lingüística obede-
cía a objetivos divulgativos. Para nada. Se llevó a cabo porque constituye la única manera posible de hacer de la ciencia una fenomenología de las emociones. Este resultado
sólo puede obtenerse combinando la estructura teórica con
el lenguaje específico de esa experiencia.

Más serio fue el problema que tuve que resolver al estudiar el erotismo porque, si bien el lenguaje del enamora-

miento y también el de la amistad son unitarios, el del erotismo es estructuralmente doble y se construye a partir de
una polaridad que va del lenguaje obsceno al amoroso y
poético. Conseguí avanzar evitando las referencias abiertamente sexuales y empleando sobre todo imágenes y metáforas amorosas. Lo podía hacer porque el objetivo específico de la obra era diferenciar la sensibilidad entre hombre y
mujer y, teniendo en cuenta que la sensibilidad femenina
asocia más profundamente el sexo al amor, bastaba con que
me basara un poco más en el erotismo femenino que en el
masculino. Pero en este libro no puedo eludir el problema.
Debo arreglármelas con todo el arco del lenguaje erótico,
un continente desmesurado en donde hallar un principio
ordenador.

4. La polaridad obsceno-sublime

¿Cuál es el principio del orden que nos ayuda a explorar este archipiélago? ¿Existe algún criterio que nos oriente a la
hora de entender cuándo se emplea el lenguaje obsceno y
vulgar y cuándo no? Ésta es la hipótesis que estoy dispuesto a avanzar: la experiencia erótica tiende a dos polarida-
des: en un extremo se encuentra la sexualidad violenta o
privada de amor que se expresa mediante el lenguaje obsceno. En el otro, se sitúa el gran amor erótico que se expresa
mediante un lenguaje rico en imágenes y metáforas poéticas. Cabe precisar un punto para evitar una posible fuente
de equívoco: la polaridad no se desarrolla entre el sexo y el
amor. El sexo siempre está presente, el erotismo nunca falta,
pero en un extremo hallamos la violencia o la ausencia de
amor y en el otro, por el contrario, la riqueza del amor.

El lenguaje neutralizado por la medicina y la ciencia se
encuentra fuera de esta polaridad. Su función no es evocar

sensaciones, emociones, sino evitarlas. Es un tercer lenguaje, extraño a la verdadera polaridad erótica. Es por esta razón que la psicología y la sociología prácticamente han renunciado a comunicar las experiencias eróticas amorosas. Las han dejado en manos del arte que, aun así, nunca ha podido atribuirse el deber de analizar, clasificar, en otras palabras, de atribuir instrumentos conceptuales. Aquí vamos a intentar unir estos dos continentes separados, hacer que la ciencia también transmita las experiencias y las emociones que son su objeto de estudio.

Volvamos para ello a nuestros dos polos. El primero es el de la sexualidad en su forma violenta, brutal o impersonal. El segundo, el de la sexualidad, presente en el gran amor personal.

Empecemos por el primero. Cuando nos mantenemos al nivel del odio, de la agresividad, de la violación, de la maldad, el lenguaje sexual es exclusivamente obsceno. El violador que obtiene placer sexual haciendo daño sólo usa las palabras obscenas y agresivas.

A un nivel puramente fantástico encontramos también el erotismo de Sade:[18] cuerpos desgarrados, martirizados, individuos asesinados entre atroces tormentos mientras el protagonista goza sexualmente y alcanza un orgasmo sádico. Recordemos que Sade ha tenido una gran influencia sobre la concepción francesa del erotismo. Fantasías de violencia están presentes en las obras de muchos autores entre los que recordamos a Apollinaire[19] y, más adelante, Georges Bataille, para quien el erotismo es trasgresión, violencia, reaparición de la crueldad animal en el hombre civilizado. Para entender qué entiende Bataille por trasgresión no nos bastan sus ensayos, sino que hay que leer también sus novelas. Tomemos como ejemplo *La Historia del ojo*. El protagonista y su amante Simona se encuentran en una corrida. «A Simona», nos dice, «le gustaban por encima de todo tres momentos de la corrida: en primer lugar, cuando la bestia irrumpe en la arena, como un enorme ratón; en segundo lugar, cuando ésta hundía profundamente sus cuernos hasta tocar el flanco del jumento, y, por último, cuando el referido jumento galopaba de través por la arena, perdiendo entre las piernas parte de sus vísceras, de colores descaradamente obscenos.» En un momento concreto de la historia sale a la arena el torero Graniero, que mata al toro y entrega a Simona los testículos del animal. Ello excita a la mujer que «sin mediar palabra me coge de la mano y me conduce hasta un patio fuera de la arena donde dominaba el olor a orina. Entramos en una letrina maloliente donde las moscas se arracimaban asquerosamente en los escasos rayos de sol que penetraban ahí dentro. Agarré a Simona por el culo mientras me sacaba con furia el sexo [...] hundí en su carne trémula mi verga durísima que penetró en esa caverna de amor, mientras yo le hurgaba, rabioso, el ano [...]».[20] Tras el acto sexual regresan a la arena y Simona, excitada, muerde uno de los testículos, crudos, que le había ofrecido Graniero. Sin embargo, el torero recibe una cornada, «que [le] atraviesa el ojo derecho y la cabeza». El ojo le cuelga del cráneo desgarrado. Eso excita todavía más a la mujer que «con el rostro colorado, al borde de la locura, introduce el otro testículo en su sexo abierto». Después entran en una iglesia. Simona se masturba en el confesionario, obligan al cura a orinar encima del cáliz y lo estrangulan para que, en medio de los espasmos de la agonía, eyacule en la mujer y luego le sacan un ojo que ella se introduce en la vagina.

Alejémonos de las fantasías de violencia de Sade, Apollinaire y Bataille y pasemos al lenguaje obsceno de la pornografía masculina normal y corriente, que expresa la pura excitación sexual brutal, vulgar y sin amor, como vemos en este pasaje de un libro de Olimpia Press: «"¡Abre la boca! ¡Ábrela!", gritó y, al entreabrir sus bellos labios carnosos, él le introdujo la polla en la boca y, agarrándola por el pelo, empezó a follársela así. Inmediatamente le llenó la boca de esperma mientras le gritaba: "¡Eres mía! ¡Eres mía! Eyaculo en tu boca. ¡Mira cuánto semen! ¡Mira cuánto! [...] ¿Te gusta, verdad, puta? [...] Cerda asquerosa que me chupas la polla"».[21]

Sin usar tan a menudo las expresiones *cerda* y *puta*, muy masculinas, Catherine Millet también recurre al empleo del lenguaje vulgar en su desinhibido análisis de las propias experiencias sexuales. Y recurre a él sobre todo cuando describe las situaciones impersonales, orgiásticas, promiscuas: «Mi lugar se encontraba en una de las salas de detrás, tumbada en una mesa [...] Podía estar ahí más de dos o tres horas. Siempre con la misma postura: manos que acariciaban mi cuerpo, yo agarrando pollas y girando la cabeza para chuparlas, mientras otras vergas me empujaban el vientre. Así, por ahí podían pasar hasta una veintena de hombres en una misma noche [...] Sudo poquísimo, pero a veces estaba inundada por el sudor de mis parejas. Por otra parte, siempre había ríos de esperma que se secaban en la parte superior de los muslos, a veces en los senos o en la cara, incluso en el cabello; a los hombres que participan en una orgía les gusta mucho descargarse en un higo cubierto de semen».[22]

Al dejar de lado la sexualidad impersonal y promiscua para entrar en la sexualidad personal vinculada al amor, el lenguaje erótico deviene más cortés. Desaparecen las expresiones vulgares y se sustituyen por metáforas poéticas, que, atención, no son un instrumento de destitución o de neutralización como las de la época victoriana, sino la forma específica en que este erotismo puede y debe encarnarse. Tomemos este ejemplo en el que Anaïs Nin nos describe la relación incestuosa con su padre: «Al anochecer [...] se puso encima de mí. Fue una orgía. Me penetró tres o cuatro veces sin miedo y sin retraerse; su nueva fuerza, su deseo, sus emisiones que se sucedían como el oleaje. Me sumí en la oscuridad, alegría disimulada sin orgasmo, en la niebla de caricias, languideces, en una continua excitación que me llevó al fin a experimentar, profundamente, una pasión [...] Derramé amor, adoración, aceptación».[23]

Cuando el componente amoroso domina, el lenguaje del erotismo incluso cambia de naturaleza. Murray Davis[24] cita dos pasajes de *El amante de Lady Chatterley*.[25] En el primero la mujer está haciendo el amor sin estar todavía enamorada, no siente nada y le resultan cómicos los movimientos del hombre y el trabajo que tiene para soltar al final una pequeña salpicadura de esperma. En el segundo pasaje está haciendo el amor cuando está enamorada y al mirar y acariciar los glúteos de su amante, que se mueven para penetrarla, de repente tiene la sensación de percibir una extraordinaria belleza, la belleza pura. Ya no se trata de un agitarse cómico. Es algo sublime: «El abrazo entre los hijos de los dioses y las hijas de los hombres». No estamos siendo testigos del paso de un lenguaje vulgar a otro aséptico y científico. La primera situación, simplemente, no es erótica. La segunda lo es. Pero no se trata de un erotismo impersonal. La mujer está enamorada del guarda forestal y el acto sexual florece de la realidad cotidiana, entra en el campo de lo extraordinario, de lo sagrado. La expresión «El abrazo entre los hijos de los dioses y las hijas de los hombres» nos recuerda directamente *El Banquete* de Platón, donde Eros es descrito como un dios a mitad de camino entre el Olimpo y la Tierra, entre los dioses excelsos y los hombres. Pero precisamente el hecho de tener esta naturaleza polar es lo que le permite ser, en un extremo, pura vulgaridad, puro sexo, y, en el otro, amor, «locura divina».

Y en el amor la persona amada suele ser descrita con imágenes erótico-poéticas. Releamos un célebre pasaje del *Cantar de los cantares*: «¡Qué hermosos son tus pies en las sandalias, hija de príncipe! Las curvas de tus flancos son como collares labrados por manos de artista. Tu ombligo, una copa redonda donde nunca falta el vino aromatizado. Tu vientre, un puñado de grano, rodeado de lirios. Tus senos, como dos cervatillos, gemelos de [...] gacela. Tu cuello, como una torre de marfil. Tus ojos, como los lagos de Chesbon». Y la mujer responde: «Tu paladar es como vino exquisito, que corre directo hacia mi deleite y fluye sobre mis labios y mis dientes!».

Las personas profundamente enamoradas, cuando se refieren a los genitales del amado, suelen hacerlo con nombres creados por ellos y con mil posibles metáforas. La vulva se convierte en una flor apenas abierta, una rosa, una delicada orquídea. El pubis, una mullida colina, el secreto vaginal un rocío perfumado, el esperma un chorro de madreperla, un alimento precioso. El discurso transfigura todas las cosas, funde continuamente el cuerpo, la naturaleza y el espíritu: «Dulces colinas acogen a quien yo amo en verdes ocasos. Ahí está; la portadora de rosas se acerca. Hazme tuyo, mi amor, déjame entrar en tu casa. Tú eres la más dulce morada. Tu puerta se abre para mí. Pétalos de rosa me indican el camino. Paredes de roca me acogen destilando rocío, su beso tiene el perfume de la primavera. Tu cuerpo es como un gran río que me arrastra. No quiero salir, quiero estar dentro de ti hasta siempre, ser sólo una de sus olas bañadas por el sol».[26]

Incluso cuando el amor es locamente, salvajemente sexual, la experiencia tiende a salirse de los límites del cuerpo, y el lenguaje se espiritualiza, explota en imágenes que los trasciende. Tomemos este fragmento de Neruda: «Es como una marea, cuando ella clava en mí / sus ojos enlutados, / cuando siento su cuerpo de greda blanca y móvil / estirarse y latir junto al mío, / es como una marea, cuando ella está a mi lado [...] / Es algo que me lleva desde adentro y me crece / inmensamente próximo, cuando ella está a mi lado, /

es como una marea rompiéndose, en sus ojos / y besando su boca, sus senos y sus manos. / Ternura de dolor, y dolor de imposible, ala de los terribles deseos, / que se mueve en la noche de mi carne y la suya / con una aguda fuerza de flechas en el cielo [...]».[27]

Hasta la desaparición de cualquier referencia corpórea, como sucede en Pascoli: «¡Desaparecer! Nada más quiero: quiero / convertirme en claridad que de él emana. / Escollo extremo en la gran luz, / escollo sobre la gran ola, / dulce te resulta descender donde la paz se halla: / desciende el sol en el infinito mar; / tiembla y desciende la claridad próxima / crepuscular [...]».[28]

Pero, llegados a este punto, hemos conseguido apartarnos incluso de la experiencia erótica. El amor puramente sublime ya no es erótico. El erotismo se desarrolla en el interior de dos polos: por un lado, el puro odio, el puro deseo de destruir; por el otro, el puro amor sublime convertido en sagrado.

5. El lenguaje erótico oriental

La dicotomía del lenguaje erótico está particularmente acentuada en Occidente, donde ya existía en Grecia y se reafirmó en la tradición judeocristiana. Por el contrario, en Oriente es mucho más débil, tanto en la India como en China, donde existe desde hace miles de años una literatura erótica culta y refinada. Muestra de ello es la enorme difusión del *Kamasutra*[29] en la India y, en China, de numerosos clásicos del erotismo. Ya durante la dinastía Han la bibliografía oficial registraba ocho manuales a los que se sumaron otros muchos. También existen innumerables novelas. En todas estas obras no encontramos, como en las nuestras, un lenguaje vulgar, un lenguaje médico y un lenguaje poético.

El erotismo siempre es tratado con metáforas poéticas delicadas. El pene viene referido con expresiones del tipo Tallo de Jade, Tallo de Coral, Columna del Dragón Celeste. Los órganos sexuales femeninos como Puerta de Cinabrio, Flor de Peonía, Loto Dorado, Ánfora Acogedora, etcétera. Un maestro taoísta enseña, por ejemplo: «El Talle de Jade [...] debe acariciar la preciosa entrada de la Puerta de Cinabrio con dulzura, mientras el hombre besa amorosamente a la mujer, sus ojos se detienen en su cuerpo y contemplan el Loto Dorado [la vulva]. A continuación, él debe de rozar el vientre y el seno de la mujer y acariciar su Terraza Preciosa [el clítoris]. [Después], mover su Seguro Pico [el pene en erección] [hacia las] Venas de Jade [los labios menores]».[30]

En la clásica novela de Li Yu *La alfombrilla de los goces y los rezos* el joven protagonista se casa con una chica hermosísima que ha convivido con un padre especialmente rígido y que desconoce completamente el arte amatorio. Es él quien la instruye mediante un libro ilustrado con reproducciones de las distintas posiciones sexuales a las que acompaña una explicación de cómo llevarlas a cabo y de lo que significan. Los nombres de estas posiciones son extremadamente poéticos. La primera se llama «la mariposa libre revolotea en busca del perfume de las flores» y se trata de una posición en la que la mujer está sentada con los muslos estirados mientras el hombre se le aproxima con el miembro erecto. La segunda es la de la «abeja durante la nidificación» y viene explicada con este lenguaje poético: «Ella yace en posición supina sobre unos cojines con las piernas estiradas hacia lo alto [...] las manos encima del *fruto* e indicando a la masculina *trompa de jade* el acceso al *cáliz de la flor* para que él encuentre el camino correcto y no se pierda». En la cuarta, «el caballo hambriento galopa hacia el pesebre. Ella, reclinada de espaldas en almohadones, sostiene con ambas manos el cuerpo del hombre [...] Él, tras poner las piernas de ella sobre sus hombros, introduce su *cola de yak* en el cáliz de ella hasta la empuñadura».[31]

En la primera relación sexual el marido, para no asustar a la joven esposa, la dispone con cuidado en la poltrona donde miran el libro, y apoya los muslos de ella sobre sus hombros sin quitarle la ropa. A continuación «condujo con prudencia su vigorosa *cabeza de rebaño hasta la puerta del pequeño palacio del placer* [...] y una vez su cabeza de rebaño dentro, en el *pequeño palacio del placer*, intentó, frotando a tientas las paredes laterales, llegar a la *estancia secreta* donde se esconde *el corazón de la flor, el pistilo*».[32] Se trata, en todos los casos, de metáforas poéticas.

En esta literatura, pues, echamos a faltar una neta distinción entre el lenguaje de la sexualidad vulgar y el lenguaje del amor apasionado y exclusivo. Oriente ha conocido, al igual que Occidente, el enamoramiento apasionado, sobre todo en la India, hasta el punto de que Vatsyayana, en el *Kamasutra*,[33] dice que los enamorados no necesitan seguir sus instrucciones pues, instintivamente, lo saben todo. Disponemos de un verdadero ejemplo de enamoramiento en la maravillosa obra de Kalidasa *El reconocimiento de Sakuntala*.[34] Ni Vatsyayana ni ningún otro, empero, le han dedicado un análisis particular, hecho que se explica por la presencia de la poligamia que impide la exclusividad. También en *El reconocimiento de Sakuntala* el rey está enamorado de Sakuntala, pero, aun siendo la primera de todas, la lleva igualmente a su harén. Por el contrario el enamoramiento occidental es rigurosamente exclusivo.

En China, todavía más que en la India, no se establece diferencia entre «me gustas, te deseo enormemente» y «estoy enamorado de ti». Por consiguiente sólo existe un único lenguaje, el lenguaje de las metáforas eróticas, con una transición gradual casi impalpable entre las metáforas afectivas, dulces y apasionadas —*tesoro, amor, mi corazón, hígado mío, me gustaría morir entre tus brazos*—, y las que aluden a partes sexuales —*las dos colinas gemelas, el valle del placer, la colina de la luna, el foso del placer, la estancia secreta*— o hacen referencia a experiencias específicamente sexuales como *la nube que descarga*.

En el libro que acabamos de citar el joven protagonista acude a un templo del amor en busca de las más bellas mujeres. Toma nota de ellas y junto a cada una escribe una glosa. Aquí tenemos un ejemplo: «¿Cómo describir con palabras su belleza? Es una gema que perfuma, una flor que habla, su boca es una cereza abierta, la manera como dispone sus pies al andar recuerda el elegante vuelo de las golondrinas y recupera de la memoria una belleza de la que habla la historia de los tiempos antiguos, llamada Hsi Shi, Golondrina en vuelo, que una vez, durante un banquete principesco, danzando graciosamente entre los platos de oro de la mesa de la corte, sedujo totalmente el alma de su iluminado señor hasta el punto de convertirlo en un títere. [Se trata del príncipe Fu Chai del Estado de Wu, del siglo V a. de C.] Siempre tiene el ceño, también en esto es como Hsi Shi, un poco fruncido, pero no sólo cuando está malhumorada, como hacía Hsi Shi, sino también cuando está alegre. Abre los ojos con indolencia, como una segunda Yang Kuei-fei [famosa favorita del emperador T'ang Ming-huang, del siglo VIII d. de C.]»[35] ... En conjunto, se trata de un lenguaje que un occidental usaría sólo con la persona de la que está enamorado, a la que asociaría no con personajes eróticos del pasado, ya que carecemos de una tradición y de un recuerdo, sino con los famosos ídolos cinematográficos.

La literatura oriental china e india es el producto de una clase culta y va dirigida a un público experto en la búsqueda del placer y que demuestra tener un comportamiento positivo hacia el erotismo. El *Kamasutra*[36] no fue redactado por alguien que espiaba a hurtadillas lo que sucedía en un burdel, sino por un observador culto y atento a las prácticas sexuales de las personas que pertenecían a su misma clase social. No era un libro para leer en solitario y en secreto, era un texto de formación a los placeres amorosos dirigido a los hombres acomodados y, por encima de todo, era un texto de formación para las mujeres jóvenes que debían casarse o que se preparaban para convertirse en esposas o concubinas o para entrar en el harén de un hombre rico, del que dependería el resto de sus días. El texto de Vatsyayana, difundido probablemente en el siglo III d. de C., incluía enseñanzas sobre sesenta y cuatro disciplinas como la música, la literatura, la poesía, la danza, el canto, la higiene, la cocina, la arquitectura, la decoración y el placer de la conversación. Y era, no lo olvidemos, un texto religioso, porque el amor erótico, el *kama*, es una parte esencial de la experiencia religiosa hinduista. Probablemente en la época de su difusión y a lo largo de los siglos sucesivos su uso se fue extendiendo también entre las clases no acomodadas, puesto que la búsqueda del éxtasis erótico-religioso estaba muy difundida, tal como lo demuestran las innumerables representaciones eróticas de los templos indios y no sólo las de los más famosos, como las de Khajuraho.

Para entender el abismo que separa esta concepción del erotismo de la concepción judeocristiana e islámica basta pensar en la figura de Krisna, encarnación de Visnu, la segunda figura de la Trimurti, en otras palabras, el propio dios absoluto, que vive beatíficamente apareándose con cientos de hermosas pastoras, las Gopi. Y en todo el arte tántrico, el estado de felicidad viene representado por la conjunción sexual de Shiva y Parvati o, lo que viene a ser lo mismo, de un dios –sea Shiva o incluso Buda– que penetra, teniéndola en su regazo, a una pequeña *daykini* desnuda que lo abraza con ternura.

El componente erótico de la religiosidad hinduista fue perdiendo vigor tras el primer milenio después de Cristo, probablemente como consecuencia de la conquista islámica, que sólo permite el erotismo dentro del matrimonio. Un matrimonio, empero, que consiente un harén de esposas y concubinas y en el que el hombre se aparea con la mujer preelegida en presencia de las concubinas que les asisten, a él y a su bella, en una atmósfera de promiscuidad.

Nos hallamos ante una experiencia extraña en Occidente. Aunque en el panteón grecorromano exista un dios del amor, Afrodita-Venus, la sexualidad siempre es presentada como adulterio porque la estructura profunda de las relaciones era monogámica. Zeus-Júpiter se acopla con muchas mujeres mortales, pero lo hace escapando a los celos de la esposa Hera-Juno. Con el cristianismo, más adelante, el erotismo es literalmente expulsado de la religión. El resultado es una monogamia interrumpida por el adulterio u, ocasionalmente, por la promiscuidad caótica de la orgía. Obviamente, en esta tradición jamás nadie se propuso educar a hombres y mujeres para que dieran y encontraran el placer sexual. La sexualidad, condenada por la religión, se traslada y se aproxima al mundo excrementicio, despreciable. Esto es lo que Bataille encontró y describió en su estudio del erotismo: la sexualidad como trasgresión y culpabilidad, como infracción del tabú, como reaparición de lo animal en lo humano, como degradación y envilecimiento de la mujer y de la belleza.

Sin embargo, como la sociedad occidental está movida por un frenético dinamismo que se expresa en los movimientos utópicos colectivos que tienden a la regeneración del mundo, a rehacerlo por completo de nuevo, esta forma de pensar se introdujo también en el campo amoroso. Así, en el medioevo cristiano, cuando aumentó la libertad individual, l'incipit vita nuova religioso se recogió en la Vida nue-

va de Dante, en el *dolce stil novo*. El erotismo estalla como enamoramiento, *estado naciente*, renacimiento físico y espiritual, pero también como infracción de las más sagradas reglas familiares y de la propia lealtad hacia el rey, como en el caso de Tristán e Isolda, de Lanzarote y Ginebra; en otras palabras, subversión, revolución. Pero también como aspiración suprema, dedicación sin fin. A través del enamoramiento, la sexualidad deviene gentil, se vuelve poética y sacra. Pero de este modo se rompe su unidad y por un lado aparece lo obsceno y por el otro, lo sublime.

6. Lenguajes eróticos en Occidente

A partir del Renacimiento italiano la pintura ha utilizado imágenes de la antigüedad clásica y pagana para representar escenas eróticas. Tomemos como ejemplo un cuadro cualquiera, una de las muchas versiones que existen de *Polifemo y Galatea*, la de Poussin por ejemplo. Vemos a los dos amantes abrazados, detrás Polifemo toca su gran flauta y a la derecha los tritones abrazan eróticamente a las ninfas. Todos van desnudos, sus cuerpos son voluptuosos, expresan un intenso erotismo. El abrazo erótico entre los dos enamorados tiene lugar en público delante de otras personas que, como ellos, hacen el amor. Así pues, se trata de una situación de promiscuidad, pero en la que no hay nada vulgar, nada obsceno. También podemos analizar el caso de *Diana y Calisto* de Rubens, donde el espectador queda verdaderamente maravillado de ver a tantas mujeres desnudas, hermosas, lánguidas, de sensuales carnes. Es, literalmente, «la tentación de la carne», tal como la llama la doctrina ascética cristiana. Y lo mismo podemos decir de los cientos de telas de este género pintadas entre el siglo XVII y el siglo XVIII. En Oriente, la pintura era más explícitamente sexual, a veces incluso pornográfica y bastante a menudo didascálica: muestra abiertamente los genitales, la penetración, las innumerables posturas sexuales. Pero carece de la grandiosidad evocativa de la pintura occidental que no muestra los genitales, no muestra el acoplamiento, sino que exalta la sensualidad de los cuerpos de un modo que resulta inimaginable en Oriente.

Además de la pintura, en Occidente hay otros dos lenguajes que pueden ser profundamente eróticos: la danza y el canto. Obviamente, también son artes presentes en Oriente desde tiempos inmemoriales. La formación amatoria de las chicas que se preparaban para convertirse en concubinas o en esposas de personajes importantes exigía categóricamente el conocimiento de la música, de la danza y del canto. Las cantantes, presentes en todas las fiestas, eran a la vez concubinas. No debió ser muy distinto entre las clases acomodadas griegas y romanas. Las bailarinas que encontramos en los vasos y jarrones griegos nos muestran una alta carga erótica. Y, entre la clase acomodada romana de después de la guerra civil, en las fiestas se usaban cantantes y esclavas. Después le siguió el largo intervalo cristiano, medieval, y la época de la Reforma y de la Contrarreforma donde el espíritu pagano, que volvió a emerger en la Roma papal del siglo XV, fue rigurosamente prohibido. Todo se hace, pero con discreción.

La danza deviene pública en el siglo XVIII y en primer lugar en el país cuya revolución fue más devastadora y anticristiana: Francia. Es en París donde reaparecen las danzas desenfrenadas y las figuras de las bailarinas-concubinas desaparecidas desde la antigüedad. El Moulin Rouge y la pintura de Degas y de Toulouse-Lautrec representan su símbolo. Desde ese momento la danza pasa a ser la exaltación, el tripudio del erotismo femenino, expande al máximo la fascinación femenina hasta sacudir al hombre. La danza no simboliza el enamoramiento, la danza es un lenguaje del sexo. Partamos del ballet clásico con tutú. La faldita corta en movimiento muestra las piernas estiradas al máximo por el pie extendido. (Los chinos obtenían este efecto cubriendo con vendas los pies de las niñas que iban a convertirse en mujeres para el amor.) El bailarín, al levantar a la mujer con las piernas abiertas, ofrece una visión completa de su zona perineal, cubierta por las medias. Un efecto erótico, todavía más explícito, lo proporcionaban las bailarinas de cancán cuando hacían el *spagat* y después, todas en fila, mostraban sus posaderas.

Dino Buzzati lo cuenta maravillosamente bien en su novela *Un amor*: «Viéndolas [a las bailarinas de la Scala] tan cerca, metidas de lleno en su trabajo, sin maquillaje ni colas de pavo real, tan simples y faltas de ornamentos, más desnudas que si no hubieran llevado nada, Dorigo entendió de repente su secreto: por qué desde tiempos inmemoriales las bailarinas habían representado el símbolo mismo de la mujer, de la carne, del amor. El baile era –así lo entendió– el maravilloso símbolo del acto sexual. La regla, la disciplina, la férrea y a menudo cruel imposición de los miembros, de los movimientos difíciles y dolorosos, el hecho de obligar a esos cuerpos jóvenes virginales a exhibir repetidamente las distintas perspectivas de unas posturas extremadamente extendidas y abiertas, la liberación de las piernas, del torso, de los brazos en completa disponibilidad: todo aquello se hacía para satisfacer al hombre».[37]

En la danza moderna los movimientos de los dos bailarines simbolizan todavía con mayor claridad la relación sexual en sus infinitas variantes. En muchísimos bailes, incluso en los espectáculos para familias con niños que se programan en la televisión, aparecen hermosas bailarinas que tan sólo llevan una pieza que les cubre el pezón y un diminuto tanga que deja desnudo el resto y resalta las nalgas.

Y además danzan mezcladas entre personas vestidas normalmente, simbolizando una orgía.

La bailarina semidesnuda que baila con una pareja tiene un efecto turbador en el hombre, incluso superior al que suele considerarse como modelo de seducción erótica: el *striptease*, donde la mujer está sola y prácticamente inmóvil. Es el cuerpo en movimiento el que cuenta, mediante el muy particular lenguaje artístico de la danza, el frenesí de la relación sexual, la invitación, la excitación, el abandono. Ningún hombre se maravilla de que Herodes Antipa haya podido prometer «todo lo que deseara» a la hija de Herodíades, Salomé. En la mujer, el baile del hombre tiene menor efecto y si lo tiene es porque se identifica con la mujer con la que baila.

Al contrario, el lenguaje artístico que posee mayor potencia erótica para la mujer es el canto. Las chicas enloquecen por el ídolo del momento y millones de mujeres jóvenes notaron cómo su corazón les daba un brinco y su cuerpo se convulsionaba al escuchar a Frank Sinatra cantando. Y es que en el canto las palabras son importantes porque hablan de amor y desde el punto de vista femenino son una declaración de amor e incluso un verdadero acto de seducción amorosa.

En la lengua escrita el erotismo hace su aparición en la Europa medieval, con Boccaccio y Chaucer, con la simplicidad vulgar del eros cotidiano. Más adelante cambia en la literatura francesa del siglo XVII, a la que llamamos, para simplificar, libertina. Es la literatura de una aristocracia rica que no trabaja, que ha relajado las contenciones morales y religiosas tradicionales y que busca el lujo y el placer en todas sus formas. Tomemos tan sólo dos ejemplos: *Point de lendemain* de Vivant Denon,[38] donde la marquesa de T. se burla de su amante y de su marido sirviéndose de un joven inexperto. O *La petite maison* de Jean-François de Bastide,[39] donde un libertino seduce a una mujer joven mostrándole su casa del placer. En estas pequeñas obras la tensión erótica, la vibración sexual se obtiene mediante situaciones de intimidad, imágenes, símbolos, alusiones, y usando exclusivamente el lenguaje amoroso.

Fueron Henry Miller y Anaïs Nin quienes, en los años treinta del siglo pasado, eligieron escribir abiertamente de la realidad erótica superando el tabú del sexo. Henry Miller lo hace con sus descripciones áridas y duras, con las que expresa, incluso de un modo voluntariamente acentuado, el erotismo masculino que separa con facilidad el sexo del amor y que tiende a vivir las relaciones sexuales como una forma de posesión a la que le sigue la indiferencia de una forma que puede incluso llegar a ser fría y hasta agresiva.

Por el contrario, Anaïs Nin explica en sus diarios su rebosante sexualidad femenina, integrada en la experiencia amorosa incluso cuando trata argumentos extremadamente escabrosos o incluso tabúes. Ya lo hemos visto en un fragmento anterior en el que contaba su relación incestuosa con su padre. Aun así, aquí tenemos otro: «"Debemos evitar la posesión física", dijo [mi padre], "pero déjame besarte." Me acarició el pecho, y mis pezones se endurecieron. Cuando su mano me acarició –¡oh, sabiduría de esas caricias– me dejé ir […] Estático, su rostro, y yo ahora me encuentro presa del frenesí por el deseo de unirme a él. Su espasmo ha sido tremendo, de todo su ser. Ha vaciado todo su ser en mí... Y mi aceptación ha sido inmensa, con todo mi ser, sólo con ese punto de miedo que ha bloqueado en mí el supremo espasmo […] Por la tarde, caricias. Me pide que me desnude y que me tumbe a su lado. La flexibilidad de sus caricias y de las mías, las emociones que corrían desde la cabeza hasta los pies, las vibraciones de todos los sentidos […] Una nueva unión, una sintonía de delicadeza, de sutilezas, de exaltaciones, de aceptación, de percepciones y de tentáculos más agudos. Un gozo que se propagaba en amplios círculos».[40]

La misma Anaïs Nin en sus libros *Pájaros de fuego*[41] y *Delta de Venus*[42] ya no pone en juego el amor sino que procura separar el amor del deseo sexual. Nos cuenta un sinfín de relaciones sexuales felices entre dos o tres personas, siempre carentes de vulgaridad pero repletas de sensaciones y de emociones. Es el mismo registro en el que se mueve Arsan, quien en *Emmanuelle* nos da a conocer, más que ninguna otra persona, la descripción de las sensaciones sexuales femeninas. Emmanuelle está en un avión, la azafata le indica dónde debe instalarse y ella estira las piernas y se abandona. Percibe las vibraciones de la nave: «El avión concordaba sus frecuencias con las de Emmanuelle buscando armonizar con el ritmo de su cuerpo. Una ola le subía por las piernas partiendo de las rodillas (quiméricos epicentros de este temblequeo de sensaciones sin contornos), resonando inexorablemente en la superficie de sus muslos, y así ascendía, produciendo escalofríos a Emmanuelle». Entonces empieza a tener fantasías eróticas, imagina «falos ávidos por tocarla, por abrirse paso entre las rodillas, forzándole las piernas, abriéndole el sexo […] su movimiento era el de un continuo avance […] profundizaban en lo desconocido del cuerpo de Emmanuelle a través de la estrecha vía». A continuación el hombre de al lado, que le resultaba atractivo, le puso una mano sobre la pierna. Inmediatamente ella dejó caer su propia mano encima de sus muslos. «Con el respiro entrecortado, Emmanuelle sintió que sus músculos y sus nervios se enlazaban como si un cubo de agua fría la hubiese fustigado en pleno vientre.»[43]

En época reciente, tras la revolución sexual, también las mujeres empezaron a separar el sexo del amor. Lo hizo Lidia Ravera entre los años sesenta y setenta con el libro *Porci con le ali*,[44] después Erica Jong, a partir de su primer libro

Miedo a volar,[45] hasta llegar a Catherine Millet[46] a comienzos del 2000. Lo encontramos por otra parte en casi todas las novelas modernas tanto cuando tratan de experiencias eróticas, por ejemplo en *Plataforma* de Houellebecq,[47] como en aquellas donde el sexo, en realidad, no tiene ninguna importancia porque la droga y el vacío existencial devienen la nota dominante, como en el caso de Irving Welsh. Se multiplican también las novelas de mujeres que usan el lenguaje vulgar y que rechazan la diferenciación entre literatura erótica y pornografía. Todas ellas lo hacen para recrear las experiencias reales de la sexualidad en las que la gente no dice *pene* sino *polla*, no dice *esperma* sino *semen*, no dice *vulva* o *vagina* sino *higo*, no dice *nalga* o *ano* sino *culo*, no dice *copular* sino *follar*. Hoy, parece que digan, ya no hay trasgresión, ya no hay culpa, todo es lícito, todo es natural. Por otro lado, ¿acaso no es así como hablan los jóvenes, no es así como se expresan en los *reality shows* de la televisión? Es absurdo, sostienen, diferenciar entre un lenguaje vulgar, obsceno y otro que no lo es. Hay, o habrá dentro de poco, un lenguaje único que llama a las cosas por su nombre corriente y basta. Tomad conciencia de ello y evitad las inhibiciones y los pudores tradicionales.

Pero ¿es esto cierto? En realidad, aunque haya tenido lugar la revolución sexual, aunque el cine muestre cada dos por tres a personas desnudas abrazándose, aunque en todas las revistas haya desnudos y aunque Internet vaya cargado de material pornográfico, aunque tantas novelas modernas empleen el lenguaje vulgar, en realidad, tanto en las novelas como en las películas, y también en la vida, la distinción se mantiene. Y continúa existiendo una literatura erótica, un género literario erótico distinto del *thriller*, de la comedia, de la aventura, del género bélico, etcétera. Y cuando hablamos en público continuamos usando el lenguaje neutralizado por la medicina y la sexología.

7. Oscilaciones históricas entre sexualidad y amor

El dominio de la sexualidad sobre el amor y viceversa varía de una época a otra. Podemos identificar épocas en las que prevalece la sexualidad promiscua y otras en las que, al contrario, se valora el enamoramiento personal.

Empecemos por los «libertinos del siglo XVII». El libertino, tanto hombre como mujer, considera el enamoramiento y el amor como una esclavitud que no quiere soportar y que se divierte imponiéndola a los demás. En el célebre libro *Las relaciones peligrosas*, Choderlos de Laclos[48] describe la rivalidad entre el vizconde de Valmont y la marquesa de Merteuil para conquistar y someter a aquel que cree en el amor. La Revolución Francesa no cambia su cuadro, ni tan siquiera su fin. Con el período de Termidor tan sólo estalla una frenética alegría de vivir. Aparecen por las calles de París la *jeunesse dorée* y las *merveilleuses*. Es el período de la moda directorio. La promiscuidad es frecuente. Los amantes pasan de una cama a otra. En los salones en los que se reúnen los poderosos, Madame Tallien y Josefina Beauharnais se pasean semidesnudas, cubiertas por velos.

Esta época de desenfreno termina cuando Napoleón se casa con Josefina. Se sucede la época romántica en la que, por el contrario, dominan el enamoramiento y la pasión amorosa exclusiva. Podemos encontrarlos en el inicio de la novela *Penas del joven Werther* de Goethe, en el ensayo de Stendhal *Del amor*[49] y también en los grandes dramas amorosos de Tolstoï y los de Emily Brönte o de Flaubert.

Al cabo de poco tiempo, tras la Primera Guerra Mundial, llega otra época promiscua que supone la ruina de las costumbres y de la sociedad aristocrática. Joseph Roth, con *La cripta de los capuchinos*,[50] nos muestra los primeros momentos de oscuridad. El desenfreno encuentra su epicentro en

Berlín y se mantiene vivo hasta los años treinta. Visconti nos hace un retrato de la situación en su película *La caída de los dioses*. En Norteamérica y Europa se suceden los años locos, los *Roaring Twenties*. En Estados Unidos corresponde a la época de promiscuidad de Fitzgerald y *El gran Gatsby* que termina con las reacciones de censura y con la gran recesión económica. Los jóvenes americanos se trasladan hasta Europa, llegan a Londres pero sobre todo a París. Es ahí donde encontramos a Hemingway, a Henry Miller y a Anaïs Nin. En Londres, los protagonistas de la vida social son los *Bright Young Things*, descendientes de la buena sociedad, despreocupados y superficiales sedientos de diversiones y de transgredir las normas. Para ilustrarlo aportamos la cita de Cinzia Tani en *Amori crudeli*. Al hablar de Elvira Barney, protagonista de un célebre proceso, escribe: «Empezó a consumir cocaína, a frecuentar pubs y clubes nocturnos, se convirtió en la amante de crápulas y pervertidos sexuales [...] Inventaban juegos absurdos y perversos, se deleitaban practicando sexo promiscuo».[51] Al describir su manera de vivir añade: «El desorden formaba parte de la decoración: vestidos y zapatos por los suelos, filas de botellas vacías y montones de platos sucios acumulados en el fregadero, velas encendidas y apagadas infinidad de veces en el alféizar[52] [...] Eran noches larguísimas en las que el alcohol enmascaraba el cansancio y los excitantes lo hacían desaparecer por completo, en las que tenían lugar dramas y comedias que terminaban al alba, cuando la luz fastidiaba a los ojos y la mente».[53]

Tras la etapa promiscua de los años veinte y treinta toma el relevo la crisis de la Segunda Guerra Mundial y con ella regresa el amor romántico dominante en la literatura y en el cine de todos los años cuarenta y cincuenta. Pensemos en *El puente de Waterloo, Casablanca, Encadenados* o *La colina del adiós*. Es la época de las grandes esperanzas y de la reconstrucción, se vuelve a situar en el centro de la vida la idea del matrimonio, de la familia con hijos y, en un plano demográfico, el *baby boom*.

El marco vuelve a cambiar en la década de los sesenta con el rock de Elvis Presley apodado, no de modo casual, «la Pelvis» y en el campo de las letras con el libro de Betty Friedan *La mística de la feminidad*.[54] La nueva generación protagoniza la revolución social y la libertad y la promiscuidad social se convierten en una ideología de masas. Recordemos algunos hechos y personajes: la revista *Playboy*, las investigaciones de Masters y Johnson,[55] Alex Comfort y su libro *La alegría del sexo*,[56] Phyllis y Eberhard Kronhausen, fundadores del Museo de Arte Erótico, Betty Johnson, una pintora erótica, y el pornógrafo Marvin Miller. Es en este clima donde nace la pornografía cinematográfica y donde se generaliza el consumo de LSD, de marihuana y, posteriormente, de heroína.

En Europa, la promiscuidad sexual ha adquirido tintes políticos marxistas entre las comunidades del movimiento estudiantil. En Estados Unidos se combina con el feminismo radical. Es la época de Erica Jong. Al final de la década ha adquirido fuerza una formación tántrica que da lugar a un movimiento conocido con el nombre de «los naranjos de Osho» (Bhagwan Rajneesh) y a la New Age. La difusión de la droga supuso una enorme contribución a que prevaleciera la sexualidad promiscua. Cualquier tipo de droga puesto que los estupefacientes generan un sentimiento de indiferencia o de poder desmesurado, quizás incluso una pérdida de los confines de la personalidad y suponen, siempre, una caída de los frenos inhibidores.

Las reacciones a la droga, su control incluso como forma de autocontrol y de autolimitación sólo serán una realidad al final de los años setenta del siglo pasado, cuando el fracaso de las comunidades hippies y la crisis de las comunidades marxistas hicieron que emergiera de nuevo el valor del individuo. En el lugar de la colectividad vuelve a abrirse un espacio para el amor de pareja que se inaugura con el libro de Roland Barthes *Fragmentos de un discurso amoroso* y con mi ensayo *Enamoramiento y amor*, que se mantiene vigente durante los años ochenta, que es cuando hace su aparición el sida. Esta etapa dura hasta la primera parte de los años noventa.

Hoy en día volvemos a encontrarnos en una fase en la que el erotismo se aleja del amor. Lo podemos ver claramente a través de las retransmisiones televisivas donde tienen éxito programas como *Gran Hermano*. El mundo que se recrea en muchas de las novelas del momento, en documentos escritos por prostitutas, estrellas del porno, bailarinas, modelos e imitadoras está plagado de actos sexuales consumados con indiferencia y con cínica frialdad o que han sido la consecuencia de estados de estupor, de drogadicción, hechos casi por casualidad, sin interés, sin pasión, por lo tanto carentes de valor erótico como sucede en los libros de Hanif Kureishi. O en los de Irving Welsh, como pérdida del sentido de la vida, como fracaso. Pongamos un ejemplo: «¡Mierda, esta noche he dormido fatal! ¡ Coño, que ni me apetecía! Estaba ahí sentado, con los ojos clavados en la pared, pensando: mañana me voy, lejos, coño. Y conversaciones, ¡una mierda! Le dije a ese cabrón: tíratelas hasta que aguantes, capullo... Le cuento todo al cabrón, todos los higos que me cepillaré [...]».[57]

Últimamente también han aumentado los escritos de mujeres en los que el sexo aparece separado del amor y en los que, como consecuencia, el lenguaje se vulgariza. Sería el caso de Florence Dugas: «El negro se enarcó encima de ella y sin preliminares la agarró por los riñones. Su verga chorreante se hundía fácilmente en el culo de ella; nunca habría imaginado que pudiera ser tan larga. Literalmente empalada, percibí la barra despiadada subirme hasta el corazón, y después relajarse y arremeter de nuevo. Nunca antes me habían sodomizado con un sexo tan duro, cual tronco de ébano, barra de hierro, infierno».[58] También en el campo del ensayo esta tendencia a separar la sexualidad del amor, y por consiguiente a infravalorar el componente amoroso, ha cosechado sus éxitos con libros como el de Laura Kipnis, *Contra el amor: una diatriba*.[59]

8. ¿Por qué la dicotomía?

¿Por qué aun difundiéndose este erotismo libre, abierto, indiferente, por qué aun difundiéndose la pornografía, el lenguaje vulgar en el cine y en la televisión, en la vida real el sexo continúa siendo un ámbito separado, reservado y básicamente secreto? Sí, secreto porque incluso la persona que utiliza un lenguaje atrevido, incluso la persona que escribe de sexo, no explica su propia vida sexual y amorosa más que a algunas personas bien elegidas: la amiga o el amigo del alma, el psicólogo, el amante. Porque el lenguaje vulgar evoca sensaciones, emociones, excitaciones sexuales que alteran las relaciones sociales, las turban y las desconciertan.

La explicación de la propia vida sexual y amorosa a una persona en concreto mediante el empleo de un lenguaje vulgar –a menos que se trate de un momento abiertamente relajado, divertido, irónico o incluso agresivo– constituye una invitación sexual abierta. Si el receptor presta atención a este lenguaje, si no lo rechaza indignado o no lo aparta riéndose, en cierto modo acepta la propuesta. Imaginémonos a una mujer contando a un hombre al que apenas acaba de conocer las relaciones sexuales que ha mantenido con sus amantes, los detalles de sus prácticas en común y las sensaciones que ha experimentado. El otro lo interpreta como una proposición sexual. Y lo mismo haría él si le contara las suyas. Porque estas personas, al escucharse, no pueden dejar de imaginarse la situación, revivir la historia con la imaginación, con la fantasía, no pueden evitar participar. Si este tipo de conversación se prolonga, inmediatamente se encuentran sumergidos en una situación de promiscuidad y es fácil que llegue el momento en el que el sistema de protección de la vida cotidiana se desmorone. Entonces un gesto, un contacto furtivo de la mano, una señal de entendimiento bastan para que se desencadene la relación sexual. De ahí la reticencia de muchas personas a confiarse demasiado íntimamente, de ahí su retraimiento y su pudor.

La sexualidad en todas sus formas, desde la sexualidad falta de amor a la que lo rezuma, supone siempre un peligro mortal para el orden social porque se fundamenta en mecanismos primordiales que preceden, en muchos millones de años, al nacimiento de la organización económica y política. Bataille, sosteniendo que la sexualidad siempre es trasgresión, pensaba en la voluntad de transgredir, en el placer de infringir el tabú, la regla constituida. En realidad el poder transgresivo de la sexualidad y del amor es enormemente superior y para nada depende de la voluntad aceptada de transgredir o del placer de hacerlo. La sociedad se articula a partir de la división de deberes y poderes, se fundamenta en las relaciones familiares y de amistad, en niveles jerárquicos, en reglas concretas de acceso o de exclusión, de promoción o de retribución. Las reglas que permiten que un individuo sea profesor, magistrado, médico o político son variadas y son variados los comportamientos prescritos por la ley o por la deontología profesional. Pero el erotismo las ignora, tiende a violarlas. Tomemos, por ejemplo, el caso de una empresa cualquiera en la que los trabajadores tienen un riguroso concepto de la carrera profesional. Si el propietario se enamora de una gris empleada de la administración, toda la estructura del poder empresarial resulta afectada. Porque en la intimidad del lecho, esa mujer puede dar consejos, elogiar, denigrar, hacer que se promueva o se destituya a uno u otro trabajador. Es como si hubiera entrado un copropietario. Quien, además, conoce la empresa, tiene simpatías y antipatías, incluso sabe de alguien de quien querría vengarse. ¡Aquel funcionario que la recriminaba porque llegaba tarde o que la atormentaba porque ella no accedía a sus deseos estaría bien que no volviera a aparecer! La historia nos da infinitos ejemplos del poder que ostentaban las favoritas del rey, quienes podían contribuir a encumbrar o a derrumbar la carrera de sus ministros. Todos sabemos la influencia que tuvo Cleopatra en el modo de pensar de César, en su concepción del Estado y el odio feroz que suscitó entre las élites senatoriales romanas.

La atracción sexual no respeta los órdenes constituidos, ignora la neutralidad que exigen las distintas funciones sociales, une lo que oficialmente debe mantenerse separado del modo más caprichoso e imprevisible. Por esta razón, la sexualidad siempre se ha empleado en la lucha política, se ha previsto como un instrumento de conocimiento para los servicios secretos, se ha utilizado para difundir y hacer estallar escándalos y para eliminar a adversarios incómodos. Pero a un nivel menos elevado, también podemos pensar en la influencia que puede tener en las relaciones entre un empleado de banca y su cliente, entre juez e imputado, entre policía y delincuente, entre profesor y alumno, entre examinador y examinando, entre patrón y servidor, entre vecinos de una casa, entre amigos y también entre enemigos. Y todo ello aumenta cuando la sexualidad deviene enamoramiento, amor, pasión. Pero no debemos pensar sólo en el amor heterosexual en sus formas más tradicionales, en el hombre mayor y poderoso que se deja seducir y llevar por la mujer joven y bella. Hoy en día ha aumentado considerablemente la homosexualidad tanto masculina como femenina potenciando complicidades amorosas que al comienzo parecían irrelevantes.

Y este poder destructor de la jerarquía social no es una realidad exclusiva de Occidente. En la India las corrientes tántricas que daban valor al sexo y le atribuían un peso religioso encontraron una fuerte oposición por parte de las élites bramánicas, que siempre intentaron mostrar el Tantra simplemente como una práctica ascética. La importancia del *kama,* el amor erótico, como momento central de la vida religiosa queda demostrado con la existencia de esculturas eróticas repartidas un poco por todo el continente indio, pero sólo hubo un período histórico en el que se integró por completo el erotismo en la religión y, por consiguiente, en la estructura social: en el Nanda Pradesh, bajo la dinastía Chandella, hacia el final del primer milenio después de Cristo, cuando se erigieron los famosos templos de Khajuraho, la máxima síntesis erótico-religiosa jamás aparecida en la historia de la humanidad.

Pero a continuación prevalecieron las fuerzas hostiles hinduistas e islámicas puesto que esos magníficos templos fueron dominados por la fuerza arrolladora de la jungla y olvidados hasta que sir Richard Burton los redescubrió.

Con todo, no debemos olvidar que la sexualidad constituye la base de la reproducción, esto es, de la vida, y en cualquier escala de la vida animal o vegetal encontramos reglas, ritos rigurosos, que, en caso de violarse, pondrían en peligro la perduración de la vida. En su inquietante libro *Mystery dance: on the evolution of human sexuality,* Lynn Margulis[60] nos da a conocer las extraordinarias formas que adopta la sexualidad para presentarse y establece las diferencias con cualquier otra posible actividad. Pensemos en el complicado juego de formas, colores y perfumes de las flores que, interactuando con los comportamientos instintivos de los insectos, llevan a la polinización. Y a los complejos rituales de cortejo de los insectos y, avanzando en la escala evolutiva, a los de los animales superiores. No hay sexo y no hay vida si no hay respeto por estos rituales; ignorarlos significa morir. Los mecanismos que guían la sexualidad están escritos en el sistema genético, situados en el sistema nervioso, celosamente protegidos, perfectamente determinados. En el hombre, a nivel consciente, se manifiestan inmediatamente como impulsos, atracciones y repulsiones, deseos, sentimientos, pasiones y todo ello dentro de las complejas estructuras sociales. No hay ninguna sociedad humana que no haya tenido tabúes, prohibiciones, formas de cortejo, rituales matrimoniales, sistemas de parentesco, etcétera. Todo ello repercute en el más simple y casual acto sexual. El sexo nunca es neutro. El sexo siempre tiene implicaciones profundas.

Estas implicaciones pueden ser borradas del mundo moderno de la exhibición, de la comercialización, del envilecimiento ideológico, de la falta de objetivos, de ideales, del miedo, del sentimiento de vacío que embarga a las personas. Pero sólo se trata de una máscara superficial bajo la cual continúan agitándose fuerzas titánicas.

Pensemos en la violencia del enamoramiento que, en poco tiempo, nos hace indispensable a una persona y deseamos incluso morir por ella, en el inmenso amor que sentimos por nuestros hijos, en la laceración, el dolor que genera en nosotros, en ellos, las separaciones y los divorcios. En los terribles conflictos que se derivan. Pensemos en las envidias, en los rencores que genera el sexo. Pensemos en los celos, algo que nuestra sociedad afirma que no debería existir porque abunda el sexo y está al alcance de todo el mundo, porque somos seres razonables y, por lo contrario, estallan y matan a diario.

Hay algo profundo y terrible en la potencialidad de la sexualidad que obliga a todas las sociedades a mantenerla separada del resto de esferas. El sexo es caprichoso, irreverente, parece y es puro juego, pero desencadena reacciones que se desarrollan en el registro del todo o nada, de la vida o la muerte. Una simple mirada puede poner en movimiento deseos desenfrenados, amor, odio, venganza. Toda la antigüedad clásica europea tiene como episodio central la guerra de Troya, que estalla por una mujer. Una simple chispa y el juego se convierte en tragedia.

II
El sexo impersonal

1. La sexualidad violenta en el hombre

El punto de la sexualidad más alejado del amor es la violación que realiza el hombre violento, el bandido, el pirata, el guerrero contra una mujer. En las guerras antiguas, tras haber vencido una ciudad, los conquistadores mataban a todos los hombres, incluyendo a los niños pequeños, y violaban a las mujeres, a las que, después del acto, también solían asesinar. La práctica de violar a las mujeres por parte de los soldados victoriosos perduró durante mucho tiempo, en la Edad Media, durante las conquistas de los mongoles. En su inexorable avance por el Asia y parte de Europa los mongoles de Gengis Khan mataron sistemáticamente a todos los hombres que se encontraban por el camino y violaron a todas las mujeres del enemigo. Después, la violación entró a formar parte de las prácticas de los ejércitos cristianos, por ejemplo durante el saqueo de Roma en 1572, más adelante durante la Guerra de los Treinta Años e incluso el siglo pasado entre las tropas rusas que entraron en Berlín. Durante las guerras balcánicas que tuvieron lugar durante el decenio de 1990 a 2000 los serbios violentaban a las mujeres croatas para que parieran niños y niñas genéticamente serbios.

Tomemos como ejemplo el saqueo de Roma del 1572, donde las tropas luteranas, una vez entraron en la ciudad, destruyeron tesoros artísticos de extraordinario valor y violaron a todas las monjas y religiosas. Sabemos que estaban movidos por el odio luterano hacia la Iglesia católica y la violación de esas monjas representaba un acto de odio hacia el enemigo religioso. Las violentaban para verlas gritar de terror y llorar desesperadamente. Es el placer de causar dolor, de matar, de traspasar con la espada, de descuartizar. Así, también podían violarlas con el mango de una alabarda. Pero cuando nos encontramos ante una penetración con el falo erecto y con eyaculación significa que hay excitación erótica, que además del placer de causar daño existe el placer verdadero y propio.

Así pues, es evidente que en el hombre existe un fuerte vínculo entre sexualidad y violencia. Un vínculo que quizás obedezca a un origen filogenético porque el macho más fuerte es el que aleja o mata a sus rivales y monta a sus hembras, lo quieran o no. La violencia le sirve para imponer a todas las hembras su propio patrimonio genético. Para hacer que den a luz sus propios hijos e impedir, así, que sus enemigos se reproduzcan y, por consiguiente, aniquilarlos genéticamente.

Al violar a las mujeres de las ciudades conquistadas, a las esposas e hijas de sus enemigos, el macho victorioso experimenta un placer sexual y agresivo a la vez. Que en el macho el acto sexual tiene un significado agresivo y de domino lo demuestra, sin ninguna posibilidad de duda, el comportamiento frecuente entre animales según el cual los machos dominantes, para simbolizar su propio predomino, montan simbólicamente a los machos sometidos como si fueran mujeres.

Yo he llegado a pensar que la paidofilia violenta también es una forma de sexualidad agresiva del macho. Se trata, en realidad, de un fenómeno casi exclusivo de los hombres. Está emparentado o incluso podría decirse que es un sustituto de la violación, pero sobre todo de la violación o de la desfloración de la joven mujer virgen, ingenua y atemorizada. El pedófilo se siente atraído por el frágil cuerpo del niño a quien obliga a masturbarlo, de la vulnerabilidad física y mental de la niña a la que penetra con su inmenso pene (según la visión del adulto). Él los domina, los tiene a su plena merced como un soberano omnipotente tiene a sus jóvenes esclavas y esclavos.

Este componente agresivo y de dominio se presenta también de un modo atenuado cuando, durante el acto sexual, el macho, al hundir la verga, tiene la sensación de penetrar con una espada el cuerpo de la mujer, de traspasarla, y le dice palabras obscenas del tipo «tómalo, cerda, te estoy empalando, te estoy sodomizando». Expresiones, por cierto, que muchas mujeres aceptan y quizás también desean porque también en ellas actúa el residuo filogenético que la lleva a reconocer al dominador violento. Pauline Réage, en su *Historia de O*, describe una sucesión de actos violentos del hombre hacia la mujer, cómplice de este juego sadomasoquista.[1]

En el hombre, el odio y la violencia se expresan, pues, directamente en la sexualidad. Al contrario, la mujer que odia, durante el acto sexual, como mucho puede herir al hombre rechazándolo, despreciándole o burlándose, manteniéndose absolutamente indiferente mientras él se explaya. Lo puede frustrar y humillar burlándose de su falta de virilidad. Puede aprovecharse del deseo que siente el hombre y de su vulnerabilidad durante la penetración para herirle. Pero el acto sexual femenino no es violento en sí. La mujer acoge, recibe, no arremete, no penetra.

Desde el punto de vista genético-evolutivo el comportamiento de los dos géneros es complementario. La multitud de machos victoriosos difunde mediante la violencia su propio semen por doquier. Pero la mujer tiene un papel selectivo mucho más importante de lo que parece a primera vista.

Soporta la violación del grupo de soldaduchos porque no consigue sustraerse a ellos, pero este patrimonio genético no le interesa. Incluso en la derrota busca el semen más valioso, el del jefe, el del verdadero vencedor. Y tan pronto como ve la ocasión se lo procura con la seducción amorosa. Entrar a formar parte del harén del jefe supremo que además la toma sexualmente no se vive como una violación, sino como una victoria. El horror de la violación por parte de la mujer es la consecuencia directa de la necesidad filogenética de no ser poseída por quien no tiene valor, sino de poder elegir al hombre que sí lo tiene. Por esta razón puede acusar al marido que ya no le gusta de violación y enamorarse de su raptor cuando se trata de un bandido famoso.

2. El comportamiento sexual impersonal

Dejemos ahora a un lado la actividad sexual masculina violenta. Pasemos a analizar la actividad sexual no violenta impersonal: aquella en la que se obtiene placer sin tan siquiera haber identificado a la persona con la que se establece un contacto carnal o a la que enseguida después del acto se la olvida porque se sustituye por otra. Se trata de un fenómeno que existe tanto en los hombres heterosexuales como en los homosexuales. Hay hombres heterosexuales que, completamente dominados por el frenesí del sexo, y a menudo empujados por el consumo de drogas, pasan de una mujer a otra con total indiferencia. Y también hay gays masculinos que continuamente buscan a una pareja disponible en los lugares donde saben que resulta fácil encontrarlos, como bares, saunas, sitios públicos concretos. Enseguida se reconocen con una simple mirada y no necesitan la más mínima práctica de cortejo ni conocerse como personas para ir al grano. Se acoplan sin haberse dicho el nombre y normalmente se abandonan y nunca más vuelven a verse. A veces lo hacen en ambientes privados (reservados, saunas, lugares públicos separados) donde apenas se ven las caras; sólo el cuerpo, o una parte del cuerpo, el pene, la boca que practica la *fellatio* o las nalgas que agarran con las manos. Después se alejan silenciosamente sin girarse.

Se trata de un comportamiento ausente en las mujeres homosexuales que, por el contrario, experimentan la necesidad de entablar un encuentro personal, de mantener un contacto corporal amoroso, de reconocer en la otra una gracia, una sensibilidad, una afectividad, algo que la haga deseable más allá del puro estímulo genital.

El sexo impersonal no es una forma elegida para huir del control y de la desaprobación oficial. Es una modalidad de relación sexual querida y apreciada por lo que es. Hanif Kureishi escribe en *El cuerpo*: «Como muchos heterosexuales me sentía intrigado por la promiscuidad de algunos de mis amigos gays, por el centenar o incluso millares de parejas que podían tener. Un autor gay al que conocía me dijo una vez: "En cualquier lugar del mundo, basta una mirada y reconozco el deseo. Soy un apátrida, vivo en la Tierra del Coito" y después añade: "Naturalmente había sentido envidia de todo ese sexo sin un rostro humano que pudiera herirte y, con mi nuevo aspecto, ahora tenía una gran cantidad de cuerpos disponibles al alcance de la mano. Durante un mismo día y una misma noche tuve sexo con seis –¿o eran siete?– personas"».[2]

El sexo impersonal no es, empero, una prerrogativa de los hombres o de los gays. Que también existe entre las mujeres nos lo demuestra Catherine Millet al descubrirnos innumerables encuentros sexuales con hombres desconocidos: «En una calle prácticamente desierta, a dos pasos de la embajada rusa, encontré refugio en la parte trasera de una furgoneta del Ayuntamiento de París [...] Los hombres iban entrando por turno. Cuando les hacía la mamada me acurrucaba, me estiraba o me arrodillaba a un lado, intentando ofrecerles siempre mi culo de la mejor manera y facilitarles así la penetración».[3] Y en el Bois de Boulogne: «Sólo debería considerar a los hombres a los que se la mamé, con la cabeza encajada debajo del volante [...] y omitir los cuerpos sin cabeza que iban apareciendo detrás de la puerta y se sacudían el pajarito con sus manos con gestos enloquecidos».[4]

En el sexo impersonal el individuo desparece completamente, desaparece su fisonomía, sus cualidades psíquicas y morales, su posición social. Tan sólo queda de él el cuerpo, o mejor dicho, una parte del cuerpo, las nalgas, la boca, el pene, la vulva, el seno. Los psicoanalistas nos dirían que supone un retorno a los «objetos parciales» de la más tierna infancia. Pero ello no es cierto. En la sexualidad impersonal, por el contrario, lo entero está presente de una forma que carece de modo y el fragmento, la parte, se obtiene cuando se borra aquello que se sabe que existe.

Debemos tener presente que la fragmentación del cuerpo y el énfasis de sus partes siempre están presentes, incluso en el acto sexual normal. Quien lo practica se concentra en el vientre, la vulva, el pene, las nalgas o la espalda según en lo que esté afanándose y ello llena todo el campo visual. El cambio de posturas también corresponde al placer de ver el cuerpo o el propio sexo o el del otro desde un ángulo particular.

En la sexualidad impersonal, este énfasis sobre una parte concreta del cuerpo adquiere una importancia decisiva. La individualidad social del otro desaparece, sólo queda lo particular, quizás incluido en un ambiente específico, con una cierta iluminación, y eso es lo que absorbe el interés. Existen, o mejor dicho existían, tiendas de sexo especializadas en las que el cliente podía acoplarse a una mujer o con un hombre escondido detrás de una cortina que sólo mostraba sus genitales. En estos casos, la concentración se centra exclusivamente en el órgano sexual. Y lo particular aparece agigantado. Un efecto que suele emplearse en algunos tipos de pornografía donde los órganos sexuales llenan toda la pantalla. Pero esta misma experiencia suele practicarse durante el coito. El propio órgano se percibe de un modo gigantesco. La mujer penetrada suele tener la impresión de que un inmenso miembro, incluso todo el cuerpo del hombre, la llena y se hunde en su interior como si toda ella fuera una vagina. Catherine Millet, hablando de la *fellatio*, dice: «Tenerlo en la boca te proporciona una mayor sensación de estar llena que cuando la tienes en la vagina».[5] Quizás el hombre tenga esa misma impresión al penetrar a la mujer. Identificado con el propio miembro se siente totalmente dentro, como si llenara el cuerpo de la mujer por completo.

Pero la búsqueda del anonimato también puede satisfacerse sin la necesidad de fragmentar el cuerpo. Lo que interesa es el anonimato en sí, el hecho de no conocer al otro. Es lo que se persigue en las fiestas de máscaras, y en particular en el famoso Carnaval de Venecia, donde se vive con estremecimiento la posibilidad de encontrar a un desconocido, que quizás conozcamos en la vida real, que podría darse a conocer en el mismo momento del coito, con el placer añadido de una complicidad secreta. En la película de Kubrick *Eyes Wide Shut*, el protagonista entra en una villa donde encuentra a una secta erótica en plena celebración de una orgía privada. Todos los hombres llevan máscara y copulan con mujeres también enmascaradas.

3. El comportamiento sexual promiscuo

Un tipo de sexualidad que se halla en la frontera de la impersonalidad tiene lugar cuando muchas parejas se acoplan a la vez, mezclándose y sustituyéndose las unas a las otras, como en las orgías. Mientras en los ejemplos dados hasta el momento, los sujetos se unían individualmente, sin conocer la identidad del otro y a lo mejor sin tan siquiera verle, en la orgía los participantes se ven y quieren verse. Quizás se conocen de antes y eluden sus identidades para poder así intercambiarse en la colectividad. En la fiesta los participantes suelen actuar primero con cierta compostura, pero después, con la ayuda de algunas drogas, entre las cuales la más antigua es el vino, empiezan a desnudarse, a abrazarse, a tener relaciones sexuales que poco a poco se van ampliando a todos. Cada cual puede acoplarse con quien quiera y no se admiten los rechazos. La promiscuidad es, esencialmente, comunismo erótico.

Hemos comentado que a lo largo de la historia ha habido períodos en los que ha prevalecido la sexualidad promiscua y se infravaloraba el amor exclusivo y otros en los que sucede todo lo contrario. Durante la revolución sexual de los años sesenta y setenta tuvo lugar una verdadera y profunda explosión colectiva de promiscuidad. Gay Talese la describió maravillosamente bien en su libro *La mujer de tu prójimo*.[6] En esa época nació *Playboy*, después se sucedió una revuelta generalizada contra la moral puritana norteamericana que llevó a la exaltación del sexo en grupo, de la promiscuidad orgiástica. Incluimos aquí un breve fragmento de Talese sobre la comunidad erótica de Sandstone: «Una vez habían superado la escalera cubierta por una alfombra roja, los visitantes accedían a un amplio local medio oscuro donde, sobre los cojines que cubrían el pavimento, iluminados por el reflejo de las llamas de la chimenea, se entreveían rostros en sombra, miembros entrelazados, senos voluptuosos, manos agarrando nalgas en movimiento, espaldas sudadas, pezones, ombligos, largos cabellos rubios esparcidos sobre los cojines, anchos brazos oscuros que se mantenían en cándido reposo, la cabeza de una mujer que cabalgaba, ora arriba ora abajo, un pene. Suspiros, gritos de éxtasis, remolinos de carne unida en la cópula, risas, murmullos, la música que venía de la instalación estéreo».[7]

Y Millet, refiriéndose a las orgías: «Hoy estoy en condiciones de contar cuarenta y nueve hombres, cuyo sexo ha penetrado el mío, a los que puedo atribuir un nombre o al menos, en algunos casos, una identidad. Pero no puedo contar a aquellos que se confunden en el anonimato. En las circunstancias que aquí evoco, aunque en la orgía hubiera habido gente que conozco o que reconozco, el entrelazarse confuso de abrazos y coitos era tal que, si bien reconocía los cuerpos, o mejor dicho, los atributos, no siempre estaba en condiciones de reconocer a las personas».[8]

Pero la promiscuidad elevada no siempre alcanza estos extremos orgiásticos impersonales. Hay personas que desean tener relaciones sexuales con más parejas conocidas. En los burdeles, algunos clientes piden no sólo una mujer sino dos e incluso tres. La Millet recuerda un juego erótico que tuvo lugar en un museo con dos amigos suyos con el que pretendían rebajar la nobleza y la sublimidad del ambiente artístico y correcto imperante y disfrutar a la vez del riesgo de que les pillarán: «Nos encontrábamos», escribe, «en el Museo de Arte Moderno de la ciudad de París y aprovechamos una puerta que casualmente había quedado mal cerrada [...] para colarnos detrás de un fino tabique [...]. El espacio era estrecho; pero nos decidimos a entrar enseguida, sin pensarlo. Mientras hacía de enlace entre los dos chicos, continuaba viendo el rayo de luz en el suelo que entraba por la puerta que habíamos dejado entreabierta [...]. Se corrieron los dos, uno en mi higo, el otro en la boca [...] Cuando regresamos a la luz, el museo continuaba tranquilo y proseguimos la visita».[9]

Algunas relaciones de juventud demuestran ser fruto también de un grado de promiscuidad elevada, sobre todo durante las vacaciones estivales cuando chicos y chicas viven en un mismo pueblo o en un mismo hotel y van de discoteca en discoteca, hartos de éxtasis o de cualquier otra droga. Nada que ver, empero, con la promiscuidad gay o con la de las orgías que acabamos de describir porque se trata siempre de compañías que después tienen una vida cotidiana normal. El período de promiscuidad impersonal es limitado. Por lo general se considera como unas «vacaciones» más que como una forma de vida asumida o como una elección ideológica como en los otros casos.

Una última observación. Mostrarse cuando se está haciendo el amor significa disponibilidad de acoplarse con otros, mientras que aislarse significa elegir a una sola persona a la que se quiere de forma exclusiva. La promiscuidad es contagiosa. Cuando dos o más parejas hacen el amor en una misma cama o en el mismo ambiente, resulta muy fácil que en un momento dado cambien de pareja. Y si ello no estaba programado o previsto de antemano, el hecho puede conllevar bastantes problemas. De ahí la tendencia, generalizada en todo el mundo, de mantener relaciones de forma aislada, sin hacerse ver.

4. La droga y la promiscuidad a la vez

A partir de la mitad de los años sesenta del siglo pasado, paralelamente a la revolución social vino asociada la difusión de un nuevo tipo de música y de drogas. Para simplificarlo, llamamos rock a ese tipo de música que, desde los comienzos, se había disfrutado y danzado colectivamente. Fue en el baile donde se vio desaparecer la pareja por primera vez. En todos los bailes del siglo XIX y de comienzos del XX, particularmente en el vals y en el tango, la pareja danzaba abrazada, incluso apretada. El vals es un cortejo de pareja; el tango, un acto sexual de la pareja. Los dos requieren cuidado, atención, pericia. Para bailarlos no sirve tomar una droga que nos aturda; es más, podría incluso entorpecernos. En los años sesenta, los individuos empiezan a bailar separados. Pueden estar el uno delante del otro o alejarse, danzar solos o delante de otra persona. Los bailarines pueden intercambiarse todos. El grupo empieza a prevalecer sobre la pareja. El proceso continúa con los movimientos estudiantiles, hippy, etcétera, y de aquí se pasa a las multitudinarias reuniones rock como las de Woodstock, donde los individuos que escuchan la música danzan, cantan y hacen el amor formando parte de una colectividad unida. El objeto de amor y de identificación no es el otro individuo, es el grupo. Todos se sienten hermanos y la despersonalización es la favorita de la droga, en particular de la marihuana y de la heroína. Por todo ello la pareja se debilita y desaparece y los participantes en la gran fiesta pueden acoplarse primero con uno y después con otro.

Pero también hay un vínculo directo entre la música rock, su creación, y la droga. La droga se convierte en un instrumento para producir excitación, frenesí, trastorno de la movilidad y de la gestualidad típica del rock. La estrella de rock hace cualquier cosa con su guitarra, se agita, se contornea, se sacude, gira por el suelo de forma completamente imprevisible, como si estuviera «poseído» por un espíritu que le da fuerza, le sacude y le revuelve su voluntad. Se trata de un fenómeno de origen africano presente en el gospel pero que entre nosotros ha perdido su significado religioso. A partir de Elvis Presley la droga sirve para producir estados de conciencia exasperados, para conseguir una energía extraordinaria que después se disipa durante el concierto tanto por parte del cantante como de los espectadores. Caramiello escribe: «Si quisiéramos realizar un repertorio de todos los músicos de jazz, pop, rock, etcétera, contemporáneos que inventaron su música por mediación del uso de las drogas, que vivieron o murieron con la droga deberíamos recopilar algo que se parecería mucho a un listín telefónico».[10]

En sus libros, Hanif Kureishi describe a músicos, directores de cine y escritores siempre «colocados» o «supercolocados», con una conciencia siempre alterada, que pasan de momentos de extraordinaria excitación a momentos de aturdimiento, inconsciencia o abulia en los que las fronteras entre ellos y los demás se tornan indefinidas, mudan rápidamente y la sexualidad se hace promiscua. En el cuento «Amor en tiempos tristes» Roy, el protagonista, un director cinematográfico exitoso, va a buscar a Jimmy, un amigo suyo genial que, sin embargo, a diferencia de él, se ha dejado absorber por el mundo del alcohol y las drogas. Lo encuentra en una habitación donde hombres y mujeres, despiertos, drogados o ebrios, se mueven indiferentes: «Jimmy no hubiera podido acostarse en su cama. Estaba ocupada por una mujer de mediana edad, con la cara ofuscada […]. Abrazado a ella, como si la estuviera sodomizando entre sus brazos, había un chico de unos dieciséis años con una mirada astuta y atemorizada […] Jimmy estaba estirado en el suelo como un niño en un parque, con el pie de un tío aplastándole el pecho. El pie pertenecía a Marco, el dueño de la casa, un drogadicto rico que llevaba una bufanda blanca manchada de sangre alrededor del cuello. Otro hombre, Jake, estaba al lado de ellos […] Kara y la chica se llevaron a Roy aparte y le contaron que Jimmy había bebido. Kara le había encontrado en el cementerio de Brompton con un traficante de caballo». A continuación, Jimmy se despierta: «Son como animales, barbulló Jimmy […] El chico de la cama, que ahora estaba montado en la mujer, miró por encima de las espaldas de ella y le dijo a Jimmy: "¡Menuda mierda, no pienso dormir aquí! Conozco a gente mejor con la que estar". Jimmy gritó: "¡Es mi cama! ¡Y deja ya de tirártela! ¡Ha sufrido una sobredosis!"».[11]

La historia continúa cuando Jimmy se instala en su casa justo cuando está a punto de llegar el productor a quien Roy quiere vender su película; por eso está preocupado. Pero cuando el productor llega, Jimmy, aunque supercolgado, se inventa una historia genial para una película y el otro, entusiasmado, le da cita para firmar el contrato. Sólo que, apenas sale de casa, Jimmy lo ha olvidado todo y ya nunca llega a escribir la historia.

El vínculo entre música y droga dura siempre. En la discoteca la droga está presente porque son muchos los que buscan, y encuentran, excitación y despersonalización. El «globo» representa una pérdida de la conciencia propia, un abandonarse a la excitación colectiva hasta alcanzar la anulación estática.

5. Prostitución

La prostitución nace de un hecho: si partimos de la idea de que una mujer suele entregarse a un hombre al que reconoce algún valor, si lo desea, esto mismo puede hacer con cualquiera aun cuando no sienta deseo sexual. Un hombre, por el contrario, si no se siente sexualmente atraído no puede tener erecciones o, en cualquier caso, éstas son limitadas. De este modo los dos sexos devienen perfectamente complementarios. Deseas acoplarte, desperdigar tu semen entre todas las mujeres que te atraen, que son muchísimas. Nosotros podemos satisfacer tu deseo de un modo ilimitado pero, puesto que no nos interesas sexualmente, debes pagarnos. De esta manera cada hombre puede tener el harén que desea sin obligaciones familiares y sin deberes sociales.

La prostitución está asociada con la sexualidad impersonal y con la promiscuidad, pero sólo porque puede ser de este tipo, no porque así sea obligatoriamente. El coito de una prostituta a la que se ha recogido en la calle es casi impersonal, se consuma deprisa en el coche, sin que ni tan siquiera ella se desnude, quizás por detrás y otras veces con la boca. Ahora bien, normalmente, puesto que el cliente ve a la prostituta y la elige, cabe afirmar que sí hay un elemento personal. Muchos de los hombres pasan y vuelven a pasar con el coche por delante de las mujeres, las miran, las estudian y buscan a la que más les atrae. Y en la habitación, los dos se desnudan. Intercambian alguna palabra, incluso bromean a veces, sueltan algún cumplido sexual vulgar. Los cuerpos desnudos se abrazan, ella finge excitación, un orgasmo, él sabe que no es verdad pero la interpretación es muy digna y el efecto erótico obtenido también. No son pocos los hombres que recuerdan, con placer, el encuentro con algunas prostitutas que les han sorprendido de un modo muy particular y con las que han mantenido un intercambio un poco más rico. Hay incluso clientes que siempre buscan a la misma prostituta, con la que establecen una relación de conocimiento recíproca, una relación de simpatía y hasta de afecto en la que el pago asume la función ritual de una donación. A un cierto nivel social, donde hay más dinero y más tiempo, la relación deviene más elaborada y se establece un mínimo de intimidad. Al cliente se le trata bien porque puede volver y si le gusta la mujer le puede hacer un regalo diez veces superior al que le ofreció en una cita anterior. A un nivel todavía más elevado el cliente y la prostituta pueden llegar a pasar un fin de semana juntos e incluso unas vacaciones en el barco o en la villa del cliente.

Las relaciones sexuales suelen ser individuales. Los clientes que pasan con el coche para observar la mercancía en venta no se conocen, no se ven y tampoco se hablan. Cada cual se mantiene encerrado en su coche, solo, y elige a una mujer, sola, se aleja con ella y mantiene una relación sexual aislada. Lo mismo ocurre en una casa de citas o cuando se pasa un fin de semana erótico.

Por el contrario, en el burdel la situación de promiscuidad se crea y se busca voluntariamente. Ahí los clientes se sientan, beben, las mujeres se pasean semidesnudas entre las mesas, se sientan entre los hombres, acarician primero a uno y después al otro. Todos se sienten excitados ante la posibilidad de tomar a la mujer que tienen al lado, pero todavía más ante la posibilidad de conseguir a la que flirtea con el vecino y que, mientras lo acaricia con lascivia, te sonríe invitándote. Y si el otro se la lleva, tienes dos alternativas: irte con otra enseguida o esperar hasta que regrese y anular simbólicamente su victoria llenándola con tu esperma.

En el erotismo encontramos dos mecanismos opuestos. El primero nos dice que vence aquel que consigue llevarse el primero a la persona deseada y acoplarse con ella. Si no se consigue, si otro se la lleva, se genera un sentimiento de fracaso y se tiene un conato de celos. Pero, al contrario, el segundo mecanismo nos dice que vence aquel que se lleva el trofeo en último lugar. El hombre se excita ante la idea de poder tomar a la mujer que ha mantenido relaciones con otro porque, al sustituirle, simbólicamente lo expulsa. Este mecanismo, en el fondo, está implícito en toda la prostitución. Cada uno de los hombres que la practican toma a una mujer que ha estado con otro hombre, lo expulsa y lo sustituye.

6. Pornografía

Todo lo que hemos dicho hasta el momento explica ampliamente el porqué de la pornografía. Los seres humanos, hombres y mujeres, experimentan excitación y deseo cuando son espectadores de un acto sexual realizado por otras personas. Sobre todo el hombre, probablemente porque (filogenéticamente) es él quien debe ser más activo y por consiguiente quien sale a buscar a una mujer aunque ésta esté copulando con cualquier otra persona, a la que arrancará de sus brazos. La tendencia a obtener placer observando las relaciones sexuales de los demás recibe el nombre de *voyeurismo* y si se realiza de un modo negativo se considera incluso una perversión. Se trata, no obstante, de una tendencia universalmente difundida. Durante millones de años, los hombres se han enfrentado unos a otros para poseer el elemento femenino y la excitación que sentían se incrementaba cuando asistían como espectadores a las relaciones sexuales.

La mayor parte de las personas, en su vida real, carece de demasiadas experiencias sexuales promiscuas o de orgías. Hoy, empero, las experimenta cada vez con mayor frecuencia a través de la pornografía. Ésta se difunde cada vez más, resulta accesible a todos, incluidos los niños, a través de Internet. Además, si bien al principio se limitaba al mundo de los hombres hoy en día se está difundiendo también rápidamente entre las mujeres. La pornografía suele derivar cada vez más hacia la práctica del acoplamiento entre las personas que están viendo cómo otras personas hacen el acto sexual. Se identifican con ellos y así establecen una experiencia de promiscuidad.

La mayor parte de la pornografía mantiene una semblanza con las orgías, es decir, con una sucesión continua de acoplamientos de todos los tipos entre hombres y mujeres. Dos hombres y una mujer, o un hombre y dos mujeres, o tres hombres con una sola mujer a la que penetran a la vez por sus tres orificios corporales: la vagina, el ano y la boca. En este tipo de pornografía se filman sólo las partes sexuales, que además se agigantan: el pene, los senos, las nalgas, la vagina, el ano, en un sucederse de penetraciones que culminan con chorros de esperma sobre los rostros, sobre el cuerpo y en la boca. Y, si esta pornografía tiene éxito, si se vende, es porque entre los seres humanos, sobre todo entre los hombres, el deseo de sexualidad promiscua que no requiere sino que excluye cualquier tipo de vínculo está extendido.

Ahora bien, en la pornografía no sólo existe este nivel cero. En realidad, hay una pornografía que se basa en un guión, con actores y actrices (las estrellas del porno) que son muy admirados por unos espectadores que se identifican con ellos hasta el punto de llegar a desearlos intensamente. En ciertos casos terminan considerándolos ídolos como sucede con los intérpretes de películas normales, sólo que, a la vez, se convierten en sus amantes imaginarias ante las cuales se masturban. Existe, por último, una pornografía hecha por mujeres para otras mujeres, más suave, más delicada y con guión.[12]

La difusión de la pornografía ha tenido un efecto muy importante en la imagen estética de los genitales femeninos y, de modo más general, en la concepción estética de la relación sexual. De hecho ha puesto fin a la época en la que todavía podía hablarse de «partes decorosas», de «fealdad de los genitales y de las relaciones sexuales». La pornografía, al usar a hombres y a mujeres muy guapos, perfectamente maquillados y depilados, y al tener una preocupación extraordinaria por la fotografía, ha puesto en relieve la belleza del cuerpo desnudo, de los genitales, de la relación sexual, de la conjunción de los cuerpos. Ha atribuido a todas las partes del cuerpo el mismo valor estético, creando una potencial forma de arte erótico de nuevo formato. Naturalmente, existen también formas de pornografía donde se busca voluntariamente la enormidad, la monstruosidad, la violencia o el contraste entre lo humano y lo animal.

Con la televisión y con Internet, pornografía y prostitución se han acercado mucho y tienden a hacerlo cada vez más. En realidad, hay un sinfín de espectáculos televisivos nocturnos en los que mujeres jóvenes se presentan desnudas o semidesnudas, invitan a telefonear e incluso dan su dirección para servicios eróticos de pago. Y en Internet existen miles de sitios de películas pornográficas en los que el espectador puede elegir el tipo de mujer que prefiere (rubia, morena, pelirroja, amarilla, negra, alta, pequeña, joven, vieja, con el pecho natural u operado, hombres con penes enormes, etcétera) y, en algunos casos, establecer incluso una cita erótica.

Muchas de estas mujeres que aparecen y desaparecen de la televisión y de Internet tienen una vida normal; la actividad pornográfica y la prostitución sólo son un episodio, un momento de sus vidas. A muchas de ellas le da placer el hecho de exhibir su propio cuerpo desnudo, su belleza, con el rostro afanadamente maquillado mientras copulan con hombres atractivos y con otras mujeres igualmente bellas. Se trata de un espectáculo y de un juego, de una experiencia erótica y, a la vez, de un trabajo. Y la actividad sexual delante de la cámara se considera espectáculo, un espectáculo que permitirá que la chica pueda presentarse y ser recibida en sociedad como una estrella del porno. Puede incluso empezar su carrera artística como actriz del porno y más adelante pasar a otro tipo de películas. Lo mismo ocurre entre los hombres y cada vez más a menudo. Algunos *reality show* televisivos pertenecen ya al género pornográfico suave.

La difusión de la pornografía es el síntoma de un profundo cambio del significado social de la sexualidad que a partir de ahora se considera como una actividad normal, cotidiana, como una actividad para exhibir a modo de espectáculo y como forma de trabajo. Los niños y las niñas aprenden precozmente todas estas cosas al disponer de un acceso normalizado a Internet. Si bien, hasta hace unos pocos años, los descubrimientos sexuales se adquirían mediante vínculos interpersonales, generalmente enmarcados en una relación afectuosa o amorosa, hoy se aprenden a través de los canales electrónicos en su forma más pura, privada de cualquier componente afectivo. Es muy probable que, bajo su influencia, la distinción entre sexualidad y amor aumente incluso entre las mujeres. Un niño o una niña que desde los diez años visualiza, por Internet, cualquier tipo de relación sexual entre hombres y mujeres, entre mujeres, entre hombres, orgías, penetraciones vaginales, orales y anales, singulares y múltiples, hasta el paroxismo, no puede sustraerse a su influencia. Dentro de pocos años les parecerán completamente normales todas las posibles formas de acoplamiento, de promiscuidad. Entre los adolescentes ya se difunden expresiones como «te hago una mamada» o «te la meto en el culo». Y cada vez son más frecuentes los casos de chicas jovencísimas que, imitando las situaciones pornográficas, mantienen relaciones sexuales con cuatro o cinco hombres a la vez, uno detrás de otro o incluso todos a la vez, poniendo a su disposición los distintos orificios de su propio cuerpo.[13]

Pero hay otro efecto: en la mayor parte de la pornografía lo habitual, o casi diría, lo obligado, es que se realice el coito anal de los hombres con las mujeres, hasta el punto de provocar, entre muchas mujeres, una verdadera e indiscutible modificación del aspecto anatómico de la zona perineal, ya que el orificio anal llega a dilatarse tanto que supera incluso la anchura del orificio de la vagina. La promiscuidad que mezcla relaciones homosexuales y relaciones heterosexuales, unida al aumento de las relaciones anales, tiene que ver con un rápido aumento de la bisexualidad entre las jóvenes generaciones.[14]

7. Las raíces de la promiscuidad

Sabemos que todas las sociedades humanas han establecido límites a la promiscuidad. Sabemos que los seres humanos, cuando hacen el amor, prefieren apartarse y que son posesivos y celosos. ¿Cómo podemos explicar la tendencia contemporánea, también presente en todas partes, a la promiscuidad?

Quizás la clave se encuentre en la herencia filogenética de nuestros antepasados primates cuando competían para poseer a la pareja. Porque, incluso si la pugna suele desembocar en una relación monogámica o en un harén, siempre empieza con una fase de promiscuidad: mujeres en celo, hombres que compiten entre ellos y que después se acoplan con distintas mujeres y éstas con distintos hombres. Hablando en general de nuestros antepasados arborícolas Helen Fisher observa: «Los días tranquilos y pacíficos podían llegar a convertirse en orgías cuando las hembras entraban en celo y los machos luchaban en las ramas para obtener el privilegio de acoplarse [...] con una hembra de chimpancé [el primate genéticamente más cercano al hombre] que viva en su ambiente natural durante el celo; entonces, ésta se acerca con paso "felino" al macho, alza sus nalgas en dirección a la nariz de él y lo obliga a levantarse para el acoplamiento. Una vez ha terminado con el primer macho, la hembra se acopla con casi todos los otros machos de la comunidad».[15]

Podemos suponer que el macho experimenta excitación durante la lucha, placer en el caso de victoria y, al final, placer durante el acoplamiento de verdad. Y que la hembra experimenta placer al ofrecerse, al ver competir a los machos, al elegir al macho más apreciado, aquel que emerge victorioso de la lucha y que consigue obtenerla.

Esta experiencia filogenética probablemente nos dé una explicación de la tendencia, presente en ambos sexos, a la orgía y a sustituir a otro tras una relación sexual consumada. Hemos visto que los hombres lo hacen con las prostitutas, cuando esperan que el cliente anterior acabe para tomar su lugar. No sólo no se sienten importunados, sino que a menudo se sienten excitados, saborean lo que están a punto de hacer precisamente porque saben que alguna otra persona lo está haciendo y experimentan placer ante la idea del relevo.

Y también hay una razón filogenética para este comportamiento masculino. De hecho, si el hombre deposita muy pronto su semen en los genitales femeninos, inmediatamente después otro tiene casi la misma probabilidad de que sean sus espermatozoides los que ganen la carrera y transmitan su patrimonio genético.

Nada sabemos de las sociedades humanoides, ni de las de Neandertal o de las sociedades humanas paleolíticas.[16] No sabemos si los hombres y las mujeres vivían en comunidades separadas o en grupos de familias monogámicas o con cualquier forma de poliginia o si se acoplaban en presencia de los demás. Sabemos, al contrario, que, durante el Neolítico, se levantaron rigurosas estructuras sociales y familiares exogámicas, con precisos rituales matrimoniales. Pero de todas las sociedades, a nivel etnológico, conocemos algunas de sus fiestas y cultos a la fecundidad que, normalmente, solían celebrarse durante la primavera. Y en estas celebraciones, como han puesto en evidencia sobre todo los antropólogos franceses, se establecían las reglas de la vida cotidiana, los tabúes sexuales que regulaban la estructura de los clanes y familias. Hombres y mujeres, en la culminación de la fiesta, tenían libertad para emparejarse como en una orgía de verdad. Los niños que nacían de estas orgías eran considerados legítimos a todos los efectos. Y puesto que durante las fiestas se celebraban también sacrificios religiosos, Georges Bataille ha dado forma a una curiosa tesis, expuesta en *El erotismo y Las lágrimas de Eros*,[17] según la cual erotismo y religión son la misma cosa, sexualidad e inmolación sacrificial son lo mismo: presencia de la muerte en la vida.

De la antigua Grecia conocemos el culto a Dionisio. Es probable que los rituales dionisíacos, con las bacantes emparejándose con los sátiros, sean simplemente el desarrollo de antiguos rituales de fecundidad agreste. Transferidos a la ciudad se convierten en fiestas sacras en las que los secuaces de Dionisio, ebrios por el vino, entonaban cantos licenciosos. En las procesiones en honor a Dionisio que venían acompañadas por un simulacro fálico, actores itinerantes conducían su avance con actos y cantos vulgares. También aquí la sexualidad separada del amor, de la continuidad amorosa, deviene licenciosa. En la India todavía existen ceremonias, como la fiesta de primavera de Holi, en la que todo el mundo se echa agua y polvos colorados por encima, canta himnos eróticos y después se abandona alegremente a la promiscuidad. Se trata de la supervivencia de corrientes religiosas dominantes en otros tiempos en las que el sexo tenía un peso religioso muy importante, como demuestran numerosos templos hindúes entre los que, particularmente, destaca el de Kailasa en Ellora, el de Konarak y los ochenta y tres templos de Khajuraho (de los que han quedado las ruinas al viento) con sus magníficas esculturas de acoplamientos sexuales.

Todo esto nos demuestra que la promiscuidad no es una cosa extraña al ánimo humano, a la sexualidad y al amor, sino que constituye una parte esencial, siempre viva en cada uno de nosotros, incluso cuando nuestra elección es monogámica. Incluso en la «gran fiesta» antigua, en la que se suspenden las reglas de la vida cotidiana, la sexualidad no se presenta sólo bajo la forma de orgía. La fiesta deja libertad para que los jóvenes hagan lo que les plazca y consiente que, si se gustan, los enamorados, se encuentren, hagan el amor y se casen. Al lado de la orgía en la que los cuerpos se mezclan, la misma institución acepta la elección individual amorosa exclusiva. Y para aquellos que se aman, la promiscuidad a la que se abandonan los demás no es una actitud opuesta o antitética a su experiencia amorosa exclusiva, sino tan sólo otra festiva expresión de la libertad de los que se complacen en disfrutar. El amor del enamoramiento es tolerante, alegre, quiere que todo el mundo sea feliz del modo que prefiera.

El erotismo, lo dijimos al empezar, no es un sistema unitario, estratificado, complejo y contradictorio: sexualidad y amor constituyen un conjunto articulado no sólo en la misma sociedad, sino también en el mismo individuo. Existe una trasgresión sexual promiscua que nada tiene que ver con el enamoramiento, pero el enamoramiento suele emerger tras una fase de búsqueda promiscua. En cualquier caso siempre se trata de sexualidad desenfrenada y trasgresión. No se escandaliza a los demás por esta trasgresión y esta promiscuidad. Podemos incluso decir que incluso realiza el deseo de promiscuidad en cuanto los enamorados encuentran en la persona amada a todas aquellas personas que han deseado.

III
Hombre mujer

1. Sexo y amor femeninos

Hasta el momento todavía no habíamos profundizado en las diferencias entre el erotismo masculino y el femenino. El tema lo traté anteriormente en otro libro mío titulado *Erotismo*,[1] al que os remito. Me limitaré aquí a citar algunos elementos. El erotismo masculino es más visual, siente mayor atracción por las particularidades, hasta el punto de que hay hombres que ni tan siquiera consiguen identificar la verdadera belleza femenina concentrados como están en el órgano sexual o en el orgasmo. El erotismo femenino es más difuso, táctil, cenestésico, olfativo, más impregnado de emotividad, más dedicado a la personalidad masculina en conjunto, más selectivo.

Hoy en día, en el mundo entero existen dos editoriales especializadas en la publicación de libros eróticos: Olimpia Press y Harmony. La primera va destinada esencialmente, aunque no exclusivamente, a los hombres. La estructura de fondo de sus libros es sustancialmente la misma: un hombre encuentra siempre mujeres desconocidas ávidas de sexo con las que se empareja de todas las posibles maneras. La historia no cambia cuando el protagonista es una mujer que encuentra a hombres desconocidos ávidos de sexo con los que mantiene continuas relaciones eróticas. No hay emociones, no hay amor, sólo una sucesión de acoplamientos. Los libros de la serie Harmony, por su parte, se estructuran a partir de la figura de una mujer mal casada, mal comprometida o mal unida que, en un momento dado, encuentra a un hombre extraordinario por el que nunca hubiera pensado ser amada, aquel al que nosotros llamamos «ídolo». Pero hay una rival que obstaculiza la relación. Al final, empero, ella vence, él se enamora de ella y alcanzan estados de placer extático. Puede haber poco o mucho sexo, pero al final siempre se funde con el amor.

2. Crítica a Bataille

Para profundizar en el tema de las convergencias y de las divergencias entre erotismo masculino y erotismo femenino debemos enfrentarnos de una vez por todas a las tesis de Bataille, para quien el erotismo siempre y únicamente es reducción de lo elevado a lo inferior, de lo sublime a lo obsceno, de lo humano a lo animalizado, más intenso cuanto mayor sea la deshumanización.

«Un hombre, una mujer», escribe, «se consideran por regla bellos en la medida en que sus formas de alejan de la animalidad.»[2] «El valor erótico de las formas femeninas está vinculado [...] a la desaparición de esa pesadez natural que recuerda la función material de los miembros y la necesidad de una osamenta: cuanto más etéreas sean las formas [...] mejor responden a la imagen de la mujer deseable [pero] se la desea con el fin de corromperla. No [es deseada] en sí y por sí, sino por el placer obtenido con la certeza de profanarla [...] La belleza de la mujer deseable preanuncia sus partes pudorosas: es decir, sus partes pilosas, sus partes animales[...].»[3] El erotismo en su esencia «es profanar ese rostro, su belleza [...] desnudando las partes secretas de una mujer y después introduciendo en ellas el órgano viril. Nadie pone en duda la fealdad del acto sexual.»[4]

Ciertamente, hay hombres que comparten esta opinión, como Massimo Fini que escribe: «Para el hombre, la mujer es un sujeto erótico […] porque, a través de la sexualidad, la puede reconducir al estado animal, destituirla, pues, como mujer, como persona y como individuo social».[5] Y en otro momento, al hablar de los genitales femeninos, observa: «Es fea, sucia, húmeda, huele mal si la reseguimos en los dos sentidos de las deyecciones. Da asco. No tiene una forma definida, es un agujero desgarrado»[6] y todavía añade: «dejar embarazada a una mujer es, en definitiva, uno de los máximos placeres del hombre».[7]

Hoy en día estas declaraciones son ya excepcionales. Hemos visto que en la pornografía más reciente los protagonistas suelen ser muy guapos y también son hermosos sus cuerpos desnudos, abrazándose, besándose y penetrándose. Los genitales femeninos, depilados, nada tienen de piloso, oscuro, de animal, parecen flores. En la pintura erótica oriental, sobre todo en la India, la conjunción de los genitales femeninos, siempre rigurosamente depilados, y los de los hombres expresan gracia y armonía, jamás violencia. Recordemos también la experiencia universal del enamoramiento que nos hace encontrar adorable e incluso sublime cualquier parte del cuerpo de la persona amada, no sólo sus genitales sino también su hígado y sus intestinos. Además, no sólo no la degradamos sino que la vemos como una entidad superior, adorable y divina.

Estos elementos nos demuestran que, más allá de cualquier duda, la teoría de Bataille es el producto de un punto de vista masculino y hasta cierto punto histórico en el que el desnudo estaba prohibido y el sexo se consideraba obsceno y pecaminoso, de un momento en el que el hombre, con su falo erecto, se sentía superior a un ser «castrado» como la mujer y sentía la necesidad de degradar su hermosura.

Y para completar definitivamente la crítica añadiremos lo mucho que nos enseña la literatura erótica femenina. El erotismo femenino se construye a partir del registro de lo positivo, de la belleza, de la delicadeza, en otras palabras, siempre a partir del registro del amor, aunque no siempre se trate del registro del enamoramiento o de la pasión. Leamos este fragmento de la *Emmanuelle* de Arsan cuando encuentra a un hombre en un avión: «La chica observó que era increíblemente guapo. Sin duda esa belleza fue la causante de que ella olvidara su desnudez; o al menos la que hizo que no se sintiera incómoda. Pensaba: "Es como una estatua griega. Una obra maestra como ésta no puede existir". Un fragmento de poesía, una poesía no griega, le atravesó la mente: *Deidad del tiempo en ruina* […] Le habría gustado ver prímulas y hierbas abundantes en los pies del dios, y coronas y zarzillos alrededor del pedestal y que un soplo de viento sacudiera su corto pelo de cordero que se le rizaba alrededor de las orejas y sobre la frente. La mirada de Emmanuelle reseguía el perfil rectilíneo de su nariz, se detuvo en sus labios ribeteados, en su mentón de mármol. Dos tendones recios esculpían la línea del cuerpo hasta la camisa, que escondía un tórax liso. Los ojos de la mujer continuaron su examen. Una prominencia desmesurada se dibujaba debajo de los pantalones de franela blanca, no muy lejos del rostro de Emmanuelle».[8]

Lucía Etxebarria tampoco puede evitar hablar de la belleza cuando aborda lo erótico. En el cuento «Gael o la obsesión de algunas noches de verano», una tarde, una chica presenta a un hombre a la protagonista. Y ésta ve «a un increíble espécimen del sexo masculino que tenía un cuerpo de vértigo y el tipo exacto de labios carnosos que prometen imperios de dicha y consuelo con su solo roce […] Yo [lo] miraba obnubilada, asimilando de pronto el impacto de su belleza... No sólo era guapo, es que tenía unos ojos de escándalo, brillantes como brasas y velados por un abanico de pestañas. Los ojos del resto de los integrantes parecían extrañamente inmaduros en comparación con los suyos, y me asustó pensar en cuántas cosas y de qué naturaleza podrían haber intervenido en la creación de aquella mirada, tan intensa que quemaba [...], y unos segundos después sentí [...] unos brazos rodeándome la cintura y una presión rectilínea –inconfundible, inmensa, inmediata, irrefrenable– en las nalgas. Casi no me dio tiempo a darme la vuelta cuando ya tenía los labios prendidos en un espejismo, y la secreta premura de la sangre –febril, fatal, femenina– ascendiendo hasta acelerarme el corazón, que latía tan desbocado como insubordinado [...]».[9] No hay ninguna atracción por lo obsceno, ningún deseo de envilecer con el desnudo.

Y para confirmar este aspecto, transcribimos ahora un fragmento de un libro aparecido en 1862 o en 1868, que lleva por título *Aus den Memoiren einen Sängerin*, escrito sin duda por una mujer. La descripción de los genitales no tiene nada de obscena; es más, por las metáforas que emplea nos recuerda el lenguaje erótico oriental: «Al bajar la mirada vi la maravillosa punta de su lanza, parecida a un rubí de la parte extrema de un cetro real [...] el jugo lechoso brotó como nata montada de mi gruta llenando la boca de Ferry, que lo quiso absorber hasta la última gota. Mientras tanto, se enarcó hundiendo su cetro ardiente y nudoso hasta la base, hasta arrancarme un grito agudo de voluptuosidad. Mis nervios, distendidos unos momentos antes, se contrajeron, mi templo del placer estaba como en llamas; su dardo, duro como la piedra, me recordó el acero ardiendo. ¡Oh, que bien jugaba al juego del amor!».[10]

La violencia también aparece en la literatura femenina, como en la *Historia de O*, de Pauline Réage, donde la mujer es aprisionada, encadenada, violentada y violada por innumerables hombres conocidos y desconocidos, donde la mujer tiene un cuerpo que los hombres utilizan para obtener placer y para dárselo también a ella, a pesar de las circunstancias. También en este caso, empero, la belleza se mantiene y, más allá de la brutalidad aparente, se percibe un mundo sofisticado, la gracia y la delicadeza.

3. Selección femenina

Las mujeres son mucho más selectivas que los hombres. Se sienten atraídas por los hombres que destacan, que sobresalen por alguna cualidad: la belleza, la fuerza, la audacia, el coraje, pero también la elegancia, la riqueza, el poder. ¿Habéis visto alguna vez a un grupo de preadolescentes delante de su ídolo? Se acercan a él, coloradas, congestionadas, sueltan fuertes chillidos, alguna incluso se desmaya y a los padres les cuesta dominarlas. Es la primera manifestación de la sexualidad, y también del amor. Porque, al ídolo, lo aman, lo adoran y estarían dispuestas a cualquier cosa por él.

Mientras los hombres se sienten fascinados y están intoxicados por las películas pornográficas, ellas están fascinadas e intoxicadas por aquellos que forman parte de su universo juvenil. En una investigación realizada años atrás[11] demostré que las adolescentes, incluso cuando dicen estar profundamente enamoradas de su chico, casi siempre estarían dispuestas a abandonarlo por su ídolo favorito, porque, en realidad, es a él a quien aman, a él a quien desean.

Esta tendencia se atenúa con el paso de los años, pero nunca desaparece. En el libro *Una espía en la casa del amor* Anaïs Nin nos propociona un bello análisis de la experiencia de una mujer fascinada por el gran ídolo al que ninguna mujer se resiste: «Ella lo miró con los ojos abiertos de par en par, ahora de un azul glacial; eran impersonales y parecía que miraran, más allá de ella, a todas las mujeres que se habían fundido en una, que, a su vez, en cualquier momento, podía volver a fundirse en todas. Era la mirada que Sabina siempre había reconocido en los donjuanes, era la mirada de la que desconfiaba».[12] Al cabo de un rato, se encuentra caminando a su lado, ahora ya poseída: «Como mujer, era apagada en su vanidad femenina, en su amor por la conquista. Ese paseo vanaglorioso le proporcionó una ilusión de fuerza y de poder: había fascinado, conquistado a un hombre como aquél. Se sintió más importante a sus propios ojos, aun sabiendo que esa sensación no era distinta de la ebriedad y que se esfumaría al igual que los efluvios del vino».[13]

La mujer es cada vez más crítica y exigente con el hombre. Aun estando enamorada, sigue conservando su capacidad para ver los defectos de su amado y sigue sintiéndose atraída por su ídolo. Para el hombre, su enamorada es, literalmente, la más hermosa del mundo, superior en belleza a cualquier otra belleza. La mujer no comete este error. Conserva su admiración por el ídolo preferido y sigue considerándole objetivamente más guapo que el hombre al que ama y al que no abandonaría por él. Quizás lo haga como una madre que siempre preferirá a su hijo antes que a otro, aunque sea feucho y no ande por buen camino.

En cada época existe un tipo de hombre particularmente deseado por las mujeres: el caballero en la Edad Media, el oficial con uniforme en el siglo XIX, en el XX el ídolo cinematográfico, el cantante de rock o el jugador de fútbol. Entre los hombres esto no ocurre. Los hombres se sienten eróticamente atraídos por aquellas mujeres cuya belleza responda a los cánones estéticos del momento: así pues, altas o bajas, entradas en carnes o flacas según la época y las modas. Son además muy sensibles a la indumentaria y al maquillaje, que las hace más eróticas. Pero no les importa demasiado que sean campeonas famosas o imitadoras desconocidas. La naturaleza empuja al hombre a diseminar al máximo su semen y a la mujer a procurarse el semen del hombre más fuerte, inteligente y dominante, el de aquel que en el transcurso de los siglos de hominización ha asegurado protección, a ella y a sus hijos, es decir, a la especie, aquel cuyos valiosos genes aseguran la supervivencia y el dominio.

El resultado de todo ello es que en la jerarquía de valores el poder y la riqueza siempre se han traducido en alguna forma de poligamia: «Sólo en el 16% de las culturas antropológicas catalogadas», escribe Fisher,[14] «a un hombre se le permite una sola mujer cada vez. En el resto, más de una». Y muchos soberanos, a partir del santo rey David, tuvieron centenares de esposas y concubinas. Algunos emperadores chinos llegaron a emparejarse con más de mil mujeres y también llegaron a tener esa misma cantidad de hijos. Y creo que muchos de los cantantes e ídolos han tenido tantas como si les hubieran encerrado en un harén. Los reyes europeos han procreado siempre decenas, si no centenas, de hijos bastardos. ¿Qué mujer es capaz de resistirse a la fascinación de un soberano? Sobre la atracción que el hombre más poderoso y más visto ejerce sobre las mujeres existe un divertido libro de Richard Conniff, *Historia natural de los ricos*,[15] que incluye una amplia bibliografía.

Las mujeres, aun teniendo tendencia a la monogamia, aunque sólo sea temporal, a menudo se han incorporado al harén por razones de comodidad y seguridad. Fisher continúa diciendo: «Las chicas solteras preferían ser la segunda mujer de un rico que la única esposa de un pobre».[16]

De estas observaciones deriva un importante corolario sobre la relación entre sexualidad y amor. Mientras en el hombre es muy fácil encontrar formas de sexualidad totalmente separadas de sentimientos como la estimación, la admiración, la ternura o el amor, en la mujer, normalmente, siempre hay alguno de estos componentes. Ello no significa que la mujer no experimente atracción sexual hacia un hombre cualquiera, pero es más fácil que la experimente hacia un hombre que tiene alguna cualidad particular, algún valor concreto, algo que le hace parecer merecedor a sus ojos o algo que le diferencia del resto. Podría ser simplemente una altura fuera de lo común, una voz hermosa o un pene descomunal. Por consiguiente, cabe decir que la sexualidad absolutamente pura, totalmente impersonal, es más rara.

Más rara, pero no ausente. Nos encontramos siempre frente a tendencias, no ante una regla. Los comportamientos masculinos y femeninos concretos se modelan con el paso de la historia, de la cultura, del tipo de experiencia particular vivida. Del mismo modo que hay hombres que no hallan la paz si no disponen de un harén de al menos diez mujeres y no prueban continuamente a otras mujeres y otros que se mantienen fieles a una sola, también hay mujeres a las que gusta unirse a muchos hombres. Algunas, pensamos en Alma Mahler[17] o en Anaïs Nin,[18] eligen siempre personajes importantes, eminentes. Otras, por el contrario, y tomamos ahora como ejemplo el libro de Catherine Millet,[19] los toman de forma indiferente y llevan una vida promiscua que no rechaza ninguna experiencia sexual, ni tan siquiera las más desagradables.

Otra cosa hay que tener en cuenta, también, y no olvidarla: todos cambiamos con el paso del tiempo. Algunas mujeres, cuando son jóvenes, atraviesan períodos de sexualidad desenfrenada, promiscua; después se enamoran y devienen monógamas.

Según nos cuenta Sandy: «Era una época en la que tenías que ir con todos tus compañeros. Uno venía y te decía: "¿Echamos un polvo?". Y lo hacías. Además, ¿por qué no? Unas veces me gustaba; otras, no. Después llegó un momento en el que me apeteció encontrar a un hombre gentil, culto, que me hablara de amor. Había encontrado a uno que me leía sus poesías. Pero casi de inmediato conocí a Sergei. Sergei era gordo, violento, brutal, me gustaba notar encima la pesadez de su cuerpo, la fuerza de sus brazos, la potencia de sus embestidas, sus golpes que me sacudían como un látigo y después, cuando se corría, me inundaba antes de tumbarse a mi lado jadeando, vencido. Así alternaba la poesía con tremendos coitos. Después me enamoré. ¡Dios, qué terrible bofetón...!».

Agatha, de cincuenta y cinco años, dice: «Siempre he sido una mujer decidida, sin complejos. Tuve varios novios, también viví una larga historia con un hombre casado, con hijos, que acabó porque él no conseguía despegarse. Luego me convencí a mí misma de estar enamorada de otro y esa vez nos casamos, pero fue un error. Me di cuenta de que no le amaba. La vida cotidiana se había convertido en un infierno. Era despótico, celoso. Al final nos separamos. Un día, cabreado, salió de casa dando un portazo y diciendo: "Estoy harto, ya no te aguanto!". Enseguida hice cambiar la cerradura y dejé sus cosas en casa de su madre. He pasado sola muchos años. Ahora estoy con un hombre mucho más joven que yo y te confieso que me da miedo que se vaya. No tendría valor para hacer lo que hice con mi ex marido. Me siento más frágil. Tengo miedo de quedarme sola. Que vaya con quien quiera, que folle con quien le apetezca, pero que no me abandone. No quiero volver a dormir sola. Lo hice durante mucho tiempo y no me gustó».

4. Impersonal-personal: el ídolo y la fan

Entre las relaciones sexuales impersonales o próximas a la impersonalidad debemos incluir el caso de esos hombres que, por cuestiones de trabajo, de poder o de divismo tienen a su alcance a todas las mujeres que desean y las toman indiscriminadamente. Es lo que ocurre a muchos cantantes y a muchos ídolos del rock, perseguidos por ejércitos de chicas que intentan colarse en sus camas y que se conforman con haber hecho el amor con el personaje famoso, por lo menos una vez en la vida. Entre los casos que yo he estudiado hay uno en concreto que, cada vez que se desplaza, se ve rodeado por un grupo de mujeres entre las que elige a una. Ésta lo sigue por todas partes como un cachorrillo que espera que le echen un hueso. Él ni tan siquiera le dedica un cumplido, se limita a decirle que lo siga ahí donde vaya. Ella le acompaña orgullosa de haber sido la elegida y de haber sido la favorita de esa noche. Una vez, una de esas mujeres me dijo: «Sé perfectamente que mañana por la mañana me dejará tirada, pero vale la pena». A mi modo de ver esa mujer era muy optimista porque tras la larga actuación, que suele terminar siempre a altas horas de la noche, él acostumbra a llevar a estas elegidas al hotel y, (no siempre) tras un brevísimo encuentro sexual, las pone de patitas en la calle.

En la película *Nashville* el célebre cantante se pasa las horas tumbado en la cama escuchando su propia música y son las chicas las que, una tras otra, entran en su habitación, se desnudan, se tumban a su lado y él las toma distraído, con indiferencia.

Cuando tiene esta facilidad, el hombre, tras haber eyaculado, no siente el más mínimo deseo. El cuerpo desnudo que tiene a su lado le molesta y quiere quitárselo de encima. Sólo hay un caso en el que el hombre desee todavía con más ahínco a la mujer tras una intensa sucesión de relaciones sexuales: cuando está enamorado o cuando teme perderla. En otras palabras, cuando tiene un fuerte vínculo con ella. En los otros casos, el deseo sexual actúa como la sed o el hambre. Cuando ha sido plenamente satisfecho, desaparece y se necesita un cierto tiempo para volver a notarlo.

El ídolo, en una aplastante mayoría de casos, olvida a todas las mujeres que puede haber tenido, las confunde. No sucede lo mismo con la mujer que se le acerca y que ha conseguido tener una relación con él porque lo deseaba, le amaba ya antes y quiere estar con él el máximo tiempo posible, para que la abrace sin parar, para dormirse a su lado notando su olor, para oír cómo le murmura palabras de amor. Aquel coito rápido, aquel chorro de esperma que convierte al hombre en indiferente, la desilusiona un poco. Pero ya sabía lo que iba a suceder. No le importa no haber sentido un verdadero placer sexual, no haber tenido un orgasmo. El placer le viene del hecho de haber conseguido establecer un contacto físico con el ídolo, de haber recogido en sus manos, en su boca o en su vagina algo de él que se erigirá como recuerdo. Y es que esta actitud se corresponde con aquel valioso semen que durante millones de años sus antepasadas buscaron con avidez empujadas por el imperativo evolutivo de producir una descendencia más fuerte.

Muchas personas me han objetado que también existen ídolos femeninos y que ha habido muchos hombres que las han deseado. Eso es cierto, pero siempre lo han hecho desde la distancia, jamás albergando la posibilidad de realizar su sueño. Sobre este punto hice una investigación expresa que incluí en el libro *El vuelo nupcial*.[20] Las jovencitas de catorce o quince años enloquecen por su ídolo, intentan tocarlo, besarlo y están profundamente convencidas de que, si pudieran estar a solas con él, quizás podrían gustarle y podrían llegar a convertirse incluso en su amante o su novia. Los chicos de esta misma edad, por el contrario, ni tan siquiera se arriesgan a imaginar que una bellísima estrella pudiera fijarse en ellos. Pero el hombre medio adulto, convencido de que sí podría interesarla, sabe que después no podría satisfacer su nivel de vida. Las estrellas famosas (y no sólo las estrellas) son para los poderosos, para los millonarios, no para los miserables.

Y, de hecho, los favores eróticos de las grandes estrellas del sexo, las mundanas (eufemismo para no decir prostitutas) de la Belle Époque eran emolumento de los millonarios, de los nobles y de los soberanos. Los millonarios Vanderbilt y Rockefeller, el gran duque Nicolás del Montenegro, el rey Leopoldo de Bélgica, el zar Nicolás II, el káiser y el sha se disputaron las noches y los favores sexuales de la Bella Otero ofreciéndole joyas por valor de hasta un millón de dólares.[21]

5. Promiscuidad social

Existen ambientes en el mundo del espectáculo y de la política donde circula mucho dinero, éxito y poder. Y puesto que el poder y el éxito siempre se traducen en dinero, podemos decir que al fin y al cabo éste es el elemento que ahí domina. Inevitablemente, en estos ambientes es donde llegan las mujeres más hermosas. Llegan de muchas maneras, para hacer carrera, como actrices de segunda, como farsantes, como modelos en busca de trabajo, como amantes. Llegan atraídas por el dinero y el éxito y lo hacen para encontrar a hombres poderosos que les paguen sus carreras y les ayuden a alcanzar su propio éxito. La mayoría de ellas alcanzan este objetivo pasando de cama en cama y si, además de ser hermosas, también son inteligentes y hábiles, pueden conseguirlo. Algunas logran cazar a algún personaje rico en matrimonio, coleccionan maridos y aprenden el oficio de enriquecerse también para llegar a ser superiores a los hombres de los que dependieron en un comienzo.

En algunas de estas recepciones y fiestas, se encuentran grupos de mujeres jóvenes, todas muy bellas, muy bien cuidadas, y resulta difícil saber si son las hijas o las amigas de los hijos de estos hombres maduros. Quizás son sus jóvenes amantes, o simplemente invitadas, o chicas que los periodistas, los burócratas, el personal del espectáculo con los que se van a la cama han conseguido meter dentro para que se afanen en encontrar la manera de entrar en estos círculos y encontrar a un hombre rico o poderoso que las tome bajo su protección y las lance.

Después, al ir de fiesta en fiesta, te das cuenta de que siempre son las mismas chicas, si bien a veces han cambiado de pareja. Ello significa que todavía buscan. Observas que algunas empiezan a traslucir una cierta inquietud, porque el tiempo pasa y al llegar a los treinta empiezan a temer que se les eche del juego. Que otras, al contrario, ya han «llegado a su meta» como actrices, modelos, amantes, mujeres adineradas. Éstas se muestran seguras, orgullosas de sentirse parte orgánica de la comunidad y de no tener que temer a nada. Algunas forman parte de la sociedad internacional de la moda que se mueve entre Nueva York, Londres, París y Roma. Una situación perfectamente descrita por Candace Bushnell en *Sexo en Nueva York*[22] que dio pie a una famosa serie televisiva. Es un mundo en el que, si bien el sexo está presente, el poder del dinero y la búsqueda del éxito imposibilitan la aparición del amor e incluso del erotismo.

Algunos de estos ambientes sociales se asemejan, mucho más de lo que pudiera parecer a simple vista, a una corte real o principesca como la de Versalles, donde el erotismo coincidía con una feroz lucha por el poder y donde los aristócratas de ambos sexos hacían perdurar una verdadera comunidad no sólo con cambios de pareja continuados, sino con distintas formas de lazos de parentesco. Estas cortes se levantan entorno a un magnate del espectáculo, que parece un soberano de verdad, con sus vasallos y subvasallos y todas las esposas, amantes y concubinas posibles.

6. Harén

También existen en nuestra sociedad formas de dominación masculina de las que se habla menos porque desde hace un tiempo se consideran muy raras y que siempre se mantienen escondidas.

Iván nos da un ejemplo de ellas: «Cuando entré en la dirección de la empresa, la primera cosa que me sorprendió fue la secretaria particular del presidente, una mujer muy hermosa, enfundada en un vestido extremadamente provocador. Después vi a dos jóvenes secretarias también muy hermosas que llevaban una minifalda y un vestido exageradamente apretados. Al terminar la reunión llegó una mujer joven que había sido la amante de Harty, el anterior presidente, un mánager joven, brillante y dinámico que hacía poco había sido desplazado para ocupar un puesto más importante. Para ir al grano, al final entendí que todas esas mujeres habían sido seleccionadas por Harty cuando ejercía de presidente y que las había elegido porque le gustaban y para convertirlas en amantes suyas. Formaban su harén particular. Un poco como la guardia personal de Gadafi compuesta exclusivamente por hermosas soldados con las que hacía el amor.

»Después, cuando Harty fue desplazado, legó su harén en "herencia" a su sucesor, quien se abstuvo de cambiar sus vestimentas y sus funciones. Ahora es él quien se mete en la cama con la secretaria vampiro. Pero Harty regresa de vez en cuando y, así, aprovecha para hacer una visita a sus "protegidas". La vez que yo estuve ahí, me fijé que esas mujeres tenían a la vez una mirada de respeto formal y de esencial intimidad. De hecho lo consideraban como el "jefe del grupo". Él siempre era el primero en la lista del "orden de comidas" sexuales. Yo creo que alguna de ellas sigue enamorada de él, porque le adoran como a un ídolo. Pensándolo bien, ni tan siquiera puedo decir que haya dejado en herencia su harén al sucesor; digamos que le ha cedido el uso, pero no la exclusiva».

7. Ariadna y Medea

¿Por qué Medea, hija del rey de Colchide, Medea la princesa, Medea la maga, se enamora del jefe de los aventureros, de los piratas que han llegado por mar para robar el bien más preciado del reino, aquello que lo hace famoso en el mundo entero, el patrimonio de su padre y de su familia? Fascinada por este aventurero, se pone en contra de su propia gente, le ayuda a robar el objeto sagrado, huye con él y no duda en matar a su hermano, a despedazarlo y a tirarlo al mar para evitar que los suyos la alcancen. ¿Por qué no desenmascaró, con sus artes mágicas, a los enemigos que desembarcaron en su patria y se paso, al contrario, al lado de su jefe, Jasón? ¿Un motivo en particular, un odio hacia su gente o el puro y terrible atractivo del extranjero? También Nausica se enamora inmediatamente de Ulises. Es un hombre fuerte, misterioso, venido del mar, un hombre que ha visto cosas extraordinarias, que ha vivido aventuras admirables, un hombre que conoce mundo. Quizás a los ojos de Medea Jasón también se le presente así, llegado en un nuevo instrumento, la nave, capaz de surcar el misterioso mar procedente de lugares alejados y extraordinarios, de una civilización superior. Un hombre fuerte, portador de saber, mensajero y apertura a un mundo desconocido y fascinante. Medea, al igual que Nausica, se siente atraída por algo que está más allá de su mundo, donde existe la aventura, el futuro y el destino.

Pero ¿y Ariadna? Ariadna vive en el centro del poder, en Cnosos, que domina el Egeo; son los micénicos quienes deben llevar las víctimas al minotauro que habita en el laberinto. Teseo no llega de un mundo desconocido y superior, sino de un mundo vasallo. No es el portador de un saber superior, de una tecnología excelsa, ni tan siquiera es el más fuerte, pues sin la ayuda de la mujer habría sucumbido. ¿Por qué Ariadna se enamora de él y le ayuda a matar al minotauro, contribuyendo con ello a que la ruina domine el reino de su padre y de los suyos? Debe de haber algo más que la atraiga. ¿Qué es? Teseo es el jefe de una banda, es audaz, valiente, seguro de sí mismo, no tiene prejuicios. Se distingue y sobresale entre sus compañeros por sus cualidades personales, por su atractivo subyugador. Ariadna no sabe qué hacer con los aristócratas disolutos de la corte, se aburre con los cortesanos. Se siente fascinada por ese hombre nuevo que no duda en desafiar los misterios del laberinto, y derrumbar así la tradición y los poderes tradicionales. Y cuando Teseo la abandona en Naxos, Ariadna, la rebelde, no se retrae. Cuando llega, con su cortejo de bacantes y sátiros, el dios burlón, el dios revolucionario, Dionisio, hijo de Zeus, no duda en unirse y casarse con él.

En muchos de sus libros Agatha Christie insiste en el hecho de que las mujeres jóvenes tienen la tendencia a enamorarse de hombres despreocupados, deshonestos pero brillantes, que se saben imponer a sus compañeros, que saben mentir con seguridad. Las mujeres no sólo se enamoran de sus ídolos, sino también de los bandidos, de los criminales famosos, como sucedió en Italia, en Vallanzasca. La manera turbia de Alain Delon ha ido en aumento y su atractivo no ha disminuido un ápice. Es la trasgresión en sí lo que atrae, el hecho de desviarse. La fascinación irresistible que ejerce don Juan, el hombre al que todas las mujeres ceden, no deriva sólo de la identificación con ellas que les parece deseable, sino también del hecho de que saben que las traicionará. La mujer que va con un don Juan no se ilusiona en retenerlo, en convertirlo a la monogamia. Sabe que la abandonará por otra, sabe que le miente cuando le dice que la ama. Del marido, del prometido, del enamorado exige fidelidad, de don Juan no; le quiere infiel y huidizo. Lo toma de la misma manera como él la toma a ella, como un hurto.

8. ¿Y en el futuro?

Me pregunto si la atracción por el hombre poderoso y emergente, por el rico, por el campeón o el ídolo está destinada a mantenerse vigente en el futuro. En realidad hay unos cuantos fenómenos que nos hacen pensar en la posibilidad de que las cosas lleguen a cambiar.

El primero es la progresiva igualación entre hombre y mujer. Durante centenares de miles de años la mujer necesitó al hombre para que la protegiera cuando los hijos eran pequeños. Durante milenios, desde una posición de inferioridad, buscó al hombre poderoso y rico que le asegurara bienestar y estabilidad para ella y su prole. Hoy día ya no lo necesita. La mujer que trabaja, la mujer que desarrolla su carrera, no necesita para nada ni la protección ni la riqueza del hombre.

Y también empiezan a percibirse otros cambios significativos. Muchos hombres tienen actualmente a una mujer como superior jerárquica. Esto influye en su comportamiento porque se siente más inseguro al notar que ha perdido su dominio de hace un tiempo. Por otra parte, empieza a extenderse entre los hombres la fascinación por la mujer poderosa. Por el momento, esta atracción se mantiene en un plano más sexual que emotivo, y el sexo se vive entonces como una victoria: «¡Dios», afirma orgulloso Alex, «menuda satisfacción tirarte a tu director general!». Pero es muy probable que en el futuro también aumente la dependencia emotiva. Todos los hombres han tenido una madre; basta, pues, que desarrollen este tipo de sentimientos. A la vez, las mujeres ya no tan jóvenes pero con mucho poder están encantadas de poder tener nuevas posibilidades sexuales, de mantener relaciones con hombres guapos y jóvenes como hacían exclusivamente los hombres en el pasado.

Asimismo, las mujeres que mantienen como modelo inconsciente del hombre ideal al macho fuerte y autoritario cada vez tienen más problemas para encontrarlo. Ya no existe, o cada vez menos, el jefe de ejército que sabe amar desesperadamente a su mujer, el bribón galante y apasionado dispuesto a todo por amor. O el don Juan fascinador y brillante que sabe emplear las palabras con encanto para hacer que te sientas la más bella de todas las mujeres y derretirte por el deseo. Por eso oímos: «Ya no hay hombres de verdad».

Pero a todo ello hay que añadir un cambio todavía más radical: en un futuro, próximo o remoto no lo sabemos, se crearán bancos de ese esperma tan valorado, recogido de los hombres más guapos, de los campeones, de los deportistas, de los artistas y de los genios. Y será posible producir muchos embriones entre los que la madre podrá elegir aquel que reúna las características preferidas por ella. Ya no habrá la necesidad de acercarse a un hombre, de tener una relación sexual con él. ¿Esto influirá, hasta cierto punto, en la propensión de la mujer a buscar al hombre superior? Es terriblemente probable y ello puede conllevar un cambio radical no sólo en las relaciones entre los sexos, sino, además, en los conceptos de maternidad y paternidad.

IV
La sexualidad personal

1. El encuentro

¿Dónde hacemos que empiece la sexualidad personal, la sexualidad dedicada a esa persona y no sólo a su cuerpo o a una parte del mismo? ¿Dónde establecemos la línea divisoria entre sexualidad impersonal, sexualidad promiscua y sexualidad personal? Recordemos que en la sexualidad promiscua también tiene cabida la individualidad. Promiscuidad no significa anulación de la individualidad. Catherine Millet[1] consuma muchas de sus experiencias promiscuas con uno o dos amigos. También Pauline Réage, en la *Historia de O*, es iniciada en las relaciones promiscuas por su amante Paul. Puede haber promiscuidad incluso cuando todos se conocen personalmente, como sucede entre las personas que suelen practicar el sexo en grupo. Después también existe la situación representada en innumerables pinturas indias en las que el señor se empareja con su mujer o con su favorita rodeado por numerosas concubinas desnudas. Tenemos, finalmente, el intercambio o la mezcla de parejas en la que cada un ve cómo su propia pareja hace el amor con otra persona.

La sexualidad personal se inicia con una separación, con una exclusión de los otros, con una salida del grupo de intercambio. Partamos, para poner un ejemplo, de la máxima promiscuidad, la orgía entre desconocidos, donde cada cuerpo puede ser sustituido por otro. Pero mi mirada se detiene en una persona concreta y descubro que es a ella a quien quiero. Todo puede arrancar de un gesto, de una expresión del rostro y finalmente de la actitud que tenga su pareja del momento. El resultado es que quiero a esa persona porque tiene algo distinto, que deseo para mí. Entonces me acerco a su lado para evitar que otro lo haga y se la lleve. Es como decir «esta persona es mía». Un acto que la sustrae al derecho de todos sobre todos, al comunismo erótico. Es la invitación a una relación privilegiada. Ahora todo se contiene en la respuesta. Si la respuesta es de tipo similar, si con su mirada dice: «Yo también te prefiero a ti», ha sucedido algo esencial, sobre todo si la mirada viene acompañada de un comportamiento coherente. Todo parece igual, pero en el fondo todo ha cambiado. Nuestro vínculo privado establece la diferencia esencial.

La relación sexual personal se establece sólo con la separación del grupo como entendimiento entre dos preferencias, dos exclusividades, dos voluntades. Ahora bien, se trata de algo que debe conquistarte, que no le ocurre a todo el mundo, inmediatamente, porque contrasta con las reglas de la indiferencia y del comunismo erótico. La relación sexual personal, aunque sea por un período breve, une de modo exclusivo dos cuerpos y dos almas, y las separa del resto. Dos personas se encuentran así sólo cuando devienen únicas la una para la otra, cuando no son sustituibles.

Según cuenta Robert: «Pienso en esa vez, hace tanto tiempo, en un país lejano. Había una fiesta. Parecía que todo el mundo se conociera. Bailaban, bebían; de vez en cuando alguno desaparecía no sé dónde. Un poco separada estaba esa chica de cabellos increíblemente largos, ondulados, casi diría rizados, que me miraba. No era guapa, pero era diferente, intensa; mis ojos la buscaban continuamente. Empezó una proyección y terminamos sentados el uno al lado del otro en la oscuridad. Ni tan siquiera recuerdo cómo fue que mi mano rozó la suya; ella no la apartó. Entonces se la apreté y ella hizo lo mismo. Empezamos a tocarnos, a acariciarnos, los dos presa de una fuerte excitación erótica. Después nos fuimos corriendo a su habitación, lejos, donde hicimos el amor desenfrenadamente. Y ni siquiera era guapa. Ya me lo había advertido: "Fíjate que no soy guapa".

»Volví a verla después y ya no la deseaba, pero me quedó un intenso recuerdo, inolvidable, de ese momento en la oscuridad cuando nos buscábamos apasionadamente. Y también me quedo un recuerdo entrañable y un sentimiento de gratitud. Todo emanaba de ese ambiente extraño, de su largísimo pelo, de la oscuridad, del hecho de escapar del resto, del robo de amor, el secreto, la aventura. Si no hubiera tenido el valor de cogerle la mano y de oír su respuesta, me habría quedado una nostalgia inolvidable de lo que habría podido ser, y ese pelo, que ahora sé que no escondía la belleza, sería, a mis ojos y en mi mente, el símbolo de una belleza arcana, de un placer indecible, al que estúpidamente, por pereza, por miedo, por descuido, habría renunciado perdiendo algo precioso».

»Esta experiencia», añade Robert, «me ha hecho entender que todos nosotros, hombres y mujeres, en ciertos momentos de nuestra vida, estamos preparados –basta con que se dé la oportunidad– para lanzarnos los unos en brazos de los otros y hacer el amor antes de conocernos. Quizás se trate de algo instintivo y atávico que hemos aprendido a controlar con la educación y las reglas sociales, pero que se mantiene siempre potencialmente presente. Es esta fuerza la que explotan los grandes seductores.»

Ninguno sabía nada del otro. ¿No podría considerarse, pues, un encuentro impersonal? No, ellos se habían «reconocido» a distancia, se habían comunicado con los ojos y después, a través de mecanismos más o menos inconscientes, terminaron sentándose de lado. Para Robert esa mujer no era un mero cuerpo, se había diferenciado del resto, del grupo, se había hecho única e inconfundible, atrayente y misteriosa, algo para desvelar física y espiritualmente. Había tenido lugar un encantamiento, aunque breve.

2. Concentración

Ruth, en su entrevista personal, no duda en afirmar que se obtiene más placer con la sexualidad personal que con la promiscua. Dice: «Me gustan tus hombros fuertes, tus manos, tu espalda, tus nalgas duras, tu forma de andar. Me gusta tu olor, tu voz, me gusta bailar entre tus brazos, me gustan tus dientes, tus labios, me gusta sentir el peso de tu cuerpo encima del mío. Me gusta verte salir de la cama desnudo y verte como a un gigante. Contigo alcanzo un verdadero éxtasis sexual. Qué estúpida es la gente que piensa que la máxima sexualidad se encuentra en la orgía, pasando de uno a otro. No, no. Mil veces, no. La orgía es una ebriedad, una euforia, al final no te queda nada. ¿Notas el sabor del vino cuando estás borracho? No, no notas nada. Para saborear el vino debes estar atento, vigilante, despierto, concentrado. El máximo placer lo alcanzas con una sola persona. Como nos sucede a nosotros».

Es muy interesante la profundidad del comentario de Hasan en su entrevista: «Muchos hombre y muchas mujeres», dice, «se excitan con fantasías promiscuas pero el placer sexual profundo e inmenso, el éxtasis erótico se alcanza con una persona sola y a menudo sólo cuando ya se ha establecido cierto grado de intimidad. Yo también me excito cuando en las películas pornográficas veo a dos mujeres haciendo el amor, primero entre ellas y después con un hombre, o con dos que se alternan en la vagina y en la boca de la misma mujer. Pero la realidad es distinta. Me ha pasado varias veces haber hecho el amor con dos mujeres a la vez. Siempre he empezado pasando de la una a la otra, pero después he tomado interés por una sola y me he concentrado en ésa. A la otra, la he olvidado; si hubiera salido de la habitación no me habría enterado. El cuerpo de la mujer con la que estoy haciendo el amor, para mí, es algo maravilloso, y no me canso de mirarla encantado, de seguir todos sus movimientos, de observar todos los particulares, las expresiones de su rostro, de su boca, de sus ojos. Hacer el amor es un viaje, un descubrimiento, una revelación. Y es como una música que tocamos a dos manos encontrando el acorde entre nuestros cuerpos y nuestras almas. Para ello se necesita una concentración inmensa. Dos, tres mujeres estorban, te distraen. La relación con ellas deviene superficial, vacía. La intensidad, el placer profundo y total, puedes alcanzarlo sólo cuando la mujer con la que estás haciendo el amor es para ti todo el mundo. Y cuando la amas de ese modo, ella se da cuenta. Entonces incluso aquella que al comienzo era la más indiferente de las prostitutas se transforma en una amante.

»Otra idea muy difundida es que sólo puedes tener muchos orgasmos con muchas mujeres a la vez. No. Esto es un error inmenso. Precisamente sucede al contrario. La potencia sexual se genera a partir de la concentración. Cuando estás totalmente concentrado, totalmente absorbido por la mujer con la que haces el amor te conviertes en tu propio pene, que se hunde entre las paredes de su vagina y, a la vez, aquel que lo observa y lo admira. Así pues, yo, después de haber tenido un orgasmo, prefiero no salir de la vagina, me mantengo dentro, me tomo todo el tiempo del mundo y así mi pene vuelve a hincharse y vuelvo a tener un orgasmo y otro más y otro más.»

Intervengo con una pregunta. La escuela taoísta sostiene que, para prolongar muchísimo el acto sexual, hay que contener el semen, no eyacular. «No hace falta», me responde, «basta con la concentración y, poco a poco, el pene vuelve a hincharse. Lo importante es mantenerte cerca de tu mujer con la sorpresa y la alegría de tener algo tan bello para ti. Al cabo de un rato, a lo mejor después de que ella te lo haya besado, te apetece volver a penetrarla. No hace falta que tu pene esté duro como un tronco. También puedes entrar suavemente y después crecerá naturalmente, como crece en su boca. Y es muy hermoso para una mujer sentir cómo se pone turgente, fuerte y potente en su interior. Cuando el hombre vive a su mujer de esta manera, cuando adora su cuerpo de este modo, cuando está completamente concentrado en ella de esta forma no debe contener nada. Y ella puede tener orgasmos múltiples o la forma de placer que prefiera. Es el priapismo del yo lo que convierte al hombre en un semiimpotente y deja en la mujer un sentimiento de vacío y de incompleto.»

3. El conocimiento sexual personal

Resulta extremadamente difícil hacer hablar a las personas de sus propias experiencias sexuales. Lo hacen los amigos entre sí, con el médico o el psicoanalista, lo hacemos con aquellos con los que estamos a punto de hacer el amor y con quien lo practicamos. Básicamente tratamos el tema con aquellas personas delante de las que estamos dispuestos a desnudarnos, a mostrarnos desnudos sin sentir vergüenza. En el campo sexual se establece una afinidad profunda, incluso una identidad, entre el hecho de mostrar el propio cuerpo y mostrar la propia alma. Cuando conversamos con otra persona empleamos un lenguaje neutralizado por la vida cotidiana que excluye y cierra el camino hacia lo erótico.

Para contar nuestras experiencias sexuales debemos entrar en el mundo erótico y el ingreso es repentino, como abrir de par en par una puerta.

Visto desde fuera, desde la óptica de un observador que nada supiera de la psique y del comportamiento humano, el proceso que conduce del comportamiento social de la vida cotidiana a aquel que precipita hacia el acoplamiento sexual es sorprendente. Al comienzo tenemos a dos personas que se tratan de usted, que no se tocan, que mantienen entre ellas una distancia socialmente establecida. Después se produce un cambio rapidísimo de información. Nace un interés que podría ser simple curiosidad, los dos se acercan, casualmente se tocan. Después puede ser que no suceda nada, se vuelven a tocar, pero poco. Hasta que el deseo deviene consciente. Cada cual, entonces, se inclina hacia el otro, le envía señales de excitación y de reclamo. Normalmente, en nuestra sociedad, es la mujer la que espera la iniciativa masculina. En el fondo es como ponerle a prueba, ver cómo se las apaña, si tiene un mínimo de habilidad y de coraje. Debe superar una barrera, lanzar una señal no equívoca. Basta con que le roce un dedo en la oscuridad y ella, distraídamente, no lo retire. O también, como enseñan millones de películas cómicas, que él le haga la «trabanqueta» y ella no se enfade.

A partir de este momento las cosas se precipitan sin obstáculos. Es como un desprendimiento, como una cascada. Arden instantáneamente todas las convenciones a las que estaban atados hace tan sólo unos pocos minutos. A veces, sin tan siquiera mediar palabra, se lanzan el uno en brazos del otro. Se besan. Él le toca dulcemente el seno. Pero a veces ni este ritual se respeta. Empiezan a desnudarse de modo desenfrenado. Incluso dejan de lado las reglas más elementales del buen gusto estético. Él queda con los pantalones arremangados a los pies y se cae encima de ella, quien, a su vez, intenta sacarse las medias. Si se vieran en una grabación se encontrarían ridículos. Pero el deseo anula cualquier otra emoción. Dejan diseminados los vestidos por toda la casa mientras empiezan a penetrarse de todas las maneras, a contonearse, a jadear, incluso a decir frases obscenas, lamer y mezclar sus respectivos humores, hacer todo aquello que no sólo está prohibido, sino considerado ofensivo en la vida social cotidiana.

Pero a la vez que caen las barreras físicas, caen también las barreras psíquicas. Esas personas que poco antes no se habrían confesado de sus respectivas vidas sexuales, que habrían considerado incluso indiscreta una pregunta sobre su relación con el marido o la esposa, ahora están dispuestos a contárselo todo. A contarse los placeres, los dolores, las desilusiones, los rencores, sus propias preferencias, también lo que han hecho con sus otros amantes y por qué se sintieron desilusionados. Al haber desnudado sus cuerpos ahora están dispuestos a desnudar sus almas, y del mismo modo que han ofrecido al otro su propio sexo ahora le ofrecen sus propias experiencias sexuales.

Si os fijáis bien, es la situación opuesta a la del anonimato personal. En la sexualidad impersonal el cuerpo está solo, no hay palabras. En la sexualidad impersonal nadie se desnuda porque es como si ya todos estuvieran desnudos y el desnudo significa anonimato. Por el contrario, en la sexualidad personal, al desnudarnos, al mostrar nuestro cuerpo completamente desnudo, ofrecemos nuestra especificidad más escondida y nos mostramos dispuestos a comunicar. Y aquello ante lo que nos mostramos y con lo que hablamos es, sin duda, un cuerpo desnudo, pero también es una persona socialmente concreta, con una identidad inconfundible. Cada uno de nosotros es uno mismo, distinto de los demás. Mi cuerpo desnudo, su cuerpo desnudo, tienen un nombre, una vida, una historia, unos conocimientos únicos e inconfundibles y, mediante nuestra desnudez, estamos dispuestos a mostrarnos y a decir cosas que quizás nunca mostremos ni digamos a nadie más. Y cuando, tras la unión de los cuerpos y de los espíritus, volvemos a vestirnos, cada uno se erige como el poseedor del secreto iniciático del otro.

4. Impulsos irrefrenables

A veces el encuentro sexual sucede de una forma tan imprevisible y violenta que, visto desde fuera, podría parecer un flechazo irresistible, la explosión de un amor. Por el contrario, es pura sexualidad.

Según cuenta Evelyn a una amiga suya: «Tú sabes que yo quiero a mi marido, que vamos a la una y que no soy de las infieles. Pero me pasó navegando en barco. Navegar es una cosa extraña, establece una relación estrecha, cuerpo a cuerpo, una especie de promiscuidad. Estábamos en la proa del barco donde hay una enorme colchoneta para tumbarte a tomar el sol. Caben hasta cuatro personas. Yo estaba a la izquierda, Max en el centro y a la derecha Flora. Flora le pidió que le untara la espalda con crema solar. Se había quitado la parte superior del bañador aunque estaba tumbada boca abajo. Max empezó a extenderle la crema por la espalda y después bajó hacia los glúteos y las piernas. Luego volvió a subir y detuvo la mano al llegar a los muslos. Me sentí muy celosa, envidiosa de Flora y entonces me puse de lado y le pedí: "¿Me puedes echar crema a mí, también?". Yo también llevaba el seno descubierto y observé que él me lo miraba. Entonces él dijo: "Ahora le echaremos una mano a la pobre Evelyn", pero lo hizo mirándome a los ojos. Se giró hacia mí y empezó a echarme crema. Instintivamente abrí un poco las piernas para que, cuando llegara a los glúteos, pudiera meter las manos entre los muslos. Él, empero, se detuvo un buen rato sin decir palabra. Después bajó hacia las piernas y volvió a subir. Entonces yo apreté los glúteos como si fueran de hierro, él empezó a acariciarlos con la crema y entonces volví a relajarlos abriendo de nuevo un poco las piernas. Estaba completamente mojada. Hubo una especie de comunicación extraña e intensa. Después todos bajaron del barco para hacer la compra y nosotros dos nos quedamos preparando la comida. Inmediatamente él me abrazó, me besó y metió una mano por debajo de mi bañador. Bajamos a los camarotes, cerramos la puerta y empezamos a hacer el amor como dos posesos. Quizás el miedo, el temor a que los otros nos descubrieran, hizo que pareciéramos dos enamorados que finalmente pudiesen desfogar un deseo acumulado por los años. Después subimos al puente de cubierta temblando, cogidos de la mano y mirándonos a los ojos. Pero cuando llegaron los otros, parecíamos dos correctos escolares. Piensa que, desde esa vez, no hemos vuelto a hacer el amor. Cuando él se fue con los demás nos despedimos de la forma más convencional; sólo un poco antes de alejarse él se giró y me miró intensamente».

Es evidente que, en este caso, el mecanismo que desencadena el deseo es la mímesis, la visión del hombre que acaricia eróticamente a la amiga. Y la violencia y el frenesí derivan del temor a ser descubiertos. Pero nos encontramos claramente ante una relación personal. Todos los demás están ausentes, el acto de cerrar la puerta con llave los expulsa, los mantiene fuera. Al hacer el amor están solos, íntimamente unidos aunque sepan perfectamente quién es el otro. Evelyn repite a menudo que se miraban a los ojos.

Pero existe otro mecanismo en el que debemos centrar nuestra atención. El acto sexual inmediato, casi instintivo, suele ser bastante fácil al comienzo de una relación, quizás la primera vez que las dos personas se ven. Es un abandonarse al deseo espontáneo, sin reflexionar, sin poner en marcha las defensas contra la sexualidad, sin vivirla como una infracción, sino de una forma tan natural como dar un beso. Thomas nos cuenta: «Si te lanzas deprisa, tan pronto como percibes su interés, ella se suelta. Es como si no hubiera tenido tiempo para preparar su defensa. Me sucedió con una mujer muy bella que estaba con un conocido mío con el que había roto. Mientras bailábamos le dije: "Me gustaría hacer el amor contigo aquí, en el suelo, ahora mismo". Se quedó muy sorprendida, muy emocionada. Entonces la conduje de la mano hasta una habitación, nos besamos y después hicimos inmediatamente el amor sobre un diván desvencijado que estaba apoyado contra una pared. Si no le hubiera dicho esas palabras, si lo hubiéramos dejado como simples conocidos, aunque nos hubiéramos vuelto a ver probablemente nunca habría pasado nada».

Y otra mujer, Violet, confiesa: «No sé qué mosca me picó ese día. Apenas había terminado de hablar. Me gustaba muchísimo pero soy tímida y me sentía incómoda. Él, empero, me había mirado profundamente a los ojos, tengo unos ojos muy bonitos, lo sé, y entendí que le interesaba, que le gustaba. Cuando todos se alejaron nos quedamos nosotros dos solos. Estaba oscureciendo. Él, sin mediar palabra, me abrazó, me besó y yo respondí como dominada por el vértigo. Después me dejé caer al suelo. Él no dudó ni un instante, abrió la cremallera y le cogí el miembro con la boca como si hubiera sido la cosa más lógica y natural del mundo. No pensé en resistirme. Todavía hoy me siento sorprendida. Nunca me había sucedido nada igual y nunca más volvió a sucederme. Fue como la simple continuación del abrazo, del beso».

5. Búsqueda

«Hubo un período de mi vida durante el que hice el amor con muchos hombres», nos cuenta Laureen. «Le sucede a muchas mujeres en algún momento dado. Pero, como eres un hombre, te quiero contar una cosa con franqueza. No pienses que es fácil y liviano para una mujer cambiar de hombre, de cama. Incluso voy a confesarte una cosa que nosotras, las mujeres, mantenemos escondida. Hacerlo a menudo puede resultar extremadamente pesado. Salvo en alguna extraña circunstancia fuera de contexto, como puede darse en época de vacaciones o con un hombre que te fascina, suele ser cansado y a veces incluso dramático. Porque, yo hablo por mí, pero te aseguro que es válido para otras muchas que no lo dicen, cuando vas con un hombre nuevo, en lo más profundo siempre andas buscando el amor intenso, estable y verdadero. Aunque hayas renunciado a la idea con la cabeza, tu cuerpo lo busca y disfruta intensamente, hasta el delirio, hasta el punto de llorar si por lo menos en ese momento concreto le amas y sientes amor por él. Después, la continuación puede ser completamente distinta, llena de errores, posiblemente porque has sido incapaz de hacer los gestos precisos, de decir las palabras adecuadas, pero sobre todo porque el otro es un desconocido y así le ves también cuando te besa ávidamente tu cuerpo y tú le correspondes.

»Quizás sea un error empezar en la cama. Pero hoy se hace así. Hoy se empieza en la cama, pero después del encuentro, para mí, y también para otros muchos, la cosa no ha terminado. Para un hombre joven, quizás. Pero para mí, para nosotros, después llegan las desilusiones, los desengaños, porque te encuentras con un individuo inconsistente, o banal, o aburrido, o estúpido, o vulgar, o incapaz de dialogar, de intimar. Uno que te habla de coches o de fútbol o de dinero, o uno que a lo mejor te interesa pero que te repite de un modo idiota: "Pero yo quiero ser libre". En resumidas cuentas es algo que suele requerir mucha fuerza para no resignarse, para no sucumbir ante la tristeza, para no dejarse dominar por la idea de que no hay nadie que te sirva. Y cuántas veces, cuántas veces, créeme, he ido a la cama con alguien, tantas mujeres han ido a la cama con alguien sólo porque albergaban la secreta esperanza de que se abriría una puerta que la conduciría a un amor grande y duradero.»

6. La atracción

Un cuerpo, por sí mismo, no resulta atractivo. La atracción es un atributo que pertenece a la propia persona. Para descubrirlo debe aflorar del mundo impersonal, de la promiscuidad. Entonces, de repente, lo ves. Súbitamente, ese rostro te parece bello, noble e inquietante a la vez. Ya no es un rostro cualquiera entre otros muchos. Ahora percibes en él, a través de sus rasgos, la dulzura, la soberbia. Entrevés, más allá de las formas, una vida, incluso el misterio de una vida. Esa persona tiene un pasado, ha tenido amores y ha sabido suscitarlos. Te das cuenta de que alguien la ha amado desesperadamente y, por un instante, el instante en el que se te hace evidente su atractivo, tú sientes, como una sombra, esas mismas pasiones.

En la película de Scorsese, incluso más que en el libro de Edith Wharton, *La edad de la inocencia*,[3] es así como aparece la condesa Olenska con el rostro de la actriz Michelle Pfeiffer. Ella es la encargada de hacer llegar, entre la sociedad esnob neoyorquina, el secreto perturbador de los amores y de las pasiones europeas. Un misterio que se manifiesta a través de la audaz y doliente dulzura de sus rasgos, de una sonrisa que desarma, de su seguridad entre gentes hostiles, de su inconformismo, que indica otras costumbres, otras relaciones prohibidas. El atractivo es siempre el traslucimiento de un pasado y de un mundo que nos es desconocido, de una trasgresión del orden cotidiano. Cada individuo es un ser absolutamente único y desconocido, es la diversidad, es el misterio. La atracción representa la revelación de este misterio, representa la seducción de este misterio. Por consiguiente, cada ser tiene su atractivo y puede ser visto como portador de atractivo.

La persona con la que hablamos, a la que miramos, pierde el carácter de la banalidad, se diferencia de los demás como alguien específico y peculiar. Es como una puerta que se entorna y entrevés un pasado y una vida por la que sientes curiosidad y atracción. La fascinación es esta atracción, querer saber, intentar entender, imaginar y sentirse excluido. Y puesto que nunca podremos tener su pasado, sus vivencias, la primera impresión que nos llega es la de algo que se esfuma, que hemos perdido.

El otro siempre es –y en eso Girard tiene razón– la persona de otro o de otros. Aquel a quien empiezas a amar pertenece siempre a otros. Y tú tienes que entrar en ese mundo de otros. Tú siempre eres «el extraño» al que todos, y sobre todo la persona que te interesa, puede rechazar. Tú siempre eres el ladrón que llegas para llevarte lo que no te pertenece. Como Jasón con la familia de Medea, como Teseo al entrar en el castillo de Cnosos para seducir a Ariadna. El mito cuenta la victoria, no el terrible misterio, el temor, el peligro mortal. Pero la atracción también son todas estas cosas. La atracción de Medea está en su mundo bárbaro y mágico. Y la atracción de Ariadna también es el monstruo escondido en el laberinto.

¿Pero los rasgos, la gestualidad, bastan para evocar todas estas cosas? No. Se necesita también una postura, una vestimenta. La fascinación también es dignidad. Por eso las mujeres se presentan elegantes, correctas y con vestidos de noche. Y también se necesita un poco de información, aunque sea muy vaga. Te la proporciona cualquier persona del ambiente, del círculo, de la fiesta en la que la encuentras. Te enteras de que es la mujer de un empresario, o una actriz o simplemente una acompañante de la que resulta fácil imaginar infinidad de cosas.

¿Y en cuanto al hombre? ¿Qué hace al hombre ser atractivo, qué le proporciona fascinación? Ya hemos hablado suficientemente de la fuerza de atracción que suponen aspectos como el éxito, la riqueza y el poder en el hombre, de la capacidad de convertirlo en alguien único. Se trata de aspectos que no se revelan de inmediato en una mirada sino que forman parte de su historia, de su vida, y de su mito.

Pero existe un atractivo masculino que no deriva del poder sobre los demás, sobre la sociedad, sino sobre las mujeres. El atractivo del gran seductor, Casanova, don Juan, aquellos a los que las mujeres no pueden resistirse. Lo identifican inmediatamente por su aspecto, por su mirada, por su manera gentil y decidida de dirigirse a ellas, por su absoluta seguridad de conseguir una meta unida al deseo emocionado, por el gesto que parece autoritario pero que es una caricia y por esa voz que, diga lo que diga, es una invitación sexual. «Él te mira», escribe Anaïs Nin, «como si estuviera mirando a todas las mujeres del mundo. Y tú sientes que en esa mirada todas las mujeres le desean y están dispuestas a entregársele.»

Y si él empieza a susurrar palabras de amor y de sexo –sólo él puede hacerlo, sólo él puede decir todo lo que quiere– la resistencia de las mujeres disminuye. Su forma de hablar es hipnótica, irresistible. Enseguida se sienten desfallecer, excitadas, mojadas, dispuestas a ceder. Incluso las más rígidas, las más puritanas, las más intransigentes, aunque no lleguen a hacer el amor, con él se sienten alegres, lo encuentran simpático, inteligente, gentil, y las hace reír y les apetece conversar. Y todas, todas sin excepción, le perdonan aquello que no perdonarían a los maridos y a los hijos, se lo perdonan todo.

7. Lujo y atracción

Hemos dicho ya varias veces que para el hombre es más importante el aspecto físico de una mujer que el hecho de que sea ministra o presidenta de la General Motors. Pero también hemos insistido en la importancia que tienen la indumentaria y el maquillaje en el atractivo femenino. Es cierto que el hombre prefiere a un ama de casa hermosa antes que a una jefa fea, pero entre dos mujeres equivalentes, una vestida pobremente, descuidada y sin arreglar y otra elegantísima, estupendamente maquillada, con andares provocadores, sólo tiene ojos para la segunda. La diferencia entre una mujer descuidada y esa misma mujer «vestida de gala» es tan enorme que el hombre tiene la sensación de estar viendo a dos seres distintos. En la célebre película *Sabrina*, cuando la chica (Audrey Hepburn) regresa de París elegantísima, los dos hombres no la reconocen y se enamoran de ella. Por otra parte, cuando una mujer quiere hacer saber a un hombre que ya no le interesa sexualmente se desarregla y se descuida y se las apaña para que la encuentre mal vestida, despeinada y sin maquillar. Por el contrario, si llega muy cuidada, recién salida de la masajista o de la peluquería, significa que está disponible e incluso enamorada.

La mujer, en todas las sociedades y en todas las épocas históricas, siempre se ha preocupado por su indumentaria y su maquillaje, y también por la decoración de la casa, sobre todo la del salón y la del dormitorio. Se trata de ocupaciones tanto más fáciles cuanto más rica sea la señora, de más tiempo libre disponga y cuantas más personas con buen gusto tenga a su disposición y la ayuden. Es así cómo la riqueza se convierte en la mujer en un componente del erotismo porque le permite presentarse de una forma fascinante y en un contexto fascinador. No es la riqueza en sí misma lo que atrae al hombre, como sí sucede a la mujer que admira encantada al millonario aunque vista unos vaqueros y una camiseta rota, sino su materialización estético-erótica. Ciertamente, a ella, a veces, también le ocurre lo mismo: se queda encantada cuando el militar al que había visto en el hotel se le presenta vestido con uniforme de gala. Pero todavía se siente más impresionada si un hombre vestido con camiseta la acompaña a su lujoso yate para tomar una copa.

Si la mujer se siente fascinada por el cantante, por el futbolista, por el actor, por el escritor, por el político, por el músico o por el aventurero es porque le permiten entrever una vida extraordinaria y gloriosa. Puede ser que simplemente se sienta atraída por la mera belleza del hombre, pero si éste es pobre, por muy guapo que sea, sólo puede servir para tener una aventura o como amante. A menos que la rica sea ella. En *Orlando furioso*, de Ludovico Ariosto, Angelica, la mujer más bella del mundo, rechaza a todos los grandes caballeros que estaban locamente enamorados de ella, incluso al más famoso de todos, Orlando, y finalmente se casa con un simple soldado, Medoro, porque es hermoso como un dios. Sólo que... Angelica era la hija del emperador de China.

En el caso de la mujer el lujo y la belleza están inextricablemente unidos en el sentido de que la mujer necesita la riqueza para hacer que su cuerpo sea erótico. Para embellecerlo, mejorarlo en todos sus componentes, el peinado, los ojos, la carnación, necesita ponerse en manos de profesionales –los estilistas, los diseñadores, los zapateros, los peluqueros, los maquilladores, los cirujanos estéticos, los joyeros– cuya labor es transformar a las mujeres en criaturas extraordinarias superiores a la vida cotidiana e incluso sin contacto con ella. La hermosa mujer enfundada en un vestido de noche nos dice, mediante su aspecto, su forma de andar, su manera de sentarse, de mirar, que ella no tiene ninguna relación con el trabajo, con el cansancio, las miserias, las preocupaciones en los que se debaten los seres normales como nosotros, sino que pertenece a un mundo distinto, que lleva una vida llena de placeres y que es capaz de dar un placer que a nosotros nos cuesta horrores imaginar. La vida que atribuimos a las grandes estrellas de Hollywood, que pasan de una vida de lujo a otra, de un amor a otro y que nos es completamente inaccesible.

La atracción siempre es una invitación y un rechazo, es, en definitiva, un reto. El vestido de noche cubre el cuerpo para estimular el deseo erótico. Por eso es una invitación, es como si nos dijera: desnúdame. Pero, a la vez, crea una distancia, te lo prohíbe. La mujer que va vestida de esta manera se muestra infinitamente deseable, disponible, pero no para todos, sólo para algunos, para los privilegiados. Por esto tiene un efecto perturbador, inquietante. Porque nos hace entrever una forma de existencia beatífica de la que ella forma parte junto con sus iguales, y tú no. Pero, a su vez, te hace sospechar que no es una exclusión definitiva: tú también podrías, a lo mejor…

8. El freno

Hemos apuntado la idea de que el erotismo es una esfera de la existencia. Debemos entrar, abrir la puerta. En nuestra vida cotidiana tenemos relación con muchos hombres y mujeres a los que no miramos con ojos eróticos. Nos mantenemos en la esfera existencial del trabajo, de la competencia, y no abrimos las puertas que conducen a la habitación en la que los objetos devienen eróticos, objetivo de deseo sexual. Un típico caso de ello es el médico o el ginecólogo en el ejercicio de su profesión.

Pero también puede suceder en situaciones que normalmente son de tipo erótico, como sería el caso de una charla reservada, de una cena a dos, de un encuentro a raíz de un viaje o en un hotel. Y sucede incluso a personas que suelen ser fácilmente excitables. Hay veces en las que, tras un primer momento en el que esa persona nos había sorprendido y nos gustaba, algo cambia. Una palabra, un gesto, una frase que nos irrita o que ofende nuestras convicciones políticas o religiosas y el deseo sexual desaparece. La relación ha resbalado fuera de la situación erótica y ya no vuelve a instalarse más ahí.

Hay veces en las que se siente miedo, como en la experiencia que nos cuenta Martín: «Me gustó desde el primer momento, era una mujer maravillosa, tenía una manera de hacer las cosas con tanto atractivo que ningún hombre podía quedarse indiferente. Estuve con ella en unos cuantos despachos, entramos juntos en un restaurante abarrotado de gente y atraía todas las miradas. Ante su presencia, los hombres se transformaban, la miraban con languidez, o con provocación, intentaban hacerle bromas. Por otra parte, conversando con ella, me di cuenta de que esa hermosa mujer se sentía atraída por mí, le gustaba. Apenas la llamaba corría contenta a hablar conmigo o le apetecía quedar para vernos. Hubiera bastado una palabra mía, un gesto, y esa diosa habría caído en mis brazos. Un día que había quedado con ella me sentía tan exultante y lleno de deseo que incluso contaba los minutos, angustiado. Ella se acurrucó a mi lado y empezamos a hablar. Me habló de ella, de lo que hacía, de sus problemas, de sus deseos. Sólo percibí ansia, prisa, necesidad. Y me di cuenta de que, aunque me gustaba muchísimo, no quería desnudarla y hacerle el amor. Me sentía contento por la conquista. Pero me bastaba, ¿me entiendes? No entendía el porqué. Después lo comprendí. Ella no era una mujer con la que poder tener una relación ocasional y después romper la relación. Te ataba, te implicaba, te arrastraba con ella, siempre tenía mil cosas que hacer y que preguntar. Yo le gustaba, habría hecho el amor conmigo, pero no era el amor ni el sexo lo que le interesaba mayormente. Me habría pedido cosas, ayuda, me habría involucrado en sus problemas, se habría convertido en un peso. Y yo no quería, para nada quería atarme».

Martín detuvo la relación porque entendió que esa mujer lo habría implicado en sus problemas. León, al contrario, se detiene porque se da cuenta de que ella está lejos y no se deja coger. «Entró», nos cuenta, «una conocida mía, muy guapa. La acompaña una fama de devoradora de hombres y de ser muy disoluta. No hay duda de que provoca una fascinación irrefrenable, incluso peligrosa. Me sorprendió su rostro de niña ingenua. Cuando sonríe tiernamente se le dibujan dos hoyuelos en las mejillas. Debe de tener unos cuarenta años, pero parece que tuviera veinticinco. Sé que es una mujer sin prejuicios y experimentada, que ya ha tenido tres maridos que le han dejado una fortuna y que tiene muchos amantes, pero, aun así, parece una chiquilla indefensa. Me doy cuenta de que si se me acercara con esa sonrisa que desarma y me pidiera ayuda, si se propusiera seducirme usando todo su atractivo, toda su capacidad de interpretación, quizás yo también caería, como otros tantos. Pero no lo hace, en ese momento no le intereso, no le sirvo; y como no actúa, lo que sé de ella me sirve como defensa. No siento ninguna atracción. Admito su belleza, pero su atractivo no me toca. Afortunadamente.»

Hélène también experimentó ese mismo deseo, ese mismo temor. Y renunció. Durante muchos años coincide con un hombre con el que mantiene un vínculo, y se arrepiente de no haber tenido el valor de decírselo. Finalmente se atreve: «He dejado pasar muchos años como una estúpida. Estaba convencida de no gustarte, incluso estaba convencida de que ni te habías fijado en mí. Por esta razón siempre me mantuve distante, incluso físicamente me separaba de ti unos cuantos metros cuando nos encontrábamos. Me gustabas; ¡demonios, cómo me gustabas! Pero para mí eras inabordable. Vivías en otro mundo en el que yo era una extraña y en el que me sentía rechazada. Me sentía fuera de lugar y no tuve el valor. Y así, poco a poco, al final conseguí dejar de imaginarme cosas, de mirarte, de pensar en ti».

9. La contención

Según nos cuenta Margaret: «Me di cuenta de que él era tan atractivo como peligroso. Estaba vivo y sentía curiosidad por todo. Viajar y recorrer las calles del mundo con él era una verdadera aventura. Veía cosas que nadie más veía y te transmitía nuevas emociones. A menudo parecía un chiquillo indefenso, pero percibías en su interior una fuerza inmensa. ¡Y cómo hacía el amor! ¡De maravilla...! Cada día que pasaba lo deseaba más y más. Sentía que me estaba enamorando y tuve miedo. Porque era indomable y no se dejaba conocer. Pero no podía, no quería resistirme. No se puede renunciar a la vida, hay que vivirla, cueste lo que cueste. Y lo pagué, ciertamente, lo pagué caro porque yo, atrevida, me enamoré y él, no. ¡Cuántas veces hicimos el amor! Al final estaba extenuada, aturdida, vacía y feliz. Y también él lo era, porque le gustaba, le gustaban mis largas piernas, mis tetas puntiagudas, mi contorneo al andar. Pero nunca me dijo: "Te quiero...". Yo lo acepté así. Estuvimos juntos, borrachos de sexo, de placer. Después él se fue. Me quedó el recuerdo de una época extraordinaria, de una felicidad indecible y de un grandísimo dolor. Pero me siento feliz de la elección que hice». Para poder continuar estando al lado de la persona a la que ama, Margaret acepta limitar sus relaciones al terreno de lo puramente sexual, como quiere su amante.

También Albert tiende a enamorarse, pero como muchos hombres tiene miedo al amor, miedo a perder el control de sí mismo y se defiende de esta tentación limitando la experiencia a la mera relación sexual ocasional a la vez que rechaza ahondar más. «La encontré en una de esas fiestas típicas del mundo del espectáculo. Era joven, muy hermosa, y llevaba un vestido de noche perfectamente estudiado para ser lo más provocativo y sexy posible. Iba como vestida y desnuda a la vez, porque el vestido la mostraba más desnuda que si realmente lo hubiera estado. Iba acompañada de un tipo insignificante. Me echó una mirada cortés, me dio su número de teléfono, me pidió que la acompañara y, como yo ya me iba, me pidió que la llamara y me preguntó si ella podía hacerlo. Resulta muy, muy difícil, ante una mujer tan joven, tan hermosa y tan seductora, con unos enormes ojos tan ingenuos, recordar que sólo lo hace porque le sirves, porque quiere sentir que tiene éxito y que hace ese mismo papel a todo el mundo. Es difícil recordar que si se le acerca otro del que podrá obtener más, se irá con ése sin tan siquiera girarse. Mientras la contemplaba encantado pensaba en todas estas cosas y sabía que, si hubiera decidido seguirla, hubiera podido llegar a desearla demasiado, incluso hubiera podido enamorarme y sufrir. Entonces dejé que la idea de que ella ofrecía su cuerpo para obtener algo a cambio me penetrara hasta el fondo de mi cerebro. Visto el trabajo que había elegido y el ambiente en el que se movía, no me quedaba elección. Era un intercambio: sexo y amor a cambio de éxito. Debería haberme quedado sólo con el sexo y prohibirme cualquier concesión a la ternura, al amor. Hacer como casi todos los hombres en ese ambiente.»

A veces no nos queremos enamorar porque no creemos en nosotros mismos, en el futuro, porque sentimos miedo y nos refugiamos en el presente de la sexualidad. En el libro *Un uomo a perdere* de Giulia Fantoni, la protagonista, tras algunos encuentros con hombres de los que no ha obtenido ningún placer, se enamora de un hombre casado, extraño y solitario. Nunca hablan de futuro, no creen en él. Se encuentran y pasan el tiempo haciendo el amor. La mujer lo describe con un lenguaje seco y vulgar: «Cuando termináis de comer, él se levanta, se pone a tu lado y saca la polla. Entonces te la metes en la boca y se la sacudes un poco con la mano. Después él te aparta la mano de la polla, la agarra con las suyas y la menea así sin sacártela de la boca… Cuando te eyacula en los pies, es un chorro corto y él se corre casi enseguida, pero en el sillón tarda un poco más y casi siempre acaba corriéndose. Y cuando se corre, tú gritas. Es un grito fuerte; estás bastante segura de que los vecinos te oyen».[4] Es el lenguaje lo que le sirve para mantener su relación confinada al puro placer del sexo, evitando que se insinúe el amor que exige continuidad, futuro, esperanza. En un momento dado hacen el amor a tres. Es un vértigo de penes múltiples, de penetraciones múltiples, de orgasmos múltiples, de gritos múltiples. Pero incluso en estos momentos de mezcla ella sólo busca los ojos de su hombre, un indicio de que es a él a quien ama. Pero no lo dice. El amor no se nombra: «Las cosas, se sabe cómo empiezan, pero no cómo terminan». Prefiere mantenerse en el presente del sexo donde todo puede desaparecer. Él continúa siendo «un hombre al que puede perder». Y de sí misma observa: «No tienes nada, nunca has sido nada y nunca has tenido nada».[5]

10. Intimidad y complicidad

La gama de las experiencias eróticas está exterminada. Hay casos en los que dos personas comunican, sin tan siquiera un contacto físico, sin mediar palabra, con un conjunto de estímulos subliminales y con una disponibilidad a la relación. Tal vez lo hacen tan deprisa que sólo adquieren conciencia después, cuando ya se han abandonado. Y a lo mejor, con el paso de los años, cada uno recuerda, con nostalgia y añoranza, ese momento extraordinario en el que se encontraron y se perdieron.

Según nos cuenta Georges: «Estaba en el extranjero, donde había ido a dar una conferencia. Me acompañaba una joven. Entre nosotros se había establecido un extraño vínculo de simpatía, de complicidad y de placer a la vez. Habíamos cenado juntos y habíamos charlado mucho. Después ella me acompañó hasta mi hotel y se detuvo unos instantes antes de irse en un taxi. Fueron unos pocos segundos que hoy, vistos desde la distancia, me parecen infinitamente largos. Hubiera bastado con invitarla a subir. Lo habría considerado completamente natural y habría subido. Por el contrario, no sé por qué, la verdad es que no sé por qué extraña inhibición, no lo hice. Ella se despidió con un abrazo y se fue saludando con la mano. En ese justo instante entendí que me había equivocado. Y aún hoy tengo la impresión de que renuncié a algo hermoso, a algo importante, a un retazo de vida que echo a faltar. Nunca olvidaré esa noche, esa cena, aquel saludo. No, no era amor, no era un flechazo, no era la fascinación de la belleza. Era complicidad. Saber que nos gustábamos, saber que queríamos unirnos más íntimamente. Un encuentro que debería haberse completado haciendo el amor. Y después un último beso que nos habría dejado satisfechos a los dos y sin el cual tan sólo ha quedado el deseo suspendido, la nostalgia».

El más simple cortejo, el flirteo que no conduce a nada, en la mayoría de los casos establece una intimidad, un recuerdo duradero, quizás incluso una añoranza o un patrimonio común de recuerdos. Debe quedar claro que estos gestos todavía no constituyen vínculos amorosos, si bien sí representan una aproximación, un entendimiento, y sitúan a esa persona en nuestro mundo íntimo. El erotismo aporta felicidad a ese momento concreto y además nos obsequia con un poco de calor, una gota de ternura, de simpatía.

También hay veces en las que una única relación sexual establece una intimidad y una complicidad misteriosas que perduran en el tiempo. Las dos personas mantienen vivo el recuerdo de esa experiencia ocasional y continúan sintiendo un afecto y una atracción que hace que, ante un hipotético reencuentro, se sientan contentos, se abracen y, en algunos casos, incluso podrían volver a hacer el amor y mantener la relación viva durante un tiempo.

Evidentemente, en este campo existen enormes diferencias individuales. Muchos hombres están obsesionados por el dinero y el poder, por competir y tener éxito, y para ellos la sexualidad es algo que hay que coger, devorar como la comida, y ni la consideran importante ni es para ellos una parte esencial de su propia vida. Por el contrario, también hay otros para quienes su patrimonio de recuerdos y de emociones más importante es el erótico. No lo pueden considerar abiertamente porque la sociedad se los miraría con compasión, pero, si pudieran hacerlo, si no temieran al ridículo o a las miradas de reprobación, ante la pregunta «¿Cuáles han sido las experiencias más significativas de su vida?» hablarían de sus encuentros eróticos y amorosos. Quizás sólo sería uno en particular, o un instante, pero siempre inolvidable. Mucho más significativo que las grandes reuniones económicas y políticas, que los negocios, las condecoraciones o las medallas.

11. Recuerdos

En la conversación mantenida entre Gabriel y Geneviève, Gabriel dice: «Yo, si hago un repaso de mi vida, puedo decir que tengo un bellísimo recuerdo de todas las mujeres a las que he amado y besado. Mientras que, cuando pienso en los hombres, sólo me vienen a la cabeza unos pocos amigos, unas pocas personas a las que verdaderamente he admirado; cuando pienso en las mujeres, por el contrario, el corazón se me llena de alegría y de afecto. También recuerdo tragos amargos, mucho dolor, recuerdo a una mujer con la que tuve un áspero y duro conflicto. Pero, incluso en este caso, si rememoro los primeros tiempos de nuestro amor, un amor grande, loco y apasionado, lo revivo con placer y emoción. Después pasó algo, un malentendido, una ruptura que nos llevó al naufragio. De esto, empero, no quiero recordar nada más, lo quiero borrar, anular. Así la primera parte se mantiene intacta, dulce como la primavera.

»Y también puedo recordar una a una, incluso con detalle, a cada una de las prostitutas que conocí, incluso a las más feas. Recuerdo sus rostros, sus gestos, sus cuerpos, sus palabras. Evidentemente fueron encuentros muy breves, pero no por mi voluntad; yo, con las más bonitas, habría profundizado en la relación, habría salido con ellas para conocerlas mejor. Alguna vez llegué a hacerlo, las invitaba a comer, a cenar, a pasear –sin pagarlas, por supuesto–, como una pareja normal, como dos amigos. Me enseñaron muchas cosas de ellas y de los hombres en general, o sea, muchas cosas de mí mismo.

»He dicho que recuerdo a todas las mujeres con las que hice el amor e incluso a las que sólo besé. Desde la primera chiquilla a la que no me atrevía a besar y a la que, al final, no sé cómo, conseguí estamparle un beso. Quizás porque supe aprovechar el tropezón que se dio. Se me cayó encima. Después recuerdo que intenté meter mi mano por debajo de su ropa muy torpemente y que ella me rechazó. Todavía no sabía, lo aprendí más tarde, que hubiera bastado con cogerle la mano y conducirla hasta donde yo deseaba. Recuerdo una vez en un hotel. Me armé de valor y me colé en la habitación de una rubia que me había sonreído unos minutos antes. Me metí en su cama en un acto de inconsciencia y ella me recibió sorprendida pero contenta. Recuerdo también a una feminista que me mecía en su seno maternal. Y después, una a una, a todas las mujeres que me ofrecieron su boca, su cuerpo, sus ojos llenos de amor y dulzura.

»Todas estas cosas me llevan a tener un sentimiento de reconocimiento y de afecto por todas las mujeres de mi vida y me habría gustado haber hecho por ellas más de lo que he hecho, haberles dado suficientes muestras de mi ternura. Y si ahora pudiera volver a verlas, las abrazaría a todas y no me importaría lo más mínimo que hubieran cambiado porque dentro de mí siguen siendo las mismas, las mujeres que fueron un día.»

«Yo no lo recuerdo así», responde Geneviève. «De muchos de los hombres que conocí me ha quedado un recuerdo agradable, dulce y a veces incluso nostálgico. Pero de otros, no. ¡Ah, mi primer gran amor! ¡Cuánta felicidad me aportó, cuánta podría haberme dado si me hubiese entendido, si hubiese creído en mí! Después me viene a la cabeza ese otro, con su lujosa casa, sus delirios de grandeza, sus ataques de cólera. Sí. Hice el amor con él. ¿Qué más da? Era un imbécil y continúa siendo un imbécil. Sí, estuve con muchos hombres; algunos me gustaban, otros, no. Era guapa, muy guapa, me perseguían, y de vez en cuando elegía a uno. Una vez, un campeón deportivo; otra, un actor famoso. En la pantalla era romántico, me encantaba y le deseaba mucho. Pero después… ¡qué desilusión! Le apestaba la piel. Me habría levantado a media noche para salir de su habitación. No. Yo no puedo decir que tenga un buen recuerdo de todos. Recuerdo a hombres que estaban convencidos de ser amantes maravillosos y sólo eran violentos. Conocí a algunos que eran fríos, áridos: después de haber hecho el amor, una vez terminada la corta excitación, sentía una terrible náusea. Por el contrario, tengo un inmejorable recuerdo de algunos amigos, amigos de verdad, con los que hice el amor sin necesidad de demostrar pasión amorosa ni fidelidad, sin más, porque nos apetecía, porque nos gustaba estar juntos, por amistad, una amistad que todavía dura. ¿No te parece que idealizas a las mujeres? A lo mejor sólo recuerdas las cosas agradables. Sin embargo tú eres dulce. La mayoría de los hombres son amables al comienzo; luego se tornan brutos. Hay algunos que te dicen: "Venga guarra, cerda. ¡Mira qué polla más dura1 ¿Te gusta, verdad?" Y les debes decir que sí. Otros te preguntan: "Venga. Habla como una puta, como una cerda". Muchos hombres, para ser potentes, necesitan soltar obscenidades, envilecerte. Otros todavía te cogen como si tuvieran garras. Créeme. Los hombres son muy distintos. Quizás exista alguna mujer que comparta tu punto de vista, pero yo no, por supuesto.»

12. Equívocos

Todas las relaciones sexuales personales son siempre extremadamente complejas, condicionadas, cargadas de significados y de símbolos. Siempre suponen un ritual, una escenificación. El diario de Marlon nos da un ejemplo de ello: «Me viene a la cabeza el recuerdo del tiempo en que me escuchabas durante horas y me hacías preguntas, paciente, y prestabas atención a mis respuestas, y también el recuerdo de esa amiga tuya de hermosos ojos. Ahora creo que debías de preguntarte si me gustaba, si entre tú y la otra chica te prefería a ti, aunque en realidad creo que te limitabas a fantasear con la idea de hacer el amor y mandar al cuerno toda aquella escenificación tan correcta de la invitación, el café y las largas conversaciones cultas. En mi caso, lo repito, nada me importaba lo más mínimo. No me importaba nada de todo aquel ritual que hacíamos después, cuando venía a tu apartamento secreto que te servía –¡venga, confiésalo!– para hacer el amor con cualquiera que no fuera tu marido. Esa vez me tocaba a mí, afortunadamente. Tan pronto como entraba, te preguntaba cómo te había ido el día, en el trabajo, y tú querías saber cosas de mí, qué había hecho… Nos pasábamos media hora contándonos la vida, cuando yo sólo pensaba en una cosa: desnudarte y hacer enseguida el amor. Al final hacíamos ver que había terminado la charla, te ponías encima de mí y empezabas a moverte arriba y abajo a una velocidad de vértigo. Todo lo hacías tú. Yo, afortunadamente, tenía una erección interminable, y tú continuabas agitándote durante una hora. Finalmente, exhausta, jadeando, sin apenas aliento, te tumbabas a mi lado para recuperar la respiración y después te dedicabas a calmarme con la boca. Es increíble la diferencia que hay entre una mujer y otra en este tipo de arte. Es como hablar de Rafael y de un pintor de brocha gorda. Me sacabas todo lo que podía salir de mí, incluso el alma. Así me marchaba feliz, satisfecho, ligero, optimista y sabía que volvería a llamarte para volver a experimentar ese extraordinario placer. Y para ello estaba dispuesto a repetir aquello que nuestra educación y nuestra cultura nos imponía, cuando lo que yo deseaba era entrar, desnudarte, hacer el amor de esa manera, vestirme y largarme deprisa, sin tanta palabrería.

»A lo mejor todo esto no es verdad y esas charlas, el hecho de estar tan cerca el uno del otro esperando lo que tenía que llegar, nos permitían acrecentar nuestro deseo, metidos en nuestro disfraz de personas correctas, civilizadas, cultas, que después podíamos romper y rasgar. El inmenso placer que alcancé la primera vez que tuve el valor de coger tu mano y llevarla donde deseaba quizás fuera la consecuencia de tantos encuentros, de tantas charlas previas que acababan en nada. En otras palabras, la dificultad de llegar al punto de ruptura, al instante de valor que nos liberó y nos hizo decir, no con palabras sino con el cuerpo, "te deseo". Y esa noche quizás resultó ser inolvidable porque estuvimos obligados a una hora de frenética y muda espera, a una hora que nos permitió, al abandonarnos, liberar ese cúmulo de energía que nos hizo agitar no sólo nuestros cuerpos, sino también nuestras vidas. Sin embargo, yo no te amaba, no te amaba lo más mínimo. Te apreciaba, te habría ayudado si lo hubieras necesitado, pero sólo te buscaba por el sexo, una vorágine de sexo que no me hace sentir nostalgia de ti, sino de aquellos encuentros. Es extraña la sexualidad; tanto deseo, tanta fuerza, tanto placer, tanta gratitud, tantos dulces recuerdos, y, por el contrario, ningún sentimiento lacerante, ninguna palabra de amor. Algo importante, esencial, admirable, grande, pero incompleto. Ni tan siquiera sé ni cómo ni por qué.»

Disponemos de la respuesta que Madeleine nos escribió cuando, con su permiso, le hicimos leer el escrito de Marlon: «¿De verdad crees que no lo sabía? ¿Te crees que a mí me interesaban esos larguísimos discursos que manteníamos con mi amiga? Lo único que me atormentaba es que quisieras irte con ella. Lo único que quería es que tú me eligieras a mí y te decidieras a hacer algo. Y ese apartamento era mi arma secreta. Si deseas a un hombre casado, si deseas a un hombre que teme ser descubierto, debes disponer de un refugio seguro donde llevarle. La verdad es que a mí me gustaba oírte hablar, me gustaban las cosas que contabas y contemplaba tu hermosa boca imaginando el momento en que podría besarla. Me gustaba verte acurrucado en el sofá mirando de reojo mi pecho y escrutando entre mis muslos como si nada pasara. Me mojaba toda y veía que tú no te dabas ni cuenta, que no lo sabías. Después me levantaba extenuada, y, aunque alguna vez fuiste presa del desaliento, yo me mantenía impertérrita. Fui paciente, muy paciente. Hasta que se presentó la ocasión: un viaje en coche por la noche, nosotros dos detrás y, delante, el conductor. Y al final hiciste el gesto que me liberó, que te liberó. Sentí una alegría inmensa, un alegría que no puedes llegar ni a imaginar. Habría gritado de alegría, de exultación si hubiera podido. Después, al final, empleé mi arma secreta, mejor dicho, mis dos armas, el apartamento y mi otra habilidad, tan importante para mí puesto que no soy guapa.

»Pero yo te amaba. Sí. Te amaba más de lo que podías imaginar y más de lo que estaba dispuesta a admitir. Y cuando no tenía noticias tuyas durante una semana o quince días, me sentía mal, lloraba, pero no te llamaba por miedo a irritarte, por miedo a que te cansaras de mí y desaparecieras para siempre. Sabía que no estabas enamorado de mí. Sabía que había mujeres más guapas que yo que pretendían cazarte. Tú no te dabas cuenta, pero ahí estaban. Yo sí las veía. Por eso me controlaba, callaba y me latía el corazón cuando oía tu voz. Habría pasado el día entero a tu lado, la noche, habría trabajado para ti, te habría asistido en caso de enfermedad, habría dado mi vida. Amor mío, no podía decirte estas cosas, pero te podía dar todo lo que te producía placer. Y eso, a mí, me llenaba de felicidad.»

V
Deseos

1. La mujer del prójimo

Según cuenta Nasif: «Hasta hace poco, no tenía ni idea de quién eras. Te encontré en tu casa, estabas sola o con tus hijos; tu marido estaba de viaje, por mar. Eras una mujer simpática, brillante, divertida. Nada más que eso. Después, de repente, lo entendí. Lo entendí esa noche de la gran fiesta de gala, al verte, súbitamente, vestida de noche y rodeada por un grupo de hombres que se había arracimado a tu alrededor como atraídos por un imán. Tu marido había partido y te habías quedado sola. Y, de repente, quizás había bebido, quizás algo se había despertado en ti, me pareciste brillante, seductora. Hablabas, te reías, mirabas ora a uno ora a otro, debatías con todos esos hombres demostrando una pericia, un saber, una habilidad que yo jamás habría imaginado en ti. Es más, que nunca había reconocido en mujer alguna. Te hacían comentarios picantes, te dedicaban cumplidos atrevidos y tú respondías con agudeza, provocándoles, pinchándoles, suscitando en todos ellos el deseo de poseerte. Sólo te miraban a ti, sólo te deseaban a ti. Notaba su deseo sexual como algo palpable, notaba su olor de macho excitado por la hembra y tu olor de hembra atrayente. En las películas de antaño había visto cientos de veces a un grupo de bailarines revoloteando alrededor de la primera bailarina, pero no entendía el significado de ese acto. Como tampoco entendía por qué en los años veinte muchos nobles de primer y segundo rango se habían arruinado por mujeres como la Bella Otero. ¿Cuál era el mecanismo que hacía que todos los hombres buscaran a esa única mujer, que todos compitieran sólo por ella, habiendo tantas otras en venta? Tú tenías la extraordinaria capacidad de dar a entender, a cada uno de ellos, que era a él a quien querías. Entonces se acercaba a ti pero, en el momento preciso en que se sentía seguro, empezabas a hablar y a sonreír a otro y se ponía celoso.

»Uno a uno les invitabas a todos, los dejabas a todos, pero nunca completamente, porque conseguías reclamarlos con una simple mirada, con una sonrisa prometedora. De este modo todos te deseaban y los ponías a todos en contra. Yo me limitaba a ejercer de espectador mudo, abandonado en un rincón. Y yo también te deseaba locamente, pero no me mezclaba con el grupo, me consumía de rabia y de deseo. Sólo deseaba desembarazarme de todos esos hombres que te rodeaban, les habría matado para estar solo contigo y hacerte el amor allí mismo, en el suelo incluso, inmediatamente.

¿Qué ha sucedido? Nasif se siente atraído por esa mujer porque, de repente, la ha visto rodeaba por todos esos hombres, coqueteando con todos y deseada por todos. El mecanismo lo ha descrito bastante bien René Girard.[1] Nasif se ha identificado con los hombres a los que la mujer ha encendido el deseo. Es la mímesis. Una mimesis tanto más fuerte cuanto más numerosos son los deseadores, cuanto más intenso era el estímulo que les hacía desearla.

Nasif continúa: «Y entonces pensé cómo debías de ser antes de casarte, antes de convertirte en una esposa, con tu bonita casa, tus hijos y tus vecinos. Me di cuenta de cómo debían de haberte visto tu marido y tus amantes. ¿Qué vida llevabas, en París, cuando trabajabas en la televisión y el cine? ¿Cuántos productores, directores, actores famosos, cuántos hombres debiste de haber conocido cuando frecuentabas el mundo del cine? ¿Cuántos? Muchísimos. ¿Qué hacías con ellos? Eras disoluta. Esa otra noche lo entendí. Entre esos hombre que te rodeaban te vi hacer el amor con todos tus amantes del pasado y del futuro. Ahora yo quiero ser el siguiente. Quiero que seas mía, toda mía. Nadie más debe tocarte».

2. La espera erótica

El mundo erótico está cargado y dominado por el deseo y nuestro cuerpo es un instrumento suyo, una vibración. La espera del encuentro amoroso es más que un preludio al placer, forma parte del mismo e incluye ya una carga erótica desenfrenada. Anaïs Nin escribe: «Sabina apareció al cabo de una semana vestida de púrpura y esperó a que llegara uno de los autobuses de la calle Cinco en el que estuviera permitido fumar [...] respiraba profundamente, notando sus senos apretados dentro del vestido púrpura. Las oleadas de su andadura partían de la pelvis y de los flancos, una fuerte oscilación de olas musculares que corría desde los pies hasta las rodillas y que después subía hacia los costados y la cintura. Caminaba con todo el cuerpo como movida por el impulso que la conducía a una experiencia en la que iba a participar su cuerpo entero. De su rostro [...] emanaba una vehemencia que obligaba a los paseantes a detenerse [...] Tenía luz en su pelo, en sus ojos, en sus uñas, en los pliegues de su vestido purpúreo».[2]

A través de la espera y de la pregustación entramos en el mundo erótico, lo habitamos y nos embebemos de él. Cuando Alex estaba enamorado, mientras seguía los discursos y hacía sus intervenciones, se mantenía inmerso en una fantasía erótica construida con imágenes y vibraciones. Y sin darse cuenta pintaba en las hojas de papel que tenía delante. No pretendía reproducir el cuerpo femenino, pero trazaba curvas y las completaba con detalles. Una vez terminada la reunión, una noche, de una forma simpática, mostró uno de sus dibujos a una asistente y él le dijo: «Mira. Un oso. Tiene la apófisis superior y la inferior hinchadas, redondeadas. Se podría decir que es un oso erotizado». Y ella, tras observarlo atentamente, respondió resoluta: «No. No es un oso. Representa los hombros, el tronco y las caderas de una hermosa mujer desnuda». «Durante esos días», nos cuenta Alex, «no sé cómo conseguí trabajar con cierta decencia porque, en realidad, continuaba acariciando mentalmente a mi mujer, continuaba haciéndole el amor. Y la verdad es que, tan pronto como volvía a estar con ella, no hacía otra cosa. Sólo parábamos para comer y dormir.»

3. Sexo y belleza

Entre los seres humanos, ya lo hemos apuntado, existen grandes diferencias de comportamiento entre la sexualidad y el amor. Alex, que nos contó su experiencia de absorción erótica cuando estaba enamorado, también se siente atraído por la pornografía. Le pregunto por qué y me responde: «Porque me parece hermoso el cuerpo femenino, me parecen bonitos los senos, los glúteos, los genitales femeninos, sobre todo hoy que se los depilan. Me emociono ante el simple hecho de ver una vulva cerrada, una simple fisura. O abierta como una orquídea. O por detrás, como dos labios. Fotografiado, ese cuerpo ya me atrae y lo convertiría en cuadros para colgarlos en las paredes».

«Y eso cuando está estático. Pero ¡qué hermoso es cuando está en movimiento! La danza. Una vez vi en un vídeo a una chica tailandesa o anamita. Estaba sentada en una inmensa poltrona. Hacía avanzar la pelvis y cubría y descubría su sexo con un abanico mientras, con los brazos y las piernas, creaba figuras de danza con una armonía y una perfección increíbles. En la danza occidental el protagonista es el cuerpo. Aquí, por el contrario, el movimiento del cuerpo, de los brazos y de las piernas estaba al servicio del sexo. Y el resultado era de una sutileza, de una delicadeza y de una belleza que convertían el deseo sexual en algo atormentador. No sentías el deseo de penetrar, de violar esa flor que se abría y se cerraba, no deseabas interrumpir esa danza de ofrecimiento, sino contemplarla siempre. Me pregunté cuántos milenios de saber erótico se habían necesitado para producir una obra maestra como aquélla.»

«¿Le habría gustado vivir, conocer mejor ese mundo?» «Por supuesto», me respondió, «mas no pude. Pero fíjese usted que yo me conformo con menos. El acto sexual también me fascina; me encanta, la verdad. El pene entrando y saliendo de la vagina de la mujer, empujándole su cuerpo hacia adelante y hacia atrás, sobre todo cuando ella es menuda, con sus tetas moviéndose como si estuvieran llenas de líquido o balanceándose cuando ella está a horcajadas. Me emociona ver a una mujer arrodillada delante de un hombre, bajándole la cremallera, cogiéndole el pene entre sus manos y acariciándolo, besándolo, metiéndoselo en la boca y, con sus besos, hacerlo crecer y ponerse duro. Me parece un gesto amoroso, maternal. Y en particular me emociono cuando, mientras lo hace, mira hacia arriba buscando los ojos del hombre y su mirada está llena de amor. Esa mirada me hace derretir porque la entiendo como la síntesis de la sexualidad y el amor. Sí, ya sé que es una película, una puesta en escena, pero algunas de las miradas que he visto no pueden ser una pura simulación, una pura interpretación. A veces pienso que esa escena erótica se rodó entre dos personas que se gustaban de verdad, que quizás estaban enamoradas.

»Hay otro tipo de pornografía que me parece desagradable en la que aparecen dos o tres hombres que, después de haber penetrado a la mujer de todas las maneras posibles y por todos los orificios de su cuerpo, finalmente inundan su rostro con el esperma. Es un acto vulgar, despreciativo, como una defecación. Pero en el otro caso las cosas son distintas y son esos ojos adorando de la mujer los que realizan el milagro, los ojos de la mujer enamorada que toma el semen de su hombre como un don de amor mientras su cuerpo vibra de placer.»

«Pero usted debe de saber», añado, «que hoy en día las mujeres buscan el sexo sin amor hasta tal punto que muchos hombres se sienten desconcertados ante la seguridad que demuestran. Les veo temerosos de no ser aceptados, de no estar a la altura, de tener el pene demasiado corto o demasiado delgado, asustados ante la idea de que ellas les comparen con otros, les desprecien, les dejen plantados sin explicaciones.»

«Sí», me responde Álex, «y quizás por eso buscan la mirada de amor de la mujer. Esa mirada reconfortante y cálida. Yo hablo por mí, pero quizás todos los hombres queramos amor además de sexualidad. Por eso me conmueve, sí, conmover es la palabra exacta, la mirada amorosa de la mujer mientras hace disfrutar a su hombre.»

Entonces le pregunto por qué no siente las mismas emociones con las películas normales donde dos amantes se abrazan y se besan en la cama. Si lo que le interesa es la coincidencia entre sexualidad y amor, ¿por qué no lo encuentra ahí? «No», responde, «en las películas sólo ves a gente retozando debajo de las sábanas, la mujer agitada encima del hombre y todos como dominados por una especie de frenesí. No; lo que a mí me conmueve es el gesto normal, sosegado, el gesto que hacen las mujeres en la realidad. Y esa mirada, la mirada que la mujer sólo puede tener mientras hace el amor de verdad con alguien a quien ama o que le gusta inmensamente.»

4. Intensidad

Las fuentes de la intensidad del placer sexual son múltiples, pero casi todo el mundo recuerda alguna experiencia que le ha dejado una impronta indeleble. Tienen el aspecto de una revelación y podemos decir que son como un «flechazo» pero recordando que nos estamos moviendo en el registro erótico y sexual.

Aportamos una experiencia masculina y otra femenina. Empecemos por la masculina.

«Una vez dentro del coche», cuenta Johnny, «ella se abrió el abrigo de piel y vi que iba desnuda. Le sobresalían los senos. Noté una excitación incontrolable y un deseo desenfrenado. No se puede explicar lo que sientes en un momento así. No hay palabras o, al menos, yo no las encuentro. ¿Qué puedo decir? Que el mundo se había concentrado en esas tetas redondas que asomaban entre el abrigo, en ese cuerpo que entreveía entre las pieles, en la piel de su cuello, en su vientre. No podía desear nada más bello, nada más seductor (qué palabra más estúpida: seductor). Enloquecido por esa belleza, enloquecido por aquella revelación, quería hacerle el amor, entrar dentro de su cuerpo (otra palabra estúpida). Pero fue ella quien, sin decir ni una palabra, se me puso encima. No recuerdo nada más, qué hice yo o qué hizo ella. Sé que estaba inmerso en su cuerpo y que me vaciaba en su interior con el rostro pegado a sus senos. Me vino una ola de exultación, de orgullo, de fuerza, de felicidad, de beatitud. Jamás olvidaré, jamás, el momento en que ella se abrió el abrigo.»

Jennifer nos cuenta: «Me acompañó a mi casa. Le invité a entrar. Los dos íbamos vestidos de noche; él llevaba un esmoquin y yo un vestido verde. Sí, era extraordinariamente guapo. Una vez dentro se paró y me miró. Era como si me viera por primera vez. Sentía que le gustaba muchísimo y deseaba estar desnuda delante de él. No me había dado cuenta, pero cuando le invité a entrar, al abrir la puerta, la suerte ya estaba echada. Me besó en la boca y me dijo que mis labios eran suaves como los pétalos de una rosa. Me entraron ganas de llorar. Después dejó caer los tirantes de mi vestido y empezó a besarme el pecho apretando con fuerza los pezones. Una sacudida recorrió todo mi cuerpo. Después vino el resto. Con naturalidad. Era como si lo conociera de toda la vida, como si él me conociera de siempre. Cada vez que entraba me sobresaltaba y me abría. Después notaba cómo se iba abriendo algo más profundo en mi interior hasta tener la sensación de convertirme en algo líquido. Era un placer muy dulce e indescriptible. Le pedí que esperara un momento para poder saborearlo todo, para desatarme, para recuperar la tensión y cuando entraba otra vez volvía a sobresaltarme. ¿Cuánto tiempo duró? No lo sé. Yo me corría después, pero el orgasmo no importaba, era ese placer continuo que crecía y crecía. Lo recordaré siempre, sobre todo el momento en que, apenas hubo entrado, delante de mí, guapo y elegante, me besó. Y yo... yo ya le amaba. Sí, lo amaba y le he amado durante años con todo mi cuerpo y todo mi corazón».

5. Seducción

¿Por qué no pueden emplearse, o no se emplean, expresiones vulgares o despreciativas durante la seducción? Tanto el hombre como la mujer, cuando deben seducir, atraer, hacerse desear o dejar en el otro una impronta duradera, se visten con elegancia, hablan de modo agradable, brillante y persuasivo. La mujer, si puede, utiliza vestidos que realcen y muestren su cuerpo, que evidencien sus partes más bonitas y atractivas. Y el hombre se presenta aseado, formal, impecable. Así vestidos y perfectos, nadie diría que serían capaces de echarse el uno encima del otro y arrancarse los vestidos.

La seducción nace de una barrera, la crea e invita a franquearla sólo de un modo discreto y mediante alusiones. No se puede mirar descaradamente al sexo, no puede limitarse a prometer únicamente la consumación del sexo. La seducción se lleva a cabo con y para toda la persona. La mujer deseada es admirada por su vestido, por su buen gusto, por su valor, por su belleza y por sí misma. El gran seductor sabe responder a este deseo de la mujer. En cada una consigue ver algo extraordinario, único y se lo hace saber. Cuando se encuentra en un grupo compuesto por cuatro o cinco mujeres, transmite a todas una especie de excitación y de vibración que hace que cada una por separado se considere la elegida y se sienta orgullosa de ello. Y cuando se dirige a la que quiere, la hace sentirse envuelta por su deseo, por su admiración, por su amor apasionado. Él siempre se muestra fuerte, seguro de sí mismo, pero nunca deja de ser excitante, dulce y delicado a la vez. Su palabra es persuasiva, tranquilizadora, hipnótica. Mientras habla la empieza a acariciar con naturalidad y ella desea que lo continúe haciendo porque experimenta un placer creciente, el deseo irresistible de abandonarse, de ceder y de convertirse en su presa.

Entonces, como si se girara la clavija de un interruptor, llega el momento en el que la mujer se abre a las palabras sexuales y, así, cede sexualmente su cuerpo. Es el momento en el que el gran seductor cuenta, con palabras hipnóticas, lo que está haciendo y, al describirlas, suscita las reacciones eróticas de la mujer. «Fíjate», le dice, «ahora te estoy acariciando las orejitas, tu delicado cuello, tus pechos suaves, cojo entre mis dedos tus pezones y te provoco un escalofrío delicioso.» La mujer está como en trance, se deja hacer y se estremece en sus manos. Después él prosigue: «Ahora deslizo mis manos entre tus muslos que se abren, así es, se abren para acogerme, te acaricio el pubis, abro sus labios, dulces, delicados, tú me sientes, tú me quieres, ahora te acaricio el clítoris y te estremeces de placer». Como si estuviera encantada, la mujer ni puede ni quiere decir que no, lo seguirá hasta donde él quiera, hará el amor como él quiera, completamente sometida.

El gran seductor también es capaz de interpretar un enamoramiento brusco, arrebatador, que lo transforma y le hace pasar de ser un hombre fuerte, viril y brutal a ser un hombre gentil, adorable, indefenso, que no podría vivir sin su amada. Ovidio lo aconseja en *El arte de amar* donde escribe: «Que tu corazón se dibuje en tu rostro demacrado; / cubre con la capucha tu nítida cabellera sin temor [...] Si quieres llegar a puerto, procura reflejar tu entrega en el rostro para que aquella que te vea / pueda decir de ti sin dudarlo: "¡Fíjate! ¡Tú me amas!"».[3] Pero esa interpretación del seductor no deja de ser una puesta en escena porque, detrás de esa fragilidad, el temblar de amor, se mantienen intactas la fuerza y la lucidez del animal depredador que quiere alcanzar la meta. Por el contrario, el verdadero enamorado tiene miedo, balbuce, tiembla de verdad y, precisamente porque no controla sus emociones, puede perder la partida. Son precisamente las jóvenes quienes pueden rechazar al hombre verdaderamente enamorado porque lo ven tímido y sienten horror de la timidez. Por el contrario, se entregan al seguro de sí mismo que sabe fingir bien.

Con todo, al analizar con mayor profundidad este aspecto, podemos establecer dos tipos de seductores. El primero lo constituyen aquellos a los que sólo interesa la conquista sexual. Suelen fascinar con su aspecto, con sus palabras acarameladas con las que consiguen evocar el deseo femenino hasta el éxtasis y por el que ellas se les entregan enseguida. Pero, después del encuentro sexual, su pasión y su capacidad hipnótico-poética cesa, el encantamiento termina y la mujer puede sentirse desilusionada. Se siente feliz por la experiencia vivida pero se da cuenta de que todo ha terminado. En cuanto al segundo, se trata de seductores que no se limitan a tener una altísima carga erótica y una gran capacidad hipnótica, sino que además aman profundamente a las mujeres. Cuando hacen el amor su deseo no se apaga sino que se multiplica. Sus manos y sus ojos acarician encantados todas las partes del cuerpo de la mujer, sus palabras le revelan los secretos más recónditos de su propia belleza, la hacen sentirse amada y adorada y se graban en su alma. Así, producen un encantamiento que no se apaga, una languidez que dura. Nunca se conforman con un único encuentro y siempre establecen una profunda intimidad sexual y espiritual. Éstos son mucho más peligrosos que los primeros, porque no se limitan a dejar un recuerdo extraordinario, sino que además pueden robar el corazón.

En cuanto a las grandes seductoras, consiguen que el hombre se sienta importante, deseable y único. Pero ello no basta. También le estimulan con la indumentaria, con los gestos y el sutil juego de cubrirse y descubrirse. Teniendo en cuenta que el erotismo masculino es visual, más que comunicar emociones, evoca imágenes. Sabe percibir cuándo el hombre es competitivo y cuándo desea arrebatar la presa al enemigo, por eso se exhibe ante otros hombres que la desean y, después, con habilidad, como si cediera a su seducción, se gira hacia él con una mirada de adoración y complicidad. Sabrina dice: «Había una que nos hacía morir de envidia a todas las del turno. No sólo era guapísima, sino que encantaba a comitivas enteras de hombres que se mostraban dispuestos a hacer por ella cosas que nunca hubieran hecho por

ninguna otra: regalos, recomendaciones, atenciones, trasla-
dos administrativos. La estuve estudiando durante mucho
tiempo. Les hablaba de hombres importantes con los que supuestamente –y no tan supuestamente– había mantenido relaciones sexuales. Pero al cabo de poco se dirigía a su interlo-
cutor con un arrebato y lo hacía sentirse el hombre más
maravilloso del mundo. Sobre todo, lo miraba intensamente
a los ojos, con esos hermosos ojos que tenía, y él se habría
echado al fuego por ella además de encima de ella. Podía lle-
várselos a todos a la cama. No había ni uno que supiera resistirse a ella». A la gran seductora de nada le sirve interpretar un gran enamoramiento porque el hombre es menos
sensible que la mujer a la pasión: es más, puede ser que incluso le dé miedo. La admiración, la adoración y el elogio de
sus extraordinarias cualidades amatorias bastan.

6. ¿Por qué seducir?

El hombre suele seducir para mantener una relación que le
plazca y que considera una conquista. Se siente como un ca-
zador que con su habilidad consigue aferrar a una presa y,
cuanto más llena su morral, más orgulloso se siente de su
éxito. En *Don Giovanni*, Leporello hace una relación de los
miles de conquistas de su señor. En el divertido libro *Alta fidelidad*, de Nick Hornby,[4] el protagonista está contento porque, al hacer el recuento de las mujeres que ha poseído,
diez, se da cuenta de que está por encima de la media de los
ingleses. Las mujeres no llevan estas cuentas por dos razones. Primero, porque la calidad de la relación erótico-amorosa para ellas vale más que la cantidad. Segundo, porque
tienden a olvidar todas las experiencias desagradables o carentes de significado y el puro sexo, normalmente, para
ellas suele significar poco.

También hay mujeres que se comportan del mismo modo que los hombres pero, tan pronto como pueden, lo que hacen es coleccionar campeones, ídolos, hombres importantes y ejemplares guapos. No se conforman con una cantidad. Por otra parte, la seducción femenina tiene, en la mayoría de los casos, otros objetivos. La mujer quiere, por encima de todo, ser admirada y dejar en el otro una impresión indeleble e inolvidable. Lo que pretende profundamente es suscitar el amor y la pasión: oír cómo les dicen «te amo».

El hombre desea, en particular, ser valorado por sus capacidades sexuales. Sueña en secreto ser el más potente de todos. La pregunta estúpida. «¿Te ha gustado?» que muchos hombres hacen en realidad significa: «¿Te ha gustado más que con ese otro, más que con los demás?». Lo único que se le puede responder es que él es absolutamente único, que no tiene parangón, que jamás antes había experimentado nada igual. La mujer suele pensar más en el placer realmente obtenido que en las virtudes gimnásticas del hombre y no compara las propias virtuosidades sexuales con las de otras mujeres. Pero, obviamente, hay elecciones. Millet escribe: «Cuando, con la perspectiva que me ofrece este libro, entrevisto a un amigo con el que hace veinticinco años que no mantengo relaciones sexuales y oigo que me confiesa que desde entonces "nunca he encontrado a una chica que hiciera una mamada como las que tú hacías", bajo los ojos, en parte por pudor, pero también para disimular mi orgullo».[5]

En otros casos, el placer de sorprender y fascinar al hombre se utiliza para obtener otras ventajas. En el mundo del espectáculo, entre los agentes cinematográficos y televisivos, los productores, los directores y los autores, se mueven jóvenes mujeres que aspiran a obtener el éxito y, para ello, saben que es necesario tener el apoyo y la recomendación de uno de ellos. Ésa es la razón por la cual siempre se presentan de un modo muy seductor, para obtener, a cambio de sexo, el lugar que ambicionan. Pero esta oferta no siempre es vista como una concesión, como un precio a pagar. O incluso como una conquista o una victoria. He visto a chicas de entre veinte y treinta años lanzarse a los brazos de empresarios, directores o productores de sesenta y hasta de setenta años.

Jane, una joven presentadora, cuenta a una amiga suya: «No me vas a creer, lo veo en tu cara, con las muecas que haces. Aunque tenga setenta años, a mí me gusta, me gusta mucho, me parece fascinante. Es más, te digo que es joven, joven por dentro. No, no me dio asco hacer el amor con él. Incluso te diría, si quieres saberlo, que me gusta. No me embiste con furia como George, no me da esos empujones que me sobresaltan, no dice guarradas, es delicado, dulce, refinado y amable. Y me ayuda, me protege. ¡Ojalá lo hubiera conocido antes! Es más, si pudiera, me casaría con él».

También hay quien asume que se trata de un precio que hay que pagar, pero no le da importancia, como Judith, que no duda en contárselo a su amante: «Ahora me tengo que ir. Me espera ése, que me ha prometido que un día me dará un puesto. Si no me acuesto con él, ya me puedo ir olvidando de ascender. Adiós, amor, nos vemos más tarde». Judith no se preocupa por las reacciones de su amante, al contrario, al recordar sus palabras ingenuas y sin prejuicios, ya no albergará la idea de que ella pueda serle fiel, y construirá en su interior una especie de coraza que le impedirá enamorarse de ella. Cuando la chica se dé cuenta de que lo ama desesperadamente, de que sólo le quiere a él, cuando vea que está preparada para serle completamente fiel, será demasiado tarde.

VI
La relación duradera

1. El reencuentro

Hay veces en las que el encuentro ocasional lleva a otro encuentro y así sucesivamente, si bien todavía no podemos hablar propiamente de amor o de enamoramiento. Obviamente, cuando dos personas hacen el amor por segunda vez es porque siempre existe una razón más profunda que el puro «placer sexual». Ya lo vimos en el caso del encuentro único, donde se superponían símbolos y significados. Por eso, cuando dos personas vuelven a encontrarse es porque cada uno da y recibe algo que le gusta, que le interesa, le atrae o lo completa.

En el libro *El amante*, Marguerite Duras[1] narra la relación entre un joven chino rico y una adolescente francesa. El joven está enamorado, locamente enamorado de la chica: es algo que descubrimos al final del libro. Pero para la chica, los encuentros que se suceden en casa del chino tienen un valor puramente sexual. ¿Por qué acude ella? No está enamorada. Y tampoco le gusta tanto ese chico. Pero supone una manera de escapar al encierro que le supone el colegio, de rebelarse de la esclavitud de la familia arruinada, de conocer el propio cuerpo y de saborear un nuevo placer, el placer sexual. Y, además, supone una manera de ayudar económicamente a su familia y a su hermano puesto que el chino la colma de regalos con su dinero. Ahora bien, también representa una manera de ejercitar el poder de seducción de su propio cuerpo en ese mundo oriental adinerado, opresivo y hostil del que quiere huir y conseguirá hacerlo. Él, por el contrario, no lo logrará porque, aun estando locamente enamorado de la chica blanca, implora inútilmente a su padre que le permita casarse con ella. Llega el día en que ella regresa a Francia y lo hace sin pesar, pues odiaba esa tierra. Del joven oriental sólo tomó su sexo, nada más. Pero él perdió su alma y al cabo de los años, en un viaje a París, al volver a oír su voz por teléfono, descubre que todavía está enamorado.

Un caso bastante más frecuente de lo que podamos imaginar es el de la relación entablada entre dos personas que acaban de salir de una desilusión amorosa. Éste es el caso de Hans y Rose. Hans estaba superando la desilusión de un primer amor que le había sacudido como un huracán. Se echaba en cara el hecho de no haber conseguido conquistar a la chica que amaba. Como lo atribuía a su inexperiencia, decidió, entonces, aprender a seducir a las mujeres. Pidió consejo a alguno de sus amigos más experimentados, estudió sus respectivos comportamientos y poco a poco fue adquiriendo la seguridad necesaria para tratar al otro sexo. Dejó de ser tímido y torpe y eso le gustaba, le daba seguridad en sí mismo. Así fue como conoció a Rose, una chica muy guapa, con la que mantuvo relaciones sexuales durante bastantes meses. Vista desde fuera parecía una relación entre dos jóvenes completamente normal: él era su «novio», ella su «novia», pero la cosa no era tan evidente. Él se empeñó en ser un conquistador y esa chica hermosa se había convertido en su presa, en la demostración de sus nuevas capacidades.

En la entrevista que le hice me dijo: «Hacía el amor con ella y obtenía un placer inmenso. Me encantaba, me pasaba horas mirándola cuando llegaba con esa camiseta que le marcaba el pecho. Pero no estaba enamorado de ella. Me gustaba mucho y nada más, porque era muy guapa y tenía las tetas más bonitas de la ciudad. Me bastaba hacer el amor con ella, me encantaba, lo habría hecho por la mañana y por la noche, pero no me habría comprometido con ella porque éramos muy distintos y ella no me habría entendido. Yo sólo pensaba en acostarme con ella. Ella seguía enamorada de un novio que había tenido antes, o de un amante, no lo sé, porque cuando se la metía murmuraba: "Franz, Franz". Evidentemente, mientras follaba conmigo se imaginaba que estaba con el otro, pero a mí no me importaba, me daba incluso placer la situación, estar follando con la mujer de ese tal Franz al que no conocía y del que nada sabía». Cuando le pregunto si le habría fastidiado que ella hubiese ido con otro, me dice que no poco convencido. Pero añadió que lo importante era que continuaba montándoselo con él.

La misma relación erótica vista desde el punto de vista de Rose es radicalmente distinta. Ella también salía de una profunda desilusión amorosa con un hombre casado. A ella, ese joven tan guapo y tan raro, tan distinto de todos los que había conocido, también le gustaba mucho. Pero le habría gustado sentirse querida y cortejada. Por el contrario, él hablaba poco, no la llevaba de paseo, ni a bailar, ni al restaurante, ni al cine, ni tan siquiera quedaban en el bar para charlar un rato. Sólo pensaba en el sexo, era como una obsesión. Ella le satisfacía. De vez en cuando él desaparecía y, cuando regresaba, no le contaba qué había hecho. Durante una de sus ausencias, Rose conoció a un hombre más maduro y rico que la trataba de una forma educada, que la pasaba a recoger en su coche, que la llevaba al restaurante y al teatro y que la hacía descubrir nuevos lugares. Un hombre que la amaba y con el que, después, ella se casó.

Detengámonos un momento. ¿Por qué este joven, cuando nos cuenta la experiencia, utiliza palabras y expresiones vulgares como «se la metía» o «no me importaba estar follando con la mujer de ese tal Franz»? Porque, aunque no la amaba, le disgustaba que ella le evocara. Pero él no quería comprometerse ni soltarse; tan sólo quería obtener placer sexual de una mujer hermosa sin dar nada a cambio. Deseaba demostrarse a sí mismo que era capaz de seducir, pero no entendía, ni entiende, los sentimientos de ella, su necesidad de reconocimiento, de vida social. Para él sólo era una presa, una presa de valor porque era hermosa. Tras tres meses de silencio, sin llamadas y sin cartas de por medio, se entera de que está saliendo con otro. Tarde o temprano sabía que la relación iba a terminar así, pero se siente herido. Esa mujer le gustaba de verdad y, si no se hubiera dejado obsesionar por la idea de venganza y de conquista, la habría podido amar y ser correspondido.

2. La acogida

Para que una relación sea duradera hace falta que nos sintamos aceptados y deseados. Rose renuncia a Hans y se va con otro porque no se siente acogida ni amada. A Julia, menos agraciada que Rose, le van mejor las cosas. Julia siempre ha tenido problemas porque tiene unas caderas prominentes y siempre ha sido un poco gorda. Intentaba adelgazar pero siempre acababa recuperando su peso. Empezó varias historias con muchos chicos pero ellos siempre la dejaban. Estaba convencida de que era fea, tan fea que nunca encontraría a nadie dispuesto a amarla. Se consideraba, incluso, un trasto inútil. Las cosas empezaron a cambiar cuando conoció a un chico de color que, al contrario que los de su país, consideraba sus enormes caderas y su inmenso culo como un atractivo positivo. La experiencia acabó mal porque él era musulmán y demasiado rígido, pero después ella entró a formar parte de una comunidad de jóvenes de color mucho más alegres y tolerantes y se sintió acogida, apreciada y deseada.

Fue muy difícil conseguir que hablara porque se sentía criticada por sus antiguos amigos, pero después se confió a una amiga: «Un día», le dijo, «se me acercó Allen. Era una fiesta de verano. Habían organizado un baile y él me sacó a bailar. ¡Cuántos años sin bailar! ¡Madre mía, qué sensación de ligereza y de felicidad! Con Allen y sus amigos recuperé el placer de reír, me sentí nuevamente cortejada, deseada. Entendí que Allen tiene una disposición pura y ordenada y que no piensa sólo en hacer dinero. Además, quiere tener una familia y quiere casarse. He descubierto que a mí también me gustaría tener hijos y me tengo que espabilar porque ya tengo treinta y dos años… Con Allen también he descubierto el placer de hacer el amor. Tiene un cuerpo hermosísimo, con unos músculos que se recortan debajo de la piel. Apenas le veo y me abraza y ya estoy toda mojada. Nunca me había sucedido nada igual. Me tumba en su cama, luego me besa en cada rincón de mi cuerpo, el pecho, el vientre, entre los muslos. Siempre había sentido vergüenza de ser tan culona, pero a él le gusta, se pone encima, lo sacude y luego me coge por detrás. Me observa con avidez mientras tiemblo bajo sus fuertes manos y le digo que se espere porque quiero saborear la tensión que va en aumento, degustarla por completo y después sentir cómo su miembro enorme se hincha entre mis manos o en mi boca o en mi vagina. Es fantástico. Hace un tiempo, me habría sentido avergonzada. Ahora, no. El placer que me da me envuelve, me reanima, me da calor, me cura, me hace hermosa. Cuanto más le gusto, más me gusto a mí misma y a los demás. Mi cuerpo se define, se modela. Quien no es amada y deseada se torna fea. Mis miembros estaban envejeciendo y endureciendo. Ahora no. Ahora sus ojos empujan mis células hasta el lugar adecuado y mis senos están turgentes, mis ojos brillantes y seductores. Creo que me casaré con él. ¿Seré pobre? Me da igual».

3. La amistad erótica

Él estaba casado con una mujer que ya no le gustaba y con la que ni tan siquiera hacía el amor. Y había terminado rodeándose de una especie de harén de mujeres más o menos libres con las que se encontraba con una cierta regularidad. Ellas se encontraban en situaciones más o menos parecidas: casadas, divorciadas o solteras con un novio que solía estar largas temporadas ausente y del que no estaban enamoradas. Así, se encontraban de buena gana con ese hombre culto y fascinante que sabía seducir y encantar. Él lo conseguía porque las mujeres le gustaban de verdad y había aprendido a tratarlas con gracia. Sabía juzgar perfectamente la mejor calidad de cada una de ellas y además sabía cómo enaltecerla: la belleza, la inteligencia, la cultura, la elegancia, el brío o el erotismo. De cada una tomaba lo mejor e ignoraba o ponía el resto entre paréntesis. Le gustaba hacer el amor con todas, obteniendo de cada una un placer particular, una dulzura específica. Precisamente por esto necesitaba a tantas, porque sólo el conjunto podía llenar tantos deseos. Las motivaciones de las mujeres tampoco eran muy distintas. Una se sentía orgullosa de hacer el amor con él porque era guapo, importante y las compañeras lo admiraban. Otra estaba enamorada de él, aunque no albergaba esperanzas. Otra porque lo sentía afín; otra porque le gustaba disponer de un harén de hombres.

Cuando le pedimos que nos dijera de qué tipo de relación se trataba, él respondió que eran «amigas». Milan Kundera, en *La insoportable levedad del ser*,[2] pone en boca del protagonista la expresión «amistad erótica». Pero lo hace con ironía, casi para indicar que se trata de un subterfugio, de una hipocresía.

¿Existe la amistad erótica? Para responder a la pregunta debemos tener en cuenta que la palabra *amistad* tiene dos significados distintos.[3] Uno amplio y otro restringido. El primero hace referencia a una persona con la que tenemos buena relación, con la que nos encontramos cómodos, pero a la que no queremos del todo y en la que no confiamos plenamente. Por eso podemos llamar amigos a muchos compañeros, conocidos o personas importantes a las que solemos frecuentar.

Pero hay otro significado restringido, o fuerte, para la palabra *amistad*: la verdadera amistad, la que sentimos por «el amigo del alma». A partir de este significado, tu amigo es aquel que quiere lo mejor para ti, aquel que sabe percibir tus cambios de ánimo, aquel a quien puedes confiarte con la seguridad de que serás entendido. Aquel a quien puedes prestar tu dinero, dejar a tus hijos a su cuidado porque los atenderá como si fueran los suyos. Aquel que te consuela pero que también sabe decirte dónde te equivocas. Aquel que siempre te aconseja para tu bien y que intenta hacerlo sin ofenderte y respetando tu dignidad. Aquel que no te envidia, que no habla mal de ti y que te defiende de las calumnias y de los ataques mal intencionados. Aquel que está de tu lado en la difícil lucha de la vida. Aquel que se preocupa de que estés bien aunque estés lejos y que está dispuesto a acudir a tu lado cuando cree que lo necesitas. Aquel que te hace justicia cuando los demás no lo hacen.

La amistad es una forma de amor impregnada y entretejida de ética. El amigo está de tu parte, pero te exige un comportamiento correcto como el que él se impone a sí mismo en relación a ti. Los amigos se comportan de igual manera en los afectos, en los derechos y en los deberes. La amistad se va levantando lentamente mediante encuentros sucesivos y se refuerza con las pruebas que da. A diferencia del enamoramiento, la amistad no exige a los dos individuos que se desarraiguen de sus respectivos pasados, no exige un renacer, la constitución de una nueva entidad social con la que reorganizar el propio mundo. Cada individuo continúa siendo él mismo. Naturalmente, los amigos se eligen porque comparten afinidades, valores comunes y terminan por tener puntos de vista similares, pero como individualidades distintas, cada cual con su mundo privado, que el otro debe respetar e incluso proteger. Por estos motivos la amistad es libre, serena y no oprime. Por esos mismos motivos es frágil y requiere atención y delicadeza.

Cuando un amigo se comporta mal contigo, cuando te engaña, cuando te traiciona, cuando te abandona en el momento en que lo necesitas, cuando te abandona en la ruina y no te brinda una mano, en ese momento deja de ser tu amigo. Si todo obedece a un equívoco, a un momento de cólera que viene seguido de una justificación, no hay consecuencias. Pero si la explicación no llega, si no se restablece la confianza total de inmediato, la ruptura deviene irreparable. Los dos amigos pueden llegar a perdonarse, a darse la mano, incluso a sentirse estimación, pero su relación ya nunca más vuelve a ser como antes.

Ahora cabe preguntarse si este tipo de relación es compatible con el erotismo, con la sexualidad. Sí. Sí lo es, aunque es difícil porque los amigos se lo cuentan todo, se lo confían todo: los problemas y las dificultades, y se sienten obligados a correr el uno en ayuda del otro, a asumir sacrificios por su amigo. Cuando, por el contrario, el erotismo entra en juego, lo que buscamos, ante todo, es placer y no queremos que nos molesten, que nos perturben los problemas y las situaciones que resultan desagradables. No queremos que el otro envenene el encuentro descargando en nosotros sus problemas con su madre, sus diferencias con sus hermanos o con el marido, sus dificultades con sus compañeros, sus problemas económicos, sus preocupaciones por la hipoteca del piso y por el préstamo que debe pagar. No siempre nos apetece sumar sus preocupaciones a las nuestras. Si asistimos a un encuentro erótico es para abandonarnos, por lo menos temporalmente, al placer, para olvidarnos de los problemas y sinsabores y para aparcarlos. El erotismo aspira a convertirse en unas vacaciones en las que se dejan de lado todos los pesares.

De ahí que, si en una relación erótica uno de los dos empieza a descargar sus problemas, sus preocupaciones y sus angustias –en tanto que amigos, tiene derecho a ello–, si empieza a requerir afanosamente ayuda, en poco tiempo el deseo erótico puede debilitarse e incluso llegar a desaparecer. Para que la relación continúe, cada uno debe evitar hablar de aquello que pueda ser motivo de preocupación excesiva, se debe procurar mantener separado el erotismo del resto de la vida. Pero, en estos casos, ¿se puede hablar todavía de amistad? Sí, ciertamente, pero distinta de la amistad normal porque ésta avanza paralela a la vida cotidiana y se deja penetrar por ella. La amistad erótica, por el contrario, requiere una atenta gestión de los intercambios entre dos mundos. Como amigos que son, los dos amantes pueden hablar de sus respectivas actividades profesionales, de sus familiares, de sus preocupaciones y de sus penas, sostenerse y ayudarse. Pero con moderación, con discreción y evitando que los problemas de la vida cotidiana se conviertan en un peso, en un continuo motivo de ansia y de irritación para la relación erótica verdadera y propia.

4. La fragilidad en la amistad erótica

La amistad erótica, en relación con la amistad normal, es más vulnerable. La amistad normal sólo se encuentra en peligro cuando se traiciona la confianza. Además, en la amistad normal, la costumbre mantenida, las confesiones y las ayudas recíprocas constituyen un bloque compacto que no se compromete por un mal humor o por una frase inoportuna. La relación erótica, por el contrario, incluso después de mucho tiempo, incluso cuando hay confianza y confesión, tiene el placer en su mira y, si no lo encuentra, queda herida. El amante no puede decir: «Hoy no me apetece». No puede decir: «Estoy cansado/cansada de ti. Me tienes harto/harta». Estas cosas las soporta el enamorado, porque lo aguanta todo, incluso el litigio y el insulto. Lo soportan el marido o la esposa porque su relación está basada en las obligaciones. Pero la pura relación erótica, no. Ésta exige que cada vez ambos contribuyan a crear un mundo erótico basado en situaciones, gestos, símbolos y emociones excitantes. Si no lo consiguen, si los problemas de la vida cotidiana se imponen, los dos amantes pueden continuar siendo muy buenos amigos, pero el erotismo disminuirá.

Los amigos no se preparan para el encuentro. Se toman tal como son, sin problemas. Los amantes, no. Todos los encuentros amorosos son, hasta cierto punto, como el primero porque siempre hay algo que puede salir mal. Ella estrena un vestido, una joya, se maquilla, quizás deja de perfumarse para que no sospeche la mujer del otro. Él intentará ser agradable y si está cansado intentará demostrarle su pasión aunque sienta poca. Y cuando se encuentran se abrazan, se besan y se hacen cumplidos. También en la relación sexual los amantes se dan placer por turnos.

Pero el erotismo es discontinuo y caprichoso y –salvo en el enamoramiento o en la pasión erótica– se agota cuando se satisface. En su explicación Henry nos cuenta: «Cenamos juntos, estábamos contentos y ella me hizo reír. Al cabo de poco casi nos arrancamos los vestidos el uno al otro. Yo la deseaba porque hacía casi un mes desde la última vez que habíamos hecho el amor. Había recordado el placer de desnudarla, de apretar entre mis manos sus grandes tetas, turgentes, esos pezones que al morderlos con los labios le arrancan gritos de placer. Quería volver a verle esa cara de placer mientras hacemos el amor, abre la boca y disfruta, disfruta como, estoy seguro, ningún hombre puede llegar a disfrutar, con la cabeza hacia atrás, la boca semiabierta, convulsa, con todas las fibras de su cuerpo, de su seno, de su boca, de su vagina en tensión en busca de un placer desbordante que la envuelve. Y es este placer suyo el que se me comunica y multiplica el mío.

»Pero después, cuando hemos terminado de hacer el amor, cuando nos hemos vuelto a vestir y nos hemos relajado, no me apetece volver a quedar enseguida con ella. Es más, no me apetece nada volver a verla. Es como si hubiera estado comiendo sin parar durante toda una semana. Me siento saciado, harto. No dejo de apreciarla, empero, sigue siendo una gran amiga mía, pero en mí no queda ni una sola gota de deseo sexual, al contrario, es un rechazo total».

Me pregunto si realmente esa mujer es una «gran amiga». La amistad es amor recíproco. Precisamente, me hace venir a la cabeza Erica Jong cuando cuenta que nunca había sido capaz de pasar una noche entera con sus amantes, sino que buscaba la manera de sacarlos de su cama y de su casa, aunque fueran las tres de la madrugada, con una excusa cualquiera. Y eso ocurría porque sus amantes no le interesaban lo suficiente y no sentía nada por ellos. O el ídolo que se lleva a la cama a todas esas admiradoras que le siguen como perros falderos y que después, una vez terminado un rápido intercambio sexual, las obliga a vestirse y las echa a la calle. ¿Henry es distinto a estos dos casos? ¿Realmente es su amiga y la aprecia de verdad o resulta que su deseo erótico es discontinuo? Una vez ha terminado de hacer el amor necesita tiempo para que éste resurja, y no porque necesite a otras mujeres sino porque en realidad no necesita nada.

5. La sombra del enamoramiento

Hay un tercer elemento de fragilidad en la amistad erótica. La amistad nunca tiene que ser exclusiva, nunca debe llegar a ser pasto de los celos. Al contrario, debe ser tolerante, dejar libertad al amigo para que haga lo que quiera. En oposición, el enamorado quiere al otro siempre para él, quiere saber lo que hace a cada instante, reconstruir cada minuto de su vida y no soporta que él ponga en su puesto, aunque sólo sea en pensamientos, otra cosa que no sea él mismo. Ahora bien, en la amistad erótica de verdad cada cual desea sexualmente a ese hombre o a esa mujer tanto si mantiene relaciones sexuales con otros u otras como si no. Es más, el hecho de saber que el amante tiene otras relaciones incluso puede constituir un placer excitante. Con todo, lo que cuenta es la falta de exclusividad. Lo que interesa, lo que da placer es el mantenimiento de una relación erótica con esa persona, sabiendo que el resto de su vida le pertenece.

Supongamos, ahora, que uno de los dos se enamora del otro. Lo que empezó como juego amoroso, como una sucesión de intervalos de aventuras excitantes y placenteras en la vida cotidiana, deviene un deseo intenso, espasmódico y constante. Así, mientras que el tiempo de la amistad es granular y discontinuo, el del enamoramiento es compacto y no admite intervalos. Quien se enamora no sólo sufre porque siente celos, sino porque no puede tener a su amado cuando quiere. Siente atrozmente su falta. Mientras que en la pura relación erótica un encuentro sexual deja a los amantes apagados y saciados, el enamorado, después de haber hecho el amor, desea al otro todavía con mayor intensidad, le quiere tener cerca para decirle «te amo» sin parar.

«Fui feliz contigo, mi amor», escribe Julia, «feliz en tus brazos como lo había sido tiempo atrás. Me diste un placer del que incluso había olvidado el recuerdo y te lo agradezco, te lo agradezco mucho. Pero cuando te fuiste y empezaron a pasar los días, despacio, uno detrás del otro, aunque sabía de antemano que no vendrías, empecé a esperarte. Y ese deseo, ese placer se convirtió en falta, tormento, laceración. El amor nos da la mayor delicia de la vida, pero también ¡tanto dolor! ¡Cómo estoy pagando la felicidad que me diste!»

Hay veces en la vida de una persona que el azar le trae a la persona a la que tiempo atrás amó, a pesar de no haber sido correspondida, y la oportunidad de hacer el amor con ella. Pero el enamoramiento frustrado sólo se cura con un nuevo amor recíproco. No hay otra forma de sanarlo. Por esta razón, si encuentras a la persona a la que amaste entrevés la posibilidad de colmar finalmente el vacío que arrastrabas dentro y de alcanzar la meta tan deseada. Es como encontrar a un hijo al que considerabas extraviado. Ahora bien, si el amor tampoco es correspondido esta vez, la herida vuelve a abrirse y regresa la angustia de las noches pasadas en vela, con el llanto en la garganta, la angustia de las preguntas sin respuesta. Ciertamente, cuando ya se ha experimentado tanto dolor, eres más prudente y procuras no abandonarte ni soñar antes de tiempo. Te conformas con mucho menos, tan sólo con lo que te llega sin buscar demasiado. Pero la sombra del deseo total siempre acecha. El deseo de tener siempre a tu amada al lado, sólo contigo y siempre dispuesta a participar y a estar irresistible. Se necesita mucha sabiduría, mucha prudencia, mucha mesura y mucha tolerancia para construir una relación amorosa que dé calor a tu corazón, que aplaque el deseo y que pueda ser duradera.

6. Intimidad

Hay casos en los que la amistad erótica consigue perdurar largo tiempo. Ello requiere por parte de la pareja la renuncia a vivir juntos, a la exclusividad y a los celos y la capacidad de encontrar un profundo entendimiento sexual. Se trata de algo posible, contrariamente a lo que muchos creen, porque el entendimiento y el placer sexual crecen con el aumento de confianza, de intimidad, de conocimiento recíproco de los propios cuerpos y deseos. Lo dice claramente Fiona cuando habla con una amiga suya más joven: «Yo también tuve una experiencia como la tuya al comienzo. Era hermosa y todos los hombres deseaban acostarse conmigo. Yo, empero, sólo me acosté con los que me gustaban, con los que tenían algún atractivo. Viendo las cosas con perspectiva, ahora me doy cuenta de que el placer que experimentaba no era un verdadero placer sexual profundo. Era más bien el orgullo de la conquista. Cada vez representaba una victoria, un éxito. Y conquisté a muchos porque la vida que llevaba me facilitaba la posibilidad de encontrar hombres guapos e interesantes. Pero jamás conseguí tener con ninguno de ellos una intimidad suficientemente profunda como para contarnos nuestras historias, fantasías y deseos de una manera que nos permitiera satisfacerlos plenamente. Hasta que encontré a Philip. Nos hicimos amigos en el trabajo. A mí me gustaba mucho, pero estaba casadísimo, tenía hijos y le daba pereza pensar en las complicaciones del divorcio. Por otra parte, yo siempre he amado mi libertad, soy una soltera nata, no soportaría una vida en común. Pero quería que fuera mío. Entonces empecé a coquetear un poco y llegó el día en que me besó con pasión y con las manos me fue tocando todo lo que se puede tocar. Desde ese momento empezamos a hacer el amor. Nuestras citas se espaciaban una semana, un mes o incluso más. Ya han pasado diez años desde esa primera vez. Yo hago mi vida, él la suya y a ti te confieso que le amo, le amo de verdad. Me gusta tanto su cuerpo, su olor, su sexo a punto que con sólo oír su voz al teléfono estoy toda mojada. Yo también le gusto mucho. Y me aprecia, se fía de mí y yo de él. Créeme, la confianza es algo muy importante. Nos lo contamos todo, sin inhibiciones, y buscamos juntos el placer común. Entre nosotros, existe hoy una intimidad que ninguno de los dos había experimentado jamás. Cada vez que hacemos el amor es una maravilla. Es un goce indescriptible, es la felicidad, el paraíso. Pero esta intimidad, esta confianza sólo la alcanzas poco a poco, se necesitan años. Así, pues, tú no tengas prisa, no creas que podrás alcanzar la felicidad sexual follando con un hombre distinto cada día. Obtienes el orgullo de la conquista pero después no te queda nada. Y no cometas el error de buscar el placer extraordinario con la cocaína. Al final te quedarías sola, vacía y seca. Yo lo he probado. Sólo ahora me siento verdaderamente feliz y satisfecha y sé que esto continuará en los próximos años».

VII
La pasión

1. Premisa

Nuestra vida erótica es como un flujo en el que se alternan los sentimientos más diversos: amor, decepción, cólera, reconciliación, deseo, cansancio, pasión e indiferencia. Hay quien cree que es un error intentar establecer clasificaciones en relación con este incesante fluir, pero ¡cuidado! Muchos de los pensamientos, sensaciones e impresiones que experimentamos no sólo son vibraciones, olas superficiales por debajo de las cuales fluyen profundas corrientes. Es como en el mar: las olas que vemos romper en la playa dependen de zonas ciclónicas o anticiclónicas para su formación, del calentamiento de los estratos profundos de los océanos. Y si no identificamos estos fenómenos, si no aprendemos a distinguirlos, no llegaremos a entender qué está pasando. Por esta razón he introducido las distinciones entre sexualidad impersonal y personal, atracción erótica y amistad y ahora me veo obligado a introducir también la diferencia entre pasión y enamoramiento. Naturalmente, a lo largo de nuestras vidas, experimentamos todas estas cosas, pasamos de un estado a otro sin tan siquiera darnos cuenta. Una pasión puede evolucionar hacia el enamoramiento; un enamoramiento puede transformarse, tras una separación prolongada, en una pasión. Pero si queremos entender lo que estamos viviendo y qué puede llegar a ocurrirnos, debemos aprender a distinguir un tipo de experiencia de otro.

Hablemos ahora de las pasiones. Las pasiones son extremadamente frecuentes, aunque los psicólogos y los sexólogos nunca las han estudiado con profundidad y, sobre todo, nunca han establecido aquello que las diferencia del enamoramiento. Es más, en realidad siempre las han confundido con el enamoramiento. Salvo en el caso de Stendhal,[1] podemos afirmar sin dudarlo que todos los escritores de primer orden que han escrito ensayos y teorías sobre el enamoramiento, desde Rougemont a Sartre o René Girard, nunca han descrito qué es el verdadero enamoramiento, sino que han descrito y analizado distintas pasiones suscitando así una terrible confusión sobre este campo.

Lo que Sartre describe en *El ser y la nada*[2] como típico del enamoramiento, la seducción, el intento de forzar al otro a vernos como una divinidad, no es enamoramiento. Es una forma particular de obsesión de dominancia del otro, de anulación del otro, de convertirlo en esclavo. Sartre describe un amor que no dura porque el amor requiere de modo absoluto la libertad del otro y cuando lo esclaviza, termina. La experiencia de aquel que desea locamente a una persona pero que la somete a la esclavitud hasta el punto de que deja de amarlo recibe el nombre de **pasión por dominar**. Un amor que no es amor, sino anhelo de posesión. Una manera egoísta de amar que él, Sartre, practicaba con las demás mujeres porque estaba comprometido con Simone de Beauvoir, pero que atribuye arbitrariamente a todo el mundo.[3]

Pasemos a De Rougemont. Este autor, en su libro *El amor y Occidente*,[4] sostiene la tesis de que los enamorados sólo continúan deseándose si su amor se ve obstaculizado o dificultado por algo. Tristán e Isolda, Lanzarote y Ginebra se aman porque están separados. Si pudieran estar juntos, si pudieran casarse y amarse, su pasión desaparecería. Para existir, el amor, según defiende De Rougemont perpetuando la tradición literaria francesa basada en *La princesa de Clèves*,[5] necesita un obstáculo. Dura mientras haya obstáculo y después desaparece. Ahora bien, debemos tener la valentía de objetar, a pesar de la celebridad del autor, que este tipo de amor no es enamoramiento, sino el producto del mecanismo de la pérdida y debe llamársele **pasión por la pérdida**. He analizado profundamente el mecanismo de la pérdida en mis dos ensayos *Génesis* y *Te amo*.[6] Si secuestraran a mi esposa, o a mi marido, aunque nuestras relaciones no fueran especialmente buenas, haría lo que estuviera en mis manos para obtener su liberación. En una pareja cansada, donde el amor apasionado ha desaparecido, el engaño puede desencadenar unos celos terribles. La persona que hasta hace pocas horas, pocos días, nos era indiferente, en el momento en que intenta huir, nos parece indispensable. Pero esto no es enamoramiento. En cuanto lo hayamos recuperado volverá a aparecer la indiferencia de antes.

El tipo de amor que nos describe André Girard[7] y que él llama enamoramiento tampoco lo es. El ser humano, nos dice el autor, desea lo que desean los demás. El enamorado desea, ansía e idealiza a esa persona sólo porque pertenece a otro, a un rival. En el preciso instante en que se consigue el objeto anhelado y se convierte en una posesión exclusiva, éste deja de interesar. Girard también se equivoca. Evidentemente, Girard es un investigador muy importante que ha descubierto un mecanismo fundamental que regula los deseos humanos, el mecanismo mimético, pero, paradójicamente, este mecanismo tiene un papel muy marginal en el enamoramiento. En realidad, en el enamoramiento de verdad no se necesita ningún rival. Es más, el proceso amoroso estalla en su plenitud triunfante precisamente cuando nos sentimos nuevamente amados en exclusividad. Así pues, lo que Girard describe no es un enamoramiento verdadero sino una **pasión competitiva**.

Un caso particular de este tipo de pasiones es la **pasión de idolatría**, que suelen padecer muy especialmente las chicas adolescentes cuando todas en grupo desean a un ídolo de una forma paroxística. Pero el amor de idolatría dura siempre y cuando el objeto siga siendo un ídolo y todas lo deseen a la vez. Si ello sucede, el objeto se considera deseable. Cuando cae en desgracia desaparecen también todos sus atractivos. Ello sucede cuando la mujer enamorada del ídolo llega a esposarlo o a vivir con él, porque es entonces cuando le ve en su cotidianidad, banal, ambicioso, infiel, colérico, descuidado, prendado de sí mismo, capaz de fealdades y de rencores. Ya no es ese ser luminoso adorado por todas las mujeres. Hay un refrán que dice: «Nadie es un héroe a ojos de su asistente».

A estas cuatro formas de pasión añadiremos la quinta, la **pasión erótica**, que se produce bajo la acción del puro principio del placer. ¿Cómo se distingue del enamoramiento? Porque el mundo no se transfigura, porque no necesitamos constantemente al otro, porque no le preguntamos continuamente si nos ama. No sentimos la necesidad de contarle nuestra vida, de conocer la suya, de ver el mundo tal como lo vio de pequeño, de despertarnos por la noche para oír su respiro. En resumen, en la pasión erótica, el deseo paroxístico cesa en el momento en que el otro nos trata mal, nos ofende y deja de proporcionarnos placer o, sencillamente, cuando desaparece con la cotidianidad. Empezaremos nuestra profundización por este último tipo.

2. La pasión erótica

Durante la pasión erótica experimentamos una verdadera ebriedad sexual. Deseamos a la persona que nos gusta, su cuerpo, sus besos, deseamos penetrarla, unirnos a ella hasta la saciedad. También disfrutamos de su compañía, nos sentimos alegres, a gusto, trabajamos y charlamos con ganas y compartimos amigos. El deseo sexual y el placer que experimentamos pueden ser tan fuertes que podemos llegar a interpretarlos como un verdadero enamoramiento y llegar a creer que somos incapaces de estar sin la persona amada. Pero hay muchas diferencias y distancias entre ambos sentimientos. El deseo de fundir ambas vidas, desde nuestros primeros días hasta el presente, no se pone en movimiento. El fundamento es el placer y nada más que el placer. Basta con que alguno de los encuentros sea desagradable, basta una ofensa o un grave malentendido, una confrontación para que algo se rompa. Y es que el principio del placer exige un refuerzo continuo. Somos felices, estamos bien, alcanzamos el éxtasis, pero no estamos a merced de una fuerza que va más allá del placer. El enamorado ama aunque el amado le haga sufrir, aunque se muera de celos e incluso cuando le abandonan. Lo ama más allá de su comportamiento, más allá de su ser.

Ésta es la razón que explica la incomodidad que sentimos cuando, durante la pasión erótica, convencidos de estar enamorados, decidimos compartir nuestras vidas, convivir o casarnos. Es entonces cuando aparece el aburrimiento y nos damos cuenta de que esa persona no nos basta, de que la vida con ella no sería completa. No podemos imaginarnos el «para siempre».

Es el caso de Olaf, que creía estar profundamente enamorado de una mujer que lo hacía enloquecer de deseo. Para poder pasar el verano con ella, alquiló una casa en la playa. Los primeros días fueron de felicidad absoluta. Le decía: «Me gusta tu cuello de cisne, tus senos pequeños, me gustan tus caderas cuando las estrecho al hacer el amor. Me gusta que me hables de tus antiguos amantes sin pudor. Me gustas porque siempre estás dispuesta a venir a mí. Pasamos horas y horas en la cama, toda una tarde y pierdo la cuenta de las veces que te penetro. Después comemos algo, tomamos un café, charlamos, nos incorporamos... y volvemos a empezar. Es la unión de todo, de comida, de mar, de arena, de sexo, de piel, de sol, de risas. Y también de un cierto misterio. De vez en cuando me pregunto quién eres, qué hacías antes de que nos conociéramos. Cuántos amantes tuviste, cómo te lo pasabas con ellos. Siento una punzada de celos, de curiosidad, de excitación cuando pienso que con ellos hiciste los mismos gestos que haces conmigo, que gritaste de placer y que incluso dijiste las mismas palabras».

La relación duró un mes. Paseaban por la playa, iban a bailar y, sobre todo, hacían el amor frenéticamente, como posesos, saciados del cuerpo del otro. Después, de repente, una noche él notó que era impotente. El frenético y obsesivo deseo sexual que le había animado había desaparecido. Al día siguiente reapareció, pero muy débil. Y esas vacaciones que debían ser de felicidad se convirtieron en una pesadilla. Se avergonzaba de su propia impotencia e intentaba disimularla diciendo que no se encontraba bien. Pero la realidad brutal era otra: su deseo no soportaba la cotidianeidad. El deseo sexual de la pasión erótica puede ser que sólo se manifieste cuando el pensamiento está libre y es discontinuo. Olaf no quiso asumir la creciente incomodidad que maduraba en su interior hasta que su cuerpo se negó a llevar el tipo de vida que él había elegido.

A diferencia de Olaf, Edgar se da cuenta enseguida de que su amor no tiene unas raíces suficientemente profundas. Lo entiende comparándolo con los sentimientos que experimentó cuando estuvo realmente enamorado y, como en esa ocasión sufrió, ahora se siente contento. Ésta fue su declaración: «Nosotros dos jamás llegamos a penetrar profundamente en la mente del otro, en el corazón del otro, remontándonos a nuestras respectivas infancias. Por el contrario, cuando estaba enamorado, sufrí con mi enamorada todos los dolores de su infancia como si hubieran sido los míos y sentí sobre mi espalda todo el peso que ella soportó. Tan pronto como me levantaba y salía de casa, ya deseaba volver a estar con ella. La distancia era un tormento. Contigo, no. Cuando te fuiste no noté dolor. Sabía que nos volveríamos a ver y que volveríamos a hacerlo como antes. Para nosotros no existe el pasado y no hay futuro. No nos importa. Estamos bien y eso basta. Cuando estaba enamorado me sentía siempre en el borde de un abismo. Tenía tantos obstáculos que vencer, que albergaba la idea de dejarla, de renunciar a ella. Pero al pensarlo me asaltaba una angustia horrorosa. El amor es "para siempre" aun cuando sabes que terminará. Pero para ponerle fin debes arañarte las manos y rasgarte el corazón.

»No, amor mío, dulce mía. Mi amor está lleno de sexualidad, de erotismo, de deseo de vivir y de disfrutar, pero, afortunadamente, no es esa terrible pasión que te cambia la vida. En un primer momento pensé estar enamorado de ti, sí, lo pensé, pero no es así. ¡Menos mal! El enamoramiento no es sólo inmenso placer, es algo terriblemente distinto, es revelación, abismo y destino. ¡Es terror y es locura!».

La pasión erótica es más frecuente en el hombre, ya que está acostumbrado a establecer una distancia entre sexualidad y amor. En la mujer, la sexualidad casi siempre se compenetra con los sentimientos, la intimidad, la vida compartida, las palabras dulces, la ternura, los cuidados, y también con la música, los recuerdos, los olores y los perfumes. De ahí que la pasión amorosa se confunda a menudo con ese amor característico del enamoramiento. Ahora bien, en ella también existe. En el libro de Ilda Bartoloni *Come lo fanno le ragazze*, encontramos dos bonitos ejemplos. El primero es el de Carolina con Peter: «En mi vida había visto a un hombre tan guapo como aquél, jamás […] Labios carnosos, ojos atractivos […] Peter sabía cómo tratarme, cómo hablarme, parecía que entendiera exactamente, siempre, qué debía decir para excitarme. En los momentos de intimidad a veces me trataba mal, pero, a la vez, estaba lleno de dulzura y de atenciones. Era una mezcla de brutalidad y ternura. Con él tenía orgasmos de gritar. Fue una experiencia intensa y me costó mucho olvidarlo y alejarlo de mí […] Peter era un hombre al que intuía destructivo. Había perdido completamente de vista mi norte, mis prioridades, precisamente porque en él había algo que hasta cierto punto me convertía completamente en su esclava. Conseguía hacerme hacer todo lo que quería […] Lo que más me sorprendió fue que en parte me gustaba, obtenía placer de ese sometimiento, de esa esclavitud, del hecho de que me hablara de una forma hasta cierto punto obscena y me hiciera sentir un poco puta. Me decía cosas del tipo: "Noto el olor de tu higo"».[8] Pero no llega a convertirse en confesión, confianza, unión espiritual. En un momento dado, Carolina se harta, se rebela y lo abandona.

Más simple es el relato de Giulia con aquel a quien ella llama un Adonis: «Un hombre muy guapo y por eso me gustaba tanto […] El clásico cachas de gimnasio, de cabellos largos, musculoso, de revista. Me costó conquistarle, pero al fin cayó… Con él sólo hubo sexo […] Todos los domingos por la tarde, como un reloj suizo, tenía a este Adonis en casa y era […] sexo, puro sexo […] Por otra parte, hay que decir que lo hacía muy bien [y hacía] que me corriera acariciándome el clítoris y moviéndose dentro de mí. Cuando le decía: "¡Basta, basta!" […] entonces se corría él. Si no, resistía hasta el infinito y podíamos pasar una hora entera así […] ¡Fueron cinco meses de sexo desenfrenado! ¡Sexo con ese mayúscula! Estaba muy orgullosa de mí. ¡Muchísimo!»[9] Luego todo terminó muy deprisa. Es un ejemplo clarísimo de pasión eróti-

ca porque jamás llegaron a convivir. Los encuentros sólo tenían lugar los domingos por la tarde y nunca hubo, por parte alguna, un solo intento de superar los confines del sexo.

3. La pasión por dominar

Sartre la teorizó y Girard la ilustró en su libro *Mentira romántica y verdad novelesca*[10] donde, analizando la novela *Rojo
y negro* de Stendhal, observa que Julien consigue desencadenar el deseo de Matilde sólo fingiendo indiferencia.
Quien ama, de hecho, deviene esclavo, esclavo en el sentido
de la relación esclavo-amo que establecen Hegel y Sartre.
Por esta razón la relación amorosa siempre es una lucha en
la que cada cual quiere esclavizar al otro. La lucha termina
tan pronto como uno confiesa su amor. Pero entonces el
otro, que ha alcanzado su deseo de dominar, deja de amarlo. Así, cada cual ama si no puede obtener a la persona a
quien ama y es amado sólo si no ama, si huye, si es deseado.
Cuando se abandona al amor, en realidad, el otro cesa instantáneamente de amarlo.

Profundicemos en este tipo de pasión partiendo de la novela de Moravia *El tedio*.[12] El tedio que sufre el protagonista
del libro, Dino, es la consecuencia de no encontrar nada interesante: es el sentimiento de la absurdidad de la realidad.
Una idea que Moravia toma de Sartre. Las cosas le parecen
inconsistentes, no le suscitan ningún interés. No le importa
su madre, ni su hermano, no le interesa su trabajo, tampoco
el arte; nada. Todo le es indiferente.

Este sentimiento desaparece cuando oye la historia de un
pintor (Balestrieri) que murió mientras hacía el amor con
una chica (Cecilia). Se siente sobrecogido, la hace suya y se
identifica con Balestrieri hasta el punto de preguntarse qué
veía en esa mujer, qué tenía para convertirse en algo tan im-

portante para él. Quería saber quién era, qué tenía que pudiera suscitar un deseo tan intenso y total. Encuentra a la chica y, sin dejar de pensar en el pintor muerto, empieza a hacer el amor con ella cada vez con mayor frecuencia y con mayor intensidad. Y quiere saber, con todo lujo de detalles, como una obsesión, qué había entre ellos dos. Pero la chica no desea hablar de ello ni confesarse y se limita a darle respuestas básicas o a callar. Dino hace suya a Cecilia en innumerables ocasiones, ella siempre está disponible, incluso cuando la trata con crueldad. Ha conseguido dominarla, ha obtenido lo que buscaba, pero ahora que tiene a una esclava a sus pies, su deseo y su amor desaparecen. Y de nuevo experimenta el sentimiento de vacío, de inutilidad y decide abandonarla.

Le compra un regalo de despedida y la espera en la que será su última cita. Pero Cecilia no acude. Siempre se presentaba y ahora que había decidido abandonarla desaparecía. La espera ansiosamente, siente «una punzada en el corazón». Su ausencia, el hecho de que no haya mantenido su promesa demuestra que no la domina, que no la posee totalmente. Y en el mismo instante en que se da cuenta de que no vendrá, su indiferencia, su falta de deseo y su intención de abandonarla desaparecen. Ahora la quiere, quiere saber dónde está, por qué no ha venido. Si hubiera venido «se habría marchitado», habría perdido su «ser». Al huirle, regresa «llena de ser» y genera de nuevo el deseo obsesivo. Dino sólo desea lo que se le escapa, lo que no posee ni domina y quiere poseerlo y dominarlo precisamente para apagar el deseo.

Así va en busca de Cecilia y tras infinitas travesías, durante las cuales su deseo crece obsesivamente, descubre que tiene un amante. Se siente presa de los celos y sólo consigue aplacarlos haciendo el amor con ella. Por eso empieza a poseerla de un modo cada vez más enfermizo, como si a través del acto sexual pudiera convertirse en su amo. Pero tan pronto como acaba el acto, apenas ella se levanta y se va, se da cuenta de que no le queda nada. Debería continuar haciéndola suya, sin parar, sin tan siquiera comer ni dormir. Hasta morir, como hizo el pintor con el que se identificó.

Él usa el sexo como sustituto de la fusión amorosa que, en su caso, es imposible porque la fusión amorosa implica dos pasiones, dos voluntades coincidentes, mientras que él sólo desea cuando ella dice que no. Así pues, su pasión no tiene solución y le conduce inevitablemente a la destrucción de la relación.

4. La pasión competitiva

Girard sostiene la tesis de que el deseo siempre es triangular. No deseamos directamente una cosa como el hambriento desea el pan, sino que la deseamos porque la posee otra persona, porque otra persona hace que nos fijemos en ella, concretamente el mediador. Proust desea ser admitido entre los Guermantes, un círculo aristocrático, simplemente porque es el más deseado de París. En *El eterno marido* de Dostoievski[13] el protagonista, Pavel Pavlovic pide al hombre que se ha llevado a su primera esposa que le ayude a elegir un regalo para su nueva esposa. ¿Por qué? Porque Pavel sólo puede desear a una mujer si ésta es deseada por otro. Así éste se lleva también a su segunda esposa. Pero Pavel Pavlovic no aprende la lección. Tras algún tiempo, volvemos a encontrarle en compañía de una hermosísima comprometida, pero también les acompaña un joven y fogoso militar que corteja a la mujer. Pavlovic sólo desea a una mujer si hay un rival que pretenda quitársela. En *Rojo y negro*, de Stendhal, dos señores se disputan a Julien como preceptor, pero no por su valor profesional, sino porque cada cual desea lo que desea el otro y se enfrentan para obtenerlo. Todos desean lo que desean los demás y todos, como consecuencia, devienen rivales. Pero, atención, no devienen rivales porque desean la misma cosa o la misma persona, ellos desean aquella cosa o aquella persona en el preciso momento en que devienen rivales. La persona tiene valor según la fuerza de su rivalidad. Si uno renuncia a algo, el otro deja de desearlo. Y lo mismo ocurre cuando lo ha obtenido. Vencido el rival ya nada le importa de ese objeto de la contienda.

¿La teoría de Girard explica el enamoramiento? Ya habíamos dicho que no. El tipo de amor que nace de la competencia mimética no es un enamoramiento. Y ello lo demuestra el hecho de que éste desaparece tan pronto como es amada aquel que ama. En el enamoramiento de verdad, por el contrario, la plena felicidad, la transfiguración del mundo tiene lugar precisamente cuando hay reciprocidad. Lo que Girard describe es una *pasión competitiva*, en la que deseamos a una persona sólo si pertenece a otro, y el deseo dura hasta que no conseguimos vencer al rival y salirnos con la nuestra. En el libro de Carlo Castellaneta *Le donne di una vita*,[15] el protagonista, Stefano, se enamora apasionadamente de Ida, una mujer casada. La convence para que abandone al marido y poder así vivir juntos, pero tras un cierto tiempo se da cuenta de que ya no la ama. Sólo la volverá a desear después de que ella se haya vuelto a casar con otro. Los otros amores también funcionan de esta manera. Con Flora, con Valeria que abandona al marido y a los hijos pero de la que se cansa tan pronto como ella empieza a comportarse como una esposa que lo espera, fiel y celosa, cuando llega tarde. Y él, precisamente el día en que va a alquilar la casa a la que debería irse a vivir, encuentra a Georgina. Con Georgina también vive un período de amor loco y estático que dura hasta que tiene la seguridad de que vuelve a ser amado. Cuando está convencido de que ella le ama, está preparado para otra aventura.

En la pasión competitiva no sólo desaparece el amor sino también el interés sexual. El sujeto pasa de una codicia obsesiva a un estado de desinterés y en algún caso a una impotencia de verdad.

5. El sexo como atadura

Hemos encontrado la compulsión sexual al analizar *El tedio* de Alberto Moravia.[16] Dino está obsesionado con Cecilia porque se le escapa, porque tiene un amante. Por otra parte, si ella lo amara y se quedara con él, dejaría de desearla y volvería a caer en esa indiferencia que denomina *tedio*. Entonces intenta hacerla suya con relaciones sexuales continuadas y obsesivas. Pero tan pronto como termina la relación, tan pronto como ella se levanta, él siente que la pierde y decide seguirla para volver a emparejarse con ella hasta el agotamiento. En este caso, la relación sexual compulsiva es un sustituto de la fusión amorosa.

Pero vayamos con cuidado. Ese mismo tipo de compulsión obsesiva la puede tener una persona realmente y profundamente enamorada cuando sabe que no puede alcanzar plenamente su amor o cuando teme perderlo. En la película *Herida* (*Damage*), de Malle, adaptada de una novela de Josephine Hart,[17] el protagonista es un hombre que siempre ha evitado las pasiones y que, repentinamente, se enamora. Se siente sacudido por un deseo insaciable y se lanza sobre la mujer amada apenas la ve, apenas se quedan solos, con una voracidad sexual incontenible, irresistible. Él sabe que la mujer nunca podrá ser sólo suya porque está prometida con su hijo y se casarán. Esta mujer le quiere, pero no lo ama de un modo exclusivo: ha decidido tenerlo como amante y compartirlo con el hijo. Entonces él intenta recuperar las distancias, fundirse con ella repitiendo sin fin el acto sexual, con voracidad, una voracidad próxima a la desesperación porque sabe que nunca podrá tenerla en exclusiva como le exige el gran amor que siente por ella. Ella alquila un pequeño apartamento para sus encuentros a escondidas, hasta que el hijo, por casualidad, los descubre y, trastornado, se cae por las escaleras y muere. Este amor también intenta llevar a cabo la fusión amorosa a través del sexo pero no la alcanza porque la fusión sólo es posible en el enamoramiento bilateral exclusivo.

El deseo sexual obsesivo aparece frecuentemente cuando uno está enamorado y el otro no. Sobre todo en los hombres. El caso de Antoine nos brinda un ejemplo de ello. Se daba cuenta de que ella no le amaba, quizás amaba a otro o quizás a nadie. Hacía el amor con él y le gustaba, pero no le amaba. O no le amaba de una forma exclusiva como a él le habría gustado. Y por eso él continuaba tomándola y nunca tenía bastante. La poseía tan pronto como entraba en casa, la desnudaba, hacían el amor en el primer sofá que encontraban, por el suelo y otra vez más en la cama. Y le derramaba el esperma sobre distintas partes de su cuerpo, el vientre, el rostro, las piernas, los brazos, los ojos, para indicar que era de su propiedad como hacen los animales, para marcarla como marcan el territorio. Y mientras la poseía y notaba que ella respondía, se sentía en paz. Después, cuando ella se levantaba y se iba, tenía la sensación de perderla. Entonces volvía a cogerla un momento antes de que se marchara como si hubiera sido la última vez. Y la habría seguido incluso por las escaleras para penetrarla de nuevo y mantenerla clavada a su cuerpo para siempre.

VIII
La revolución: el enamoramiento

1. Un paso hacia el enamoramiento

Existe una radical diferencia entre la atracción sexual y los mecanismos que se encuentran en la base del enamoramiento. No solemos darnos cuenta de ello porque en el enamoramiento la sexualidad se desencadena en un grado máximo. Es precisamente esta explosión sexual, este triunfo de la sexualidad, lo que esconde esta diferencia en los procesos de base. Añadamos que, en no pocos casos, el enamoramiento empieza precisamente por un control sexual. Pero nosotros sabemos perfectamente que dos personas pueden desearse sexualmente, lanzarse temblando el uno a los brazos del otro, vivir una extraordinaria experiencia erótica y después abandonarse sin que por ello haya nacido el amor.

Otro motivo que nos impide darnos cuenta de la diversidad de estos mecanismos del enamoramiento es que, muy a menudo, lo confundimos con otras formas de atracción y de amor. Hay quien dice «yo siempre estoy enamorado», o bien «yo me enamoro cada mes de una persona distinta». En estos casos la palabra *enamoramiento* se emplea para indicar una atracción repentina, una locura, a veces una de las pasiones que hemos analizado en el capítulo precedente. O incluso también el inicio de algo más profundo que se interrumpe y no avanza. Es una lástima que la gente sea tan superficial en este campo porque, confundidos sobre la naturaleza real de sus sentimientos, toman decisiones equivocadas, a menudo irreparables.

¿Cómo empieza un verdadero amor? Un amor de verdad nunca es el fruto de una decisión premeditada. El enamoramiento siempre aparece de una forma inesperada. Aun así, nos da señales premonitorias. Un estado de insatisfacción, de inquietud y de misteriosa espera. Andando por la calle notamos una extraña atracción por los hombres y las mujeres que encontramos como si buscáramos algo en ellos. Normalmente nos atrae un detalle en particular: los ojos, el pecho, la manera de andar. Y de repente, al anochecer, cuando oscurece, estando solos o entre la multitud, percibimos la sensación de un presagio, de un destino. A veces experimentamos una especie de languidez, nos emocionamos oyendo música o leyendo una poesía o mirando a un niño que llora. A lo mejor incluso soñamos cosas que nos parecen cargadas de significados arcanos y no sabemos por qué. En otros momentos nos sentimos atraídos por alguien conocido y sentimos un cierto vacío cuando se va.

Nos enamoramos cuando estamos cansados del presente, cuando estamos preparados para dejar atrás una experiencia ya realizada y desgastada y reunimos el coraje vital para llevar a cabo una nueva exploración del mundo, para cambiar de vida. Cuando estamos dispuestos a sacar partido de capacidades de las que no hemos disfrutado y a explorar mundos en los que jamás habíamos entrado y a llevar a cabo sueños y deseos a los que habíamos renunciado. Hay veces en las que la ruptura se acelera con el cambio de ciudad, de país, sobre todo si nos mantenemos bastante tiempo alejados de la persona con la que vivíamos. Ésta deja de participar en nuestros problemas, deja de ayudarnos, no consigue entendernos, deja de ser el compañero o el cómplice de la experiencia que estamos llevando a cabo. Entonces salimos a buscar lo que nos falta para volver a empezar nuestras vidas, para regenerarnos a nosotros y nuestro mundo. Y puesto que todos nuestros deseos emanan de las profundidades de nuestro inconsciente no sabemos ni dónde buscar ni qué buscar.

Así, misteriosamente, llega un día en que uno de estos encuentros es más intenso que de costumbre. Sucede cuando esa persona me señala, me indica o me simboliza la forma alternativa de ser en la que estoy entrando o a la que aspiraba. Me evoca lo que yo hubiera podido ser y lo que podría llegar a ser. Puede ser que esa persona ni tan siquiera me guste, hablando desde un plano erótico, pero me atrae, tiene un atractivo extraño que me invita a quedarme con él, a mirarle y escucharle. El tiempo pasa sin darme cuenta y cuando él se va me siento triste. Me viene a la cabeza y tengo ganas de volver a verle. Cuando esto sucede me siento contento. Me siento locuaz, le hablo de mí, le cuento lo que me gusta y lo que me disgusta y me siento feliz cuando descubro que nuestras valoraciones y preferencias concuerdan. Deseo ayudarle, hacer algo en común, dar continuidad a la relación. Empiezo a tener fantasías eróticas, pero no pienso en una simple relación sexual, también quiero dulzura, poesía e intimidad. Y noto que este deseo es una tentación peligrosa. Descubro que no sé nada de él. Entonces quiero saber cómo vive, qué hace, a quién ama, a quién ha amado. Y mientras me hago todas estas preguntas, experimento un inquietante arrebato de celos.

Precoz e inconfundible, es el deseo de exclusividad erótica. El puro erotismo no desea la exclusividad, sólo le interesa el deseo presente. Lo que el otro hace o deja de hacer con otras personas no le interesa y, si en algún momento siente curiosidad, es más como fuente de excitación. Pero basta con que los mecanismos del enamoramiento se pongan en funcionamiento para que, de repente, sintamos interés por su pasado, nos preguntemos con quién hace el amor e, incluso cuando la relación acaba de empezar, ya deseemos que no lo haga con nadie. Que esa persona con la que hemos empezado a hablar, que nos atrae, que nos despierta la curiosidad y que nos hace vibrar tenga un vínculo más íntimo e intenso con alguien nos turba.

En ningún momento hemos dicho, esto debe quedar bien claro, que cada vez que tengamos este tipo de experiencia acabemos enamorándonos. El enamoramiento, no nos cansaremos de repetirlo, es un proceso. Nos solemos defender del enamoramiento porque representa un abandonarse que puede llegar a ser peligroso. De ahí que podamos resistir a la tentación o incluso descubrir que esa persona tiene una serie de cualidades que no nos gustan y que nuestros planes de vida son incompatibles. En cualquier caso, los síntomas que hemos descrito indican que algo se ha puesto en movimiento, que no nos encontramos ante una pura atracción sexual, que hemos entrado en el territorio del enamoramiento, aunque sea en fase embrionaria, y que estamos dispuestos a iniciar una relación en la que ya está presente el germen de la exclusividad.

Detengámonos un momento en la idea del deseo de exclusividad.

¿No se trata de la idea que sostiene René Girard[1] según la cual nos enamoramos de una persona porque pertenece a otro y la queremos arrebatar a nuestro rival? No. El enamoramiento empieza a desencadenarse aunque no haya ningún rival de por medio. Evidentemente, teniendo en cuenta que todas las personas tienen relaciones y amores, cuando nos enamoramos de alguien debemos separarla de los suyos, de otros, pero no la queremos porque cualquier otra persona, por el hecho de tenerla, nos la presenta como deseable. Descubrimos que es deseable y en ese mismo instante estamos obligados a pensar incluso en los rivales potenciales que no conocemos. En fin, recordémoslo una vez más, contrariamente a lo que defiende Girard, en el verdadero enamoramiento nuestro amor se consolida precisamente cuando estamos seguros de ser amados y los enamorados correspondidos no sienten celos. Si alguno de los dos en algún momento dado siente su punzada, el otro tiene el poder de tranquilizarlo y hacer desaparecer cualquier posible sombra de duda.

2. El enamoramiento

El enamoramiento, aunque empiece de un modo socarrón, siempre es un acontecimiento que rompe la cotidianeidad. Es, pues, una discontinuidad, el fin, la muerte de un estado y el nacimiento de otro.[2] Si ello no sucede, el enamoramiento no es verdadero. Puede ser una experiencia erótica fascinante, divertida, placentera, pero no es enamoramiento. En el enamoramiento el individuo corta, incluso a veces con cierta violencia, los vínculos que había establecido con sus objetos de amor precedentes para establecer nuevos lazos exclusivos con otro. Ello no significa que deje de estimar a sus padres, hermanos, hijos y amigos, y tampoco al marido o a la esposa, pero ¡cuidado si éstos obstaculizan su nuevo amor, si se lo impiden! El enamoramiento consigue que nazca de la nada el vínculo más fuerte de todos, comparable sólo con el que una madre establece con su hijo.

Desde un punto de vista sociológico, el enamoramiento es el *estado naciente* de un *movimiento colectivo* formado tan sólo por dos personas. Cada persona forma parte de una trama de relaciones sociales y de afectos consolidados. En el enamoramiento dos personas establecen entre ellas una relación privilegiada que los separa del propio conjunto social y genera en su lugar una entidad social y cultural nueva: la pareja, que reestructura todas las relaciones que cada uno por separado mantenía con su propia familia, los amigos, el trabajo, la religión, la política. Por esta razón es una revolución que provoca felicidad, entusiasmo y éxtasis, pero que también puede desencadenar heridas dolorosas, desesperación y violencia.

El enamoramiento, aun estando presente en todas las sociedades y en todas las épocas, ha alcanzado una configuración concreta y se ha convertido en la base de la convivencia amorosa y del matrimonio sólo en Occidente. Porque sólo en Occidente ha emergido la individualidad, que ha logrado su libertad rompiendo con la familia y las costumbres. El enamoramiento es el fruto de la libertad. En la India siempre ha dominado el sistema de castas, en China siempre ha prevalecido la tradición, en el mundo islámico la mujer siempre se ha mantenido en un nivel inferior. Todavía prevalecen las costumbres.

En el célebre libro de *Las mil y una noches* no hay ni una sola historia de amor comparable a la de Tristán e Isolda, Abelardo y Eloísa, Romeo y Julieta, Pablo y Francisca. El amor apasionado que desafía al matrimonio siempre es descrito como una obscenidad que debe ser repudiada e ignorada. En el cuento de «El rey de las islas negras» la reina se enamora locamente de un hombre al que se describe despreciativamente como un deshonesto esclavo negro. El rey los descubre y hiere al hombre de manera que queda mudo y paralítico. Pero la mujer continúa amándolo, lo asiste durante años y le recita preciosas poesías de amor. Pero no se dice ni una sola palabra de elogio, y menos de compasión, a su favor. Se la presenta como una bruja monstruosa y, al final, la matan.

Debemos esperar la hegemonía de Grecia para ver nacer la voluntad del individuo y, más tarde, la de Roma, para que las mujeres adquieran plena libertad jurídica. Por otra parte, cabe destacar que en ambas civilizaciones siempre se impuso la monogamia y jamás se impuso el harén. El matrimonio siempre se realizaba entre dos personas libres. Fue el cristianismo el movimiento que reforzó esta libertad, al afirmar que todos los seres humanos son iguales, que no existen diferencias entre hombres y mujeres y que son ellos los únicos que deben elegir a quién quieren por marido o por esposa.

Cuando entre los años 1000 y 1200 arranca el desarrollo económico y la sociedad europea cristiana se transforma rápidamente, estallan los movimientos de renovación y las utopías de una sociedad perfecta. Pues bien, el mismo fenómeno se presenta también a nivel de pareja. El enamoramiento es una revolución contra el matrimonio acordado entre familias, una afirmación de la libertad individual. A veces incluso supone una revuelta contra el orden constituido, contra los deberes conyugales y de lealtad feudal. Y siempre se contrapone a ellos como valores. Tristán e Isolda, Lanzarote y Ginebra, Abelardo y Eloisa, Pablo y Francisca son traidores y adúlteros, pero a su vez –y ésta es la paradoja específica de Occidente– también son héroes.

El *estado naciente* es el momento central de los movimientos colectivos y del enamoramiento[3] como movimiento colectivo formado por dos únicas personas.

Es un estado emocional y mental completamente distinto de la vida cotidiana. Infunde en los individuos una energía extraordinaria y una manera revolucionaria de ver el mundo donde todo parece posible. Es como si estuviera a punto de comenzar una nueva vida, con un nuevo cielo, una nueva tierra, una vida de pasión, entusiasmo, alegría, compañerismo, ¡una vida maravillosa! Los individuos vinculados a ella se sienten hermanados, tienden a unirse, a fundirse, a formar una colectividad compacta, una comunidad, un *nosotros* solidario. Y en el ámbito del enamoramiento, constituyen una pareja enamorada.

En el estado naciente del enamoramiento tenemos la impresión de haber llegado al final de ese estado de aprisionamiento. Hemos logrado romper las cadenas y nos abrimos al aire renovado. Saboreamos la libertad. Estábamos sometidos por pereza, por pasividad y por miedo. Nos imponíamos como obligación lo que los demás nos exigían. Seguíamos sus reglas y desoíamos nuestras más profundas aspiraciones. Habíamos dejado de ser nosotros mismos. Habíamos consentido encerrarnos, poco a poco, en una prisión invisible. Ahora hemos rotos sus barrotes y finalmente hemos conseguido ser lo que queríamos.

Es como si, por arte de magia, se nos hubiera caído la venda de los ojos. Ahora sabemos cuáles son nuestros verdaderos deseos. Ahora conocemos nuestra verdadera esencia. Sabemos lo que es correcto y qué está bien que hagamos. Y sabemos también que todo depende del amor. El amor es un don maravilloso, aunque a veces nos haga sufrir. Perderlo significa regresar al mundo de los ciegos y recuperar la condición de zombi.

Nuestro amado no puede compararse con nadie. «El otro a quien yo amo y que me fascina», escribe Roland Barthes, «es *atopos*. No puedo clasificarlo, porque él es precisamente el Único, la Imagen irrepetible que corresponde milagrosamente a la particularidad de mi deseo. Es la figura de mi verdad: él no puede incluirse en ningún prototipo.»[4] Él es el único, absolutamente el único ser vivo al que yo puedo amar. Cualquier otra persona a la que pueda encontrar, aunque se trate de mi ídolo, no puede sustituirlo. Jamás encontraré a nadie como él, mejor que él. Si me corresponde, si él me ama, me maravillaré de la increíble y extraordinaria suerte que he tenido. Creo que he conseguido algo que nunca habría imaginado poder obtener.

Ahora intentemos ver la esencia de las cosas; sabemos que todo obedece a una fuerza ascendente, que aspira a la felicidad, a la alegría, a conseguir que todas las cosas sean armónicas, perfectas. Ésta es la verdad profunda de la realidad. Todas las cosas existentes, todos los seres animados e inanimados tienen un sentido. El ser es bello en sí mismo, es lógico, necesario, admirable, estupendo. Por eso todas las cosas existentes, una colina, un árbol, una hoja, un muro al atardecer, incluso un insecto, nos parecen conmovedoramente hermosas.

Cuando amamos y somos correspondidos, nos sumamos al gran respiro del universo. Devenimos parte de su movimiento y de su armonía. Nos sentimos agitados, atravesados por una fuerza trascendente. Somos como una nota musical en una gran sinfonía. Nos sentimos libres y, amando, llevamos a cabo nuestra libertad. Nadie es «esclavo» de su amor, porque es su verdad, su llamada, su destino.

El enamoramiento nos introduce en el mundo sagrado y convierte el erotismo y la sexualidad en elementos también sagrados. Entonces el acto sexual, su preparación, el acercamiento, el descubrimiento del cuerpo de la persona amada y después la disposición a penetrar o a ser penetrada, todo ello es realmente un rito, una consagración, un acto sacerdotal.

Durante el enamoramiento, cuanto más hacemos el amor más deseamos hacerlo, cuanto más estamos con el amado más deseamos alargar el encuentro. El enamoramiento, y sólo el enamoramiento, crea un deseo continuo que no admite tormentos en la trama del tiempo. El tiempo del amor es continuo, compacto e inconsútil, y si no podemos compartir con nuestro amado todos los momentos, si tenemos que alejarnos o es él quien debe marcharse, tras su regreso queremos saber todo lo que ha hecho para poder haber estado también juntos durante la ausencia.

3. El flechazo

El enamoramiento es un proceso constituido por muchas etapas. De ahí que las expresiones inglesa y francesa *fall in love* y *tomber amoureux* no traduzcan la palabra *enamoramiento* y generen muchos equívocos, pues indican simultáneamente dos conceptos. El primero es que el enamoramiento suceda instantáneamente, es decir, que coincida con el flechazo. Una cosa, por otra parte, que casi nunca es cierta. El segundo, siempre cierto, que quien se enamora sólo se da parcialmente cuenta de que lo está y se sorprende, como si hubiera caído en una trampa, en un encantamiento del que ya no puede salir. Pero, atención, el enamoramiento puede haberse producido gradualmente y no es más que la toma de conciencia lo que resulta repentino.

Esta aclaración era necesaria para poder ocuparnos del concepto de *flechazo*. Se trata de una expresión que existe en francés, *coup de foudre*, pero no en inglés. *Love at first sight*, de hecho, indica un enamoramiento ya realizado. El flechazo es una fascinación repentina, la revelación repentina de la belleza, de las cualidades extraordinarias de esa persona. Es un instante, un clic, como el ruido de un interruptor, donde vemos y sentimos algo que antes no veíamos ni sentíamos. Pero debemos tener muy claro que esta experiencia todavía no significa que se encienda plenamente el estado naciente y aun menos el amor como sugiere la expresión inglesa *love at first sight*. En realidad, en el enamoramiento siempre hay flechazo, pero éste, por sí solo, no hace que la persona esté enamorada.

En la película de Kubrick *Eyes Wide Shut* la protagonista cuenta a su marido que un día, en un hotel donde se albergaban, vio a un oficial de marina por el que se sintió fascinada. Si él se lo hubiese propuesto, habría abandonado al marido, a los hijos; todo. El marido (el actor Tom Cruise) se queda absolutamente desconcertado y comienza la búsqueda erótica que constituye la parte principal de la película. Pero si nos miramos las cosas desde un punto de vista científico, tanto las declaraciones enfáticas de la mujer como las reacciones del marido son desproporcionadas en relación con la peligrosidad real de la experiencia. A pesar del flechazo, si el guapo oficial con el que la esposa estaba dispuesta a huir se hubiera comportado de un modo incorrecto, si hubiera despedido un olor desagradable o si hubiera entrado al comedor abrazando a otra mujer, el encantamiento se habría esfumado. El flechazo es una puerta; el enamoramiento un recorrido.

Para que sea un amor de verdad el flechazo debe repetirse en circunstancias diversas, para tener la certeza de que no lo ha desencadenado un estímulo particular e irrepetible.

Damos la palabra a Jarry: «La vi en una convención. Estaba sentado y aburrido en una gran sala llena de hombres cuando vi pasar a una chica rubia muy hermosa que llevaba el pelo atado en una cola de caballo. Caminaba erguida, altiva como una reina. Sin embargo, era dulce, suave, agradable. Era delgada, pero a la vez hermosa con el pecho que le sobresalía. Ese efecto de delgadez y hermosura a la vez me lo supe explicar sólo al cabo de los años. Porque sus huesos son pequeños, su nariz menuda, sus muñecas y sus tobillos finos, pero tiene una espalda ancha, una cintura estrecha y un detrás estupendo, con unas hermosas piernas. Sin embargo, todas estas cosas no las noté ni percibí en ese momento.

»La volví a ver al cabo del tiempo. Siempre iba en compañía de personajes importantes. Me preguntaba de quién era la amante. Una cosa que aprendí desde mis tiempos de estudiante universitario es que las mujeres hermosas siempre son emolumento de los poderosos. Por eso la había evitado: demasiado hermosa, demasiado peligrosa.

»Pero la vida quiso que la encontrara otra vez. Trabajamos juntos y descubrí que era una mujer de rigor y eficiencia increíbles. De una honestidad y de una corrección moral admirables. Tenía un gusto exquisito, refinado, con el que hacía agradables las cosas. Sabía organizar y tratar a las personas de un modo cortés y paciente y, cada vez, obtenía lo que quería. La admiraba. Los hombres la deseaban, pero ella era inabordable. Y no estaba con nadie. Con nadie, ¿me oís? Vivía sola en un apartamento al que yo sólo había podido entrar cuando había alguien más. Era su manera natural de defenderse de la corte de hombres sin tener la necesidad de decir que no. Trabajé con ella más de un año sin tener ni un solo pensamiento erótico. Ni tan siquiera la veía como una mujer.

»El trabajo en común había terminado. Cada cual retomaba su camino. Organizó una fiesta de despedida en su casa. Recuerdo a muchos hombres serios, con sus feas caras de políticos, y a muchas mujeres feas, también. Y la recuerdo, a ella, con su falda larga y su camiseta, ofreciendo a todo el mundo canapés y aperitivos. En un momento dado, de repente, estando ella arrodillada, me di cuenta de que tenía un detrás y unas piernas preciosos. Miré encantado esas curvas estupendas y me pregunté cómo me las había arreglado para no haber visto nada durante todos esos años. ¡Qué barrera había puesto delante de mis ojos para defenderme de ella!

»Mi vida emotiva, por entonces, se encontraba en pleno marasmo. Físicamente estaba cada vez peor y, a pesar de tener muchas mujeres a mi disposición, ninguna me interesaba lo suficiente. No, nunca me habría enamorado de ella si no la hubiese conocido tan a fondo, si no hubiese admirado su honradez, su capacidad de trabajo, su corrección moral, su empeño. Pero también debía ser consciente de su belleza, debía desearla sexualmente. Y siempre me había defendido de ello de un modo inflexible. ¿Qué fue lo que rompió el encantamiento? Verla gentil, paciente, humilde sirviendo a esa gente que no valía nada. Esa escena simbolizaba lo que había estado viendo durante más de un año: la injusticia que se había cometido contra una mujer extraordinaria por parte de gentuza miserable. Y estalló en mí el espíritu caballeresco del que se pone del lado del débil, de quien repone entuertos, de quien salva a la virgen que ha sido ofrecida al dragón en sacrificio. Y desapareció en mí el miedo a la belleza, porque esa belleza me necesitaba, y mi deber era socorrerla, ayudarla, darle apoyo, defenderla, hacerle de escudo con mi cuerpo y con mi amor.

»Como le he dicho, vivía en el marasmo físico y moral, estaba cansado y buscaba el camino recto que hay que seguir. Esa mujer era la compañera ideal. Lo sabía por experiencia y me lo decía la razón. Pero faltaba una pieza esencial del rompecabezas, una cosa que siempre había deseado por encima de cualquier otra: la gran belleza, la belleza arrebatadora, que fascina, que no puedes olvidar. La belleza que siempre me había prohibido. Ahora que la tenía delante de mis ojos ya no la temía. Ya no faltaba nada para empezar una nueva vida. Estaba enamorado.»

4. Más allá del flechazo

Retomemos el relato de Jarry. Nos contaba que, en un momento dado, tras haber apreciado el rigor intelectual y moral de esa mujer se había dado cuenta de que también tenía un culo, unas piernas y un cuerpo que quitaban el hipo. Aquello fue el flechazo. A partir de ese momento le gustaba con

locura. Si la chica hubiera partido le habría quedado un recuerdo indeleble, una nostalgia de lo no vivido, de lo no
realizado, pero todavía no sería esa laceración devastadora
del amor roto.

Por su relato sabemos que, después de haber descubierto
su belleza, le confiesa que la ama y ella le dice que le corresponde. Hacen el amor y empiezan a viajar juntos. Una mañana discuten por algo insignificante. Sale de la habitación
del hotel, entra en la sala donde le esperaban los asistentes a
la convención y, una vez allí, tiene un ataque de pánico al
pensar que quizás se haya ido para no regresar jamás. El
ataque de pánico no es miedo, es una pérdida total de uno
mismo, desmoronamiento del sentido y por este motivo
pertenece a lo sagrado. Jarry sale inmediatamente de la sala
como poseído y la encuentra sentada en el bar con una sonrisa en los labios. Se le acerca tembloroso, se acurruca a su
lado, le toma las manos y hunde su cara en ellas, sin decir
nada. Ahora sabe que la ama totalmente, sin reservas. Ahora bien, ¿qué habría sucedido si la hubiera encontrado char-
lando con otro o si la mujer, aunque sólo fuera por pique, le
hubiera dicho que no le amaba? Un tipo como Jarry habría
sido capaz de volver a escapar. ¿Y ella habría salido a su encuentro? Incluso un gran amor puede ser extremadamente
vulnerable durante sus comienzos.

5. Me quiere, no me quiere

Al inicio no sabemos si estamos verdaderamente enamorados. El protagonista de la novela *Un amor* de Dino Buzzati[5]
se está enamorando de una chica de dieciocho años que ha
conocido en una casa de citas. Empieza a pensar en ella y se
dedica a explorar las zonas donde cree haberla visto. No tiene bastante con la relación sexual en la casa de citas, quiere

saber quién es y qué vida lleva, la busca en la Scala donde trabaja como bailarina fija y la sigue en sus viajes. Y se sorprende de su propio interés. En el fondo no es más que una chica como otra cualquiera, una putita a la que sólo hay que pagar para estar con ella. De vez en cuando se aleja y la olvida pero, al cabo de poco tiempo de regresar, vuelve a pensar en ella. Se pregunta con quién está, qué debe de estar haciendo, se la imagina haciendo el amor con otros, con hombres de su misma edad, con jóvenes ricos que la enamoran con sus coches de carreras y sus yates, con cualquier hombre que se le acerque, rivales con los que él, un burgués cincuentón tímido y culto, no puede competir ni rivalizar. Espera con ansia el momento del encuentro, mira obsesivamente cómo el reloj hace avanzar los minutos. Después, de repente, todo le parece una tontería, una pasión pasajera.

Es el período de la duda, tanto más largo cuanto más distinta sea la otra persona, cuanto más alejada esté de tu mundo y el amor sea inesperado, improbable e increíble. Es algo que sucede más al hombre que a la mujer porque, así como el hombre siempre tiene presente la sexualidad, en el amor no piensa, no lo tiene en consideración, y cuando se enamora siempre lo coge por sorpresa. Y así continúa, sin saber hasta cuándo. Pero recuperemos las palabras de Buzzati: «De repente se da cuenta de lo que quizás ya sabía pero no había querido aceptar. Como quien viene advirtiendo desde hace tiempo los síntomas inconfundibles de un mal horrendo, pero sigue empeñado en interpretarlos de manera que pueda seguir continuando su vida como antes». Se da cuenta de que piensa continuamente en Laide y de que «él la amaba por ella misma, por lo que representaba como mujer, capricho, juventud, genuinidad popular, malicia, desvergüenza, falta de pudor, de libertad, de misterio. Era el símbolo de un mundo plebeyo, nocturno, alegre, vicioso, malvadamente intrépido y seguro de sí que fermentaba de insaciable vida entorno al fastidio y a la respetabilidad de los burgueses».[6] Y se da cuenta de que necesita estar a su lado sea como sea porque sólo cuando está con ella se siente en paz, feliz, mientras que en el preciso instante en el que ella se aleja, se obsesiona con la espera y con el tormento de los celos. Entiende que lo suyo «no era una pasión carnal, era una brujería más profunda, como si un nuevo destino, en el que jamás hubiera pensado, le llamara Antonio».[7]

El arte siempre es verdad y mentira a la vez. Para representar la incertidumbre, la duda, Buzzati hace que su protagonista, un hombre de mediana edad e inhibido, se enamore de una prostituta joven y desinhibida. El resultado es un tormento verdadero y absoluto pues, normalmente, la búsqueda de la reciprocidad, el tiempo que tardamos en deshojar la margarita –me ama, no me ama–, el tiempo de los celos, es más breve y a menudo termina con la felicidad del amor recíproco.

6. ¿Por qué aquél? ¿Por qué aquélla?

Nos enamoramos cuando, insatisfechos con nuestro presente, tenemos suficiente energía interior para iniciar otra etapa de nuestra existencia. Entonces rompemos viejos vínculos sociales y edificamos una vida social e individual nueva. Pero no podemos crearla solos, por lo menos debemos ser dos: fundirnos con otro y generar una colectividad viva. Ahora bien, ¿quién es la otra persona con la que es posible poner en marcha este proceso, con la que se enciende el estado naciente? Habíamos dicho que, antes de enamorarnos, buscábamos algo, una persona. El enamoramiento tiene lugar si encontramos lo que buscamos. Es como un rompecabezas en el que, en un momento dado, la persona se nos revela como la pieza que faltaba y, de repente, vemos la imagen completa: el futuro posible. Y, como en el rompeca-bezas, cuando nos damos cuenta de que ésa es la pieza que faltaba tenemos una sensación de sorpresa y de exultación. Cuando encontramos al hombre o a la mujer que correspon-de con la pieza que faltaba en el dibujo, tenemos la curiosa y desconcertante impresión de haber sido creados expre-samente el uno para el otro y de habernos encontrado final-mente. El enamoramiento no es elección, es destino. Y, te-niendo en cuenta que no sabemos cuál es el dibujo que estamos buscando, y aún menos la pieza que nos falta, ésta puede ser la persona más increíble, más sorprendente, cual-quier cosa que ni tan siquiera habríamos podido imaginar, una locura.

«Pero ¿cómo pudo enamorarse de esa loca?», le pregun-to. La persona que tengo delante debe de tener unos sesenta años. A lo largo de su vida ha amasado una gran fortuna; es un hombre de negocios sagaz, astuto y precavido. «Usted sabe que yo sostengo que nos enamoramos cuando esta-mos preparados para cambiar y encontramos a una persona que nos indica la dirección para llevar a cabo ese cambio, que simboliza algo de nuestro futuro.» El hombre sacude la ca-beza en sentido afirmativo. «Escúcheme», me dice. «En esa época yo estaba completamente anulado por mi padre y, de-bo añadir, que también lo estaba por mi madre, que siempre estaba de acuerdo con él. Sus convicciones religiosas me te-nían como encerrado en una jaula. Debía casarme con una prima segunda. Hacía tiempo que así lo habían decidido por complicadas razones y yo no me había opuesto a la idea. O, mejor dicho, sólo se oponía mi cuerpo: padecía alergias al polvo, a los pelos de gato, a casi todo. No salía con ninguna mujer; sólo iba con prostitutas. Salía en coche por la noche y me pasaba horas dando vueltas para contem-plarlas mientras esperaban en las aceras. Iba y volvía hasta que encontraba una que me gustara; después me armaba de valor y la hacía subir al auto. Había una que me gustaba particularmente. Era pequeñita y, dentro del coche, me montaba a horcajadas. Hacíamos el amor mirándonos a los ojos. Después, reemplazando a mi padre, empecé a viajar más, a frecuentar nuevos hoteles y a conocer a más gente. Así fue como la encontré una noche. Era pequeña, vivacísima, brillante, decía cosas sorprendentes y te hacía reír. Salimos a cenar juntos y le conté mi vida. Le expliqué lo de mi prima. Ella me habló de un par de prometidos de los que se había cansado. Después me arrastró casi literalmente hasta una discoteca, me presentó a unos cuantos amigos, en particular a una gorda y fuerte con grandes senos. Me contó que tenía muchos amantes. Era un ambiente completamente distinto al mío, sin prejuicios, inconformista. Consideraban el sexo como algo natural. Se consideraban la vanguardia y a lo mejor lo eran. Yo estaba un poco asustado pero a la vez me sentía atraído. Una noche, regresábamos en su coche, la abracé y la besé. Ella, entonces, sin mediar palabra, bajó del coche, se quitó las bragas, volvió a entrar y me montó a horcajadas, como hacía la prostituta de la que le hablaba. Pero no era una prostituta, era una mujer normal que había hecho algo que para ella era normal. Yo estaba estupefacto y, le parecerá extraño, agradecido. Me parecía un acto de extraordinaria generosidad. Hice el amor con ella mirándola a los ojos, como hipnotizado, y me enamoré de ella. Y digo me enamoré de ella, porque todo lo hizo ella, yo me limité a besarla y después a acompañarla a su casa.

Después fuimos a un hotel y estuvimos allí encerrados una semana entera haciendo el amor sin parar. Nunca había tenido una experiencia similar, ni tan siquiera me la había imaginado. Era el puro placer, el disfrute puro, la felicidad, y también la libertad, el desenfreno, el fin de todas las constricciones, había roto la jaula, quebrado el dominio de mi padre y de mi madre. Ya no temía a nadie. Cuando volví a mi casa, pensaba en ella obsesivamente. Y ella en mí, porque me llamaba continuamente, me escribía a diario. Me hablaba de libertad de aventuras, me decía que conseguiríamos hacer cualquier cosa juntos. Era un poco desequilibrada, un poco loca, es cierto. Pero sus palabras exageradas eran una invitación a que me liberara, a que cogiera las riendas de mi vida. Y así lo hice. Mi padre no era prudente, era temeroso, tan temeroso que ni veía las ocasiones que le pasaban por delante de los ojos. Yo tenía un poco de dinero que me había dejado mi abuelo. Me armé de valor, hice mis primeras inversiones y me salieron bien. Mi padre no quería seguirme, pero después convencí a mi tío. En pocas palabras, tuve éxito. Tanto mi padre como mi madre tuvieron que admitirlo. Entonces les dije que no me casaría con la prima, que quería hacerlo con otra mujer que me gustaba. Y así lo hice. Sí, mi mujer no entiende nada de dinero, de negocios, está un poco desequilibrada e incluso un poco loca, pero fue ella quien me empujó para reunir el valor suficiente para que actuara. Y siempre ha estado a mi lado, de mi parte. Ahora ya no me gusta tanto, no lleva bien el peso de los años y, además, hablemos claro, tampoco fue muy guapa. Pero, entiéndame, fue ella quien me hizo romper la jaula, quien me dio fuerzas para cambiar. ¡Cosa de locos! ¡Todo empezó cuando se quitó las bragas y se me puso encima, como una putita! Mi nueva vida empezó en ese preciso instante. ¡Cosas de locos!»

7. Enamoramiento y cambios sociales

En los períodos de cambios sociales, durante los movimientos colectivos nos vemos arrastrados a enamorarnos de aquello que simboliza esos movimientos o de sus guías. ¿Cuánta gente se ha convertido al cristianismo, al islamismo, al budismo o al marxismo porque se había enamorado de un militante, de un fiel o de un líder de ese grupo? ¿O, por el contrario, se había enamorado de ese hombre o de esa mujer porque ya había entrado en el torbellino del movimiento del que él o ella formaban parte? Como esta chica que, a los dieciséis años, abandona su casa, sigue al joven hippy, entra en una comuna, se pone una túnica larga, se pone a tejer, fuma marihuana y toma el sol desnuda o se sienta en el suelo para oír música.

Una bisnieta suya de Nueva Inglaterra también se había marchado de casa para entrar en una comunidad religiosa con el objetivo de salvar a la humanidad: el Ejército de Salvación. También su bisabuela se había sentido atraída por su bisabuelo, un hombre de metro ochenta de altura, delgado, con espalda de luchador y una larga barba negra. Iban juntos a los lugares donde la gente estaba más desesperada, donde prosperaba el vicio, la corrupción, la prostitución y el alcoholismo. Con su pequeña banda atraían a la gente y hacían un discurso edificante invitando a ésta a que dejara la vida del pecado y siguiera el camino del Señor. Ella llevaba un vestido gris largo hasta los pies, cerrado hasta el cuello y una toca que sólo se quitaba en casa. Había dado cinco hijos a su marido, pero sin que él hubiera visto jamás su cuerpo, cosa que por cierto ella tampoco había hecho nunca porque mirarse en el espejo era un acto de vanidad peligroso.

La joven hippy, a diferencia de su tatarabuela, todavía no había dado ningún hijo a su chico, pero lo habría podido hacer en el futuro. No tenía ningún problema por mostrar su cuerpo desnudo y, si otro joven de la comunidad le hubiera pedido que hicieran el amor, ella lo habría hecho porque su comunidad era fraternal y el amor no debe ser egoísta y exclusivo. Amar significa acariciarse, darse placer con el sexo, compartir un porro, ayudarse recíprocamente. Pero nadie se lo pedía porque sabían que era la chica de Ananda. ¿Había seguido a ese joven flaco que parecía un mendicante indiano por amor o se había enamorado de él porque el joven le había mostrado, con su ejemplo, lo que el mundo sería en un futuro, el mundo de la bondad de la paz, el mundo de los hijos de las flores? Por ambos motivos.

¿Y esta otra chica que cada día va al campo de tiro para aprender a usar el arma, que lleva un suéter negro y lee los *Grundrisse* de Marx se ha unido a este joven con barba cuyo nombre ya empieza a sonar y a quien ella ve, por amor, como un potencial comandante guerrillero o se ha enamorado de él porque representaba, a sus ojos, al futuro Che Guevara?

Nos enamoramos del futuro, nos enamoramos de aquello que simboliza nuestro posible destino. Pero no nos enamoramos de lo que queremos como individuos separados de lo social, como individuos aislados, sino de aquello que queremos como individuos inmersos en una sociedad, como individuos históricos. Por esta razón nos enamoramos de un millonario cuando son los millonarios quienes construyen el ideal colectivo de la sociedad, del hippy o del revolucionario cuando la sociedad parece que mira hacia esa dirección. Que después las cosas no vayan como habíamos oído o pensado no cuenta. Cada generación tiene sus sueños, sus posibilidades y sus fracasos. En los años cincuenta, todo el mundo quería un trabajo, al final de los sesenta transformar el mundo, a los ochenta convertirse en estilistas y publicitarios.

Hoy que el Islam está introducido en Occidente, muchos se sienten atraídos por él, fascinados, y lo ven como la salvación y el futuro, como lo fue en otras épocas el comunismo o el nazismo. Por esta razón, algunos se convierten y, por este mismo motivo, otros se enamoran. Convertirse individualmente es más difícil, pero la conversión se facilita si encontramos al imán misterioso y orgulloso que te habla de un pasado heroico que regresa, de un dios invencible que conduce a los suyos a dominar el mundo y que, a través de su profeta, ha dictado las leyes que todo el mundo debe seguir. Tiene los ojos negros, chispeantes, la voz ardiente, la fe inquebrantable, un coraje sobrehumano. Los niñatos que tienen la cámara digital y el barco como ideales, que no creen en nada, le parecen insignificantes, vacíos, miserables. Le parecen faltos de vida, muertos, la manifestación de una civilización agónica, incapaces de ninguna pasión, incapaces de amar. Mientras que él, el hombre de mirada chispeante, el hombre del destino y de la historia, también sabe amarla con ardor, con pasión, con infinita dulzura. Y ella le da hijos, encantada, uno, dos, cuatro, todos los que quiere, y se esconde tras el velo impenetrable para que sólo él la vea, como dicta la ley divina y la ley de un amor exclusivo. Por ello ha renunciado a sus minifaldas, a sus vestidos de marca, ha renunciado a enseñar sus senos a todo el mundo, sus glúteos redondos, como había hecho hasta ahora. Por amor, para ser exclusivamente suya. ¿Cómo se puede amar a un único hombre si se disfruta siendo deseada por otros? ¿No es un engaño? Aquel velo que la hace invisible es su casa, su fortaleza, su intimidad inviolable y la ley que los separa de los infieles.

8. ¿Por qué existe el enamoramiento?

Los enamorados desean *fundir* no sólo sus cuerpos, sino también sus almas, hacer de sus vidas y de sus mundos una vida única y un mundo único. El enamorado quiere que su amado vea el mundo como él lo ve, y verlo él como lo ha visto el amado, a través de sus ojos, porque todo lo que la persona amada nos muestra tiene un significado, un valor, es una revelación. Pero esta forma de compartir el mundo no nos basta para el presente, también queremos compartir el pasado.

Yo quiero ver el mundo no sólo como mi amada lo ve hoy, sino también como lo vio de pequeña y adolescente. Quiero revivir su infancia, estar con ella en su casa, con sus padres, con sus hermanos, en su colegio, compartir sus alegrías, sus dolores, sus sufrimientos, sus temores. Y si nuestro amor es recíproco, ella querrá lo mismo de mí. Por esta razón nos contamos nuestras vidas y escuchamos embelesados y ávidos todo lo que el otro nos cuenta. De esta manera releemos nuestra historia personal, la volvemos a escribir y a la vez empezamos a escribir nuestra historia colectiva. Es la *historización*.

La historización es el instrumento fundamental para construir un nuevo mundo social. Mi pasado también se basa en relaciones afectivas con mi padre, mi madre, mis hermanos, mis amigos, mi grupo étnico, mi religión y mi patria. Y lo mismo le ocurre a mi amado. Al enamorarme yo no me vinculo a una persona aislada sino a todos aquellos a quien ama, a las cosas en las que cree. En el proceso de fusión-historización yo devengo parte de su pueblo y él del mío. Si me enamoro de una japonesa, puesto que vivo y comparto lo que ella ha pensado, sentido, amado y creído, yo asumo en mi interior a su gente y su cultura, yo también me convierto en un japonés. Y ella hace lo mismo conmigo. Al revivir mis experiencias infantiles y adolescentes ella participa en el mundo social en el que he vivido, como si también lo hubiera vivido, se convierte en una italiana, experimenta las emociones de una italiana. Entretanto ambos repasamos críticamente nuestras experiencias, juntos hacemos elecciones y construimos también algo nuevo.

De este proceso emerge una pareja que tiene raíces dobles. Y, si el proceso de fusión continúa, crea vínculos fuertes y tenaces que duran en el tiempo. Además la nueva pareja construye a su alrededor una nueva comunidad en la que conserva personas del pasado de los dos y en la que incluye a gente nueva. Ahora ya podemos entender por qué nuestra naturaleza humana nos lleva a enamorarnos. En la especie humana el niño nace inmaduro. Si entre las aves el recién nacido nace en condiciones de volar y de alimentarse sólo al cabo de muy pocos días y entre los mamíferos es capaz de hacerlo al cabo de cinco o seis meses, ¡en la especie humana el recién nacido es autónomo sólo al cabo de un mínimo de trece o catorce años! Durante este largísimo período necesita absolutamente la ayuda de sus padres y de la comunidad en la que vive. El enamoramiento es un mecanismo que les proporciona el amado y la amada. Ésta es la verdadera y profunda razón por la que nos enamoramos. El enamoramiento ha permitido y permite a la especie humana sobrevivir y desarrollarse. Y estoy convencido de que su gran importancia en la sociedad occidental ha contribuido no poco a su rápido desarrollo, a su capacidad de renovarse conservando la propia identidad.

Durante mucho tiempo los estudiosos anglosajones han considerado el enamoramiento un fenómeno histórico al llamarlo «amor romántico», como si se hubiera inventado en el siglo XIX, cosa absurda porque la Biblia está llena de historias de amor al igual que la historia romana. Al final han tenido que retractarse. Fisher observa que «incluso las poblaciones que niegan tener el concepto de *amor* o de *enamoramiento* se comportan de la misma manera. [En Polinesia] ocurre que si a un joven no le dan el permiso para casarse con la chica a la que ama, se suicida por desesperación [...] En una investigación realizada sobre 168 culturas los antropólogos William Jankoviak y Edward Fischer consiguieron obtener pruebas directas de la existencia del amor romántico en el 87% de poblaciones extremadamente diversas las unas de las otras».[8] Cuando mi libro *Enamoramiento y amor*[9] fue traducido al japonés descubrimos que no existía el ideograma correspondiente, pero se sabía que jóvenes enamorados prometidos con personas que no amaban podían llegar incluso a cometer un doble suicidio: el *shin ju*.

IX
Experiencias amorosas

1. La beatitud sexual

Hélène explica: «Tenía veinte años, era mi primer amor, un amor grandísimo que me dio una alegría inimaginable, un placer que jamás olvidaré. Experimenté plenamente la beatitud. Después ese amor terminó, terminó mal porque él no me entendió, no creyó lo que yo le decía. Tras ese momento he conocido a muchos hombres porque fui hermosa, muy hermosa, y los atraía como si fuera un imán. Me gustaba atraerles porque quería tener muchas experiencias pero, sobre todo, porque me gustaba sentirme deseada. Hacía el amor por curiosidad, como un juego, para dominar, para conquistar al hombre más guapo de la noche o al ídolo que admiraba en la pantalla. Pero nunca más volví a experimentar el placer, la beatitud de aquella vez. Sólo ahora que tras tantos y tantos años vuelvo a amar, sólo ahora vuelvo a notar el deseo, la excitación y al final la plena satisfacción, el éxtasis de entonces, o incluso más que el de entonces. No, follar no significa nada, yo he follado con muchos, he follado en todas partes, he follado con hombres que me gustaban y con otros que no me gustaban. Pero no tiene nada que ver con lo que ahora siento. Me derrito al verle, al oír su voz por teléfono. Y no quiero correrme enseguida, ni tan siquiera quiero correrme muchas veces, quiero saborear la tensión, el placer en aumento hasta alcanzar la beatitud. Como me sucedió la primera vez y nunca más volví a experimentar. Cuando acabó mi primer amor pensaba que esa beatitud no era excepcional, estaba convencida de que volvería a sentirla otras veces y con otros hombres. Por el contrario, desapareció durante años y años. No sabía que era un don que sólo se te concede raramente. Y ahora me siento feliz porque vuelvo a notarla y me doy cuenta de que por sí sola vale toda una vida, mientras que una vida sin ella no vale nada».

René cuenta: «Estaba enamorado pero no quería ceder. Tenía esposa e hijos y me resistía. Me marché fuera del país para no verla más. Creía haberlo conseguido. Pero un día me telefoneó y me dijo que se encontraba en un hotel de la ciudad. Intenté resistirme pero después pensé que era mejor que nos encontráramos para contarle que todo había terminado, que no debía quedarse sino regresar a su casa. Era por la tarde, lo recuerdo. El hotelito en el que estaba hospedada era sombrío. Me abrió la puerta. Ni tan siquiera recuerdo cómo estaba, cómo iba vestida ni cómo era la habitación. Pero era ella. Y desde ese momento ya no recuerdo ninguno de mis gestos ni ninguno de los suyos. Ni tan siquiera recuerdo haberla abrazado, no recuerdo si dije algo. Pero debí de desnudarme, ella también, o quizás ella ya estaba desnuda, y me metí en la cama. Después, esto lo recuerdo bien, una emoción inolvidable. Toda la tensión, todos los noes que me había dicho, los viajes obsesionados, los miedos, los gritos, los lloros, la desesperación, la coraza que me había construido, se esfumaron. Ni tan siquiera recuerdo si llegué a penetrarla; obviamente lo hice, e innumerables veces, durante quién sabe cuánto tiempo. Pero, en realidad, ya no era su cuerpo y el mío, todo había confluido en una indistinta beatitud infinita, en una indistinta paz infinita. Como si hubiera regresado al hogar tras un exilio de miles de años, como el niño que, atemorizado y con miedo, finalmente encuentra refugio en los brazos de su madre. Una dulzura sin fin, una infinita distensión, mi ser derramado, como un líquido, en algo que es ella, que somos nosotros dos, que es, a la vez, el mundo entero. Ésta ha sido mi mayor experiencia de felicidad sexual».

2. Energía

Evans nos relata: «Qué extraño. No me canso. No te cansas. Cuanto más hago el amor, más descansado y relajado me encuentro. Quizás porque comemos algo, dormimos y salimos dulcemente del sueño. Pero no basta con explicarlo. No. Hacer el amor no supone un gasto de energía, sino una reposición. Tú me das energía, yo te doy energía. Sé que la escuela taoísta dice que no hay que dar el propio semen, que debes retenerlo el máximo de tiempo posible porque, de el contrario, te debilitas. Dicen que la mujer te lo coge para robar tu energía y reforzar así la suya. Y tú no se lo debes ceder, sino procurar tomar sus fluidos, su yin, para reforzarte a ti mismo.

»Extraña concepción de la relación en la que cada cual roba algo al otro. Afortunadamente, nosotros vivimos la experiencia opuesta. Estoy dentro de ti durante horas y de vez en cuando te doy todo lo que tengo. Te lo lanzo con toda mi fuerza. Me parece estar viéndolo fluir dentro de tu cuerpo, llegar a todas partes. Tú lo tomas golosa porque te enriquece y te place, lo sé, incluso noto su sabor. Pero yo no me siento empobrecido. Al contrario, experimento un sentimiento de poder, de orgullo, de plenitud. Sí, de plenitud, no de vacío. Mientras descanso apoyado sobre tu espalda y con la mano en tu seno, me siento en paz. Y después renace en mí, lentamente, el deseo, miro las curvas de tus caderas y las acaricio dulcemente con un sentimiento de orgullosa posesión. Tú eres mi concubina, mi amante, pero también mi tierra. Entiendo las imágenes eróticas del *Cantar de los cantares*: cedros del Líbano, rebaños de ovejas, gacelas. Y por qué no vacas, potros, todo aquello que en un tiempo fue riqueza y posesión. Y mientras vivo esta posesión, deseo entrar nuevamente dentro de ti, darte con alegría, darte con intensidad todo aquello que tengo en mí, vaciarme en tu cuerpo como un vaso de leche, de miel.

»Y tú tienes la misma experiencia cuando me das el líquido que envuelve mi sexo y lo nutre. Cuando tú me das tu saliva que nutre mi boca, cuando me das tu seno que me llena las manos, el pezón que chupo como un bebé chupa el de su madre. ¿Por qué deberías tener la sensación de perder algo? La mujer que da, la que da de mamar se siente más rica. Se siente orgullosa, fuerte y triunfante. Por todo esto, amor mío, hagamos el amor sin parar, sin reserva. No es verdad que haya límites. Depende de lo que sientas, de cómo des, de cómo ames, de cómo vivas esta cosa maravillosa. Pasemos toda la tarde haciendo el amor y, al final, cuando cada uno haya nutrido al otro, seremos los dos más fuertes. Cuando esta noche salgamos correremos más ligeros, más alegres y no notaremos cansancio.»

3. Lo esencial

En el enamoramiento tenemos la sensación de haber alcanzado lo esencial. La única otra situación comparable a esta felicidad, la exultación, el sentimiento de absoluta compleción, se da cuando la madre ha tenido a un hijo muy deseado con quien establece una simbiosis estática. Tiene lo esencial porque esa criatura que ha salido de sus entrañas no sólo es lo más precioso del mundo, sino que incluso es más precioso que ella misma. Lo esencial es la sombra de lo absoluto. Y lo mismo ocurre con el verdadero enamoramiento porque la persona amada supone el acopio de cualquier delicia y perfección y sentimos, con absoluta certeza, que estar con ella, besarla, hacer el amor con ella es la máxima felicidad que se concede al hombre sobre la tierra.

Vincent escribe: «Me preguntas si echo de menos mi bonita casa, las comodidades, el lujo al que estaba acostumbrado. Me preguntas cómo consigo adaptarme a esta buhardilla donde el agua llega gota a gota, donde hace frío, con estos muebles que no valen nada. Cómo consigo adaptarme a esta pobreza. Pero yo no me adapto, yo estoy bien en medio de esta pobreza, no deseo nada más. Puede llegar el día en que cambie de idea, pero de momento me va muy bien. Ya no tengo coche pero no lo echo a faltar. Me acompaña ella y no puedo pedir compañía más bonita. Solemos ir a un pequeño restaurante cerca de la playa. Yo casi siempre como salmonetes: jamás he probado comida más rica en toda mi vida. Y mientras como la veo delante de mí. Ayer por la noche llevaba una camiseta negra que le resaltaba el pecho y sobre la que brillaba una cadena de oro. Me habría quedado ahí mirándola toda la vida. Su rostro era dulce y radiante. Estuvimos, no sé, unas tres horas hablando de no sé qué, de todo un poco, porque hables de lo que hables, en el amor, siempre hablas de todo. Y el restaurante, los colores del aire, los salmonetes rojos en el plato, el negro de su camiseta, el oro de su collar eran lo mejor que podía soñar.

«El otro día estábamos sentados en el margen de la calle. Delante teníamos unas dunas con rastrojos dorados de grano tallado. Créeme, la estancia que a ti te parece pobre, el coche desvencijado, el restaurante, el campo de rastrojos, todas estas cosas pobres eran perfectas. Nuestro amor tiene el don de convertir todas las cosas en perfectas, incluso los rostros de los hombres. ¿Sabes que ya no veo a ningún hombre feo ni a ninguna mujer fea? Hice un largo viaje en tren, y

mirando a mi alrededor me pareció que todos, absolutamente todos los rostros eran hermosos, gentiles y buenos.
¿Es una ilusión? Quizás. ¿Pero acaso no debe de ser así el
Reino de Dios que prometen los Evangelios? El amor me
permite ver el mundo, a los hombres, todas las cosas en su
esplendor y privadas de mal como serán en el Reino de
Dios. ¿Te das cuenta del extraordinario don que se me ha
dado? Piensa qué enriquecimiento puede dar una experiencia como ésta a cada hombre, a cada mujer. Desgraciado
quien no la ha tenido, es como si nunca hubiera visto la luz,
como si nunca hubiese visto el día, la noche, el mar, como si
nunca hubiese visto el mundo. Es una ilusión, dices. Pero
me parece que ahora todo el mundo lo dice. Y añades que se
trata de una ilusión peligrosa porque el mundo es maldad,
dolor y muerte. Quizás. ¿Y si por el contrario ésta fuera la
realidad y la tuya, una ilusión nacida de la pérdida de luz
que sólo el amor puede dar? Con todo, yo elijo ésta, me
arriesgo por ésta y no tengo miedo de hacerlo».

4. La transfiguración y lo sagrado

En el estado de profundo enamoramiento los enamorados
no experimentan sólo extraordinaria felicidad por el hecho
de estar juntos y un completo placer sexual, sino que además se sienten conectados con las fuentes mismas de la vida. Viven una comunión, una fusión, una inmersión, una
identificación con la naturaleza creadora. Incluso Erica
Jong, que trata el sexo de un modo despreciativo y vulgar,
cuando habla del amor se ve obligada a dar cuenta de una
experiencia que transfigura tanto a la persona amada como
al mundo. En *Canción triste de cualquier mujer*, al hablar de
su enamoramiento por Dart escribe: «Noches de continuo
amor loco durante las que perdíamos el recuento de los or-

gasmos porque no tenían ni principio ni fin. Miraba su nariz y veía la eternidad. Las noches podían ser larguísimas, épocas medidas en tiempos geológicos, o podían ser minutos. Imposible decirlo. Mientras nos acoplábamos, monstruosas cadenas emergían de la corteza terrestre y se desplomaban; la roca se formaba a partir de la lava fundida; fuentes calientes brotaban fuera de la tierra; volcanes extinguidos recuperaban su fuerza».[1] Ya no existe una separación neta entre uno mismo y el cosmos. La propia renovación interior coincide con la sacudida telúrica del mundo que nace.

La experiencia personal de cada uno de nosotros y el examen de la literatura y de la poesía amorosa nos muestran, sin lugar a dudas, que el enamoramiento, o mejor dicho, el estado naciente del enamoramiento es un estado extraordinario donde no sólo la persona amada sino también el mundo entero aparecen transfigurados. También lo resultan los actos más comunes de la vida cotidiana, cosas tan simples como comer juntos en un restaurante, compartir el pan, observar el mismo paisaje o incluso esperar la llegada de nuestro amado en tren. El acto pierde su carácter ordinario, profano, y se entreteje de un soplo, de una sacudida y de una alegría soberanas, de una especie de encantamiento ante el cual quedamos maravillados y nos sentimos agradecidos. Ha absorbido y se ha impregnado de divinidad, es el *numinoso*, el *mirum*, el *fascinans* de los que habla Rudolf Otto[2] y que nosotros llamamos *santo*.

El enamorado, con el simple hecho de pensar en la persona amada que le corresponde, ya se siente imbuido de alegría, abarrotado de una misteriosa fuerza, de una suerte, de una bendición que podríamos llamar *gracia*. Sólo el lenguaje religioso consigue expresar esta experiencia. Cualquier otro lenguaje es inadecuado, es una profanación.

Mircea Eliade, en su célebre libro *Historia de las creencias y de las ideas religiosas*, sostiene que el hombre contemporáneo ha perdido la capacidad, típica de las culturas arcaicas, de

vivir la vida orgánica —y, por encima de todo, la vida erótica y la nutrición– como hecho sacramental y religioso. Para
nosotros sólo son actos fisiológicos. Por el contrario, «para el primitivo esos actos elementales son un contacto religioso con el cosmos, con lo divino, la reactivación y la répli-
ca del *tiempo divino de los orígenes*».[3] Tiene toda la razón. Pero
en el mundo moderno existe una excepción: el enamoramiento. Ya hemos visto que los dos enamorados viven como una experiencia extraordinaria y santa algo como comer
juntos, caminar, estar sentados en un banco o esperarse en
la estación del tren.

Ya expuse claramente esta tesis en mi libro *El misterio del
enamoramiento*. El enamoramiento verdadero y profundo es
«la única situación entre todas las demás, en nuestro mundo
moderno, donde *la experiencia de lo sagrado está omnipresente
en la vida cotidiana*. [La experiencia erótica deviene] una relación con los orígenes mismos de la vida, una comunión, una
fusión, una inmersión, una identificación con la naturaleza
rebosante y creadora. La conjunción con la persona amada *es
una hierogamia*, el matrimonio del cielo con la tierra, la conjunción primordial, el arquetipo constitutivo de la vida, el
omfalos, el centro del mundo desde donde se irradia la fecundidad, la sustancia de ser de cada cosa. La conjunción es una
celebración en la que participamos como oficiantes. […] La
divinidad, lo santo, se manifiesta […] a través de los oficiantes e irradia su potencia benéfica a su alrededor, sobre las cosas y los hombres. Son los dos celebrantes quienes, al unirse,
encienden el fuego sagrado, constituyen ellos mismos aquel
fuego, ponen de manifiesto la divinidad y están invadidos
por ella. Es a través de su conjunción cómo lo sagrado se hace
presente. A través de ellos tiene lugar la hierofanía».[4]

Los antiguos no necesitan diferenciar la experiencia sa-
grada del enamoramiento de lo sagrado que se obtenía con
el rito que reactivaba el tiempo divino de los orígenes. Hoy

en día sí porque –salvo excepciones– hemos perdido el camino ritual. Sólo podemos hallar la experiencia del erotismo sagrado en el estado naciente del enamoramiento, una explosión única e imprevisible en la que se manifiestan, desgarrando la banalidad profana, lo extraordinario y lo divino. En el mundo moderno *el propio estado naciente es el tiempo divino de los orígenes.*

5. Fidelidad del cuerpo y del corazón

Todos los enamorados desean ser absolutamente correspondidos, sin reservas. Todos los enamorados quieren la exclusividad.

Ahora bien, el enamorado no pretende la fidelidad sexual cuando uno de los dos amantes o los dos están casados o conviven con otra persona. En estos casos, la unión exclusiva avanza a un ritmo más o menos pausado entre la maraña de las costumbres y de las relaciones consolidadas. Lo que realmente cuenta, en esta fase, es la fidelidad del corazón. Aportaré para ilustrar este punto dos entrevistas realizadas a dos personas profundamente enamoradas que, sin embargo, aceptan la infidelidad sexual del otro. La primera corresponde a una mujer. La segunda, a un hombre.

Eva tiene una mentalidad rigurosamente monógama. Rompió su compromiso muchos años atrás con la persona con la que estaba a punto de casarse porque descubrió que su prometido mantenía una relación con otra mujer y la había mentido. Tras diez años viviendo sola, entabló una relación con un hombre casado al que admiraba mucho y del que estaba enamorada. Durante un cierto tiempo el hombre continuó con su esposa e hijos y por esta razón ella se adaptó al papel de amante que comparte a su hombre con otra mujer. Esto es lo que responde cuando le pregunto si se sentía celosa:

«No, no estaba celosa porque sabía que él ya no amaba a su mujer, dejó de quererla hacía mucho tiempo, de esto estoy segura. No se separaba de ella porque tenían un niño pequeño al que adoraba.» «Pero cuando se iba de viaje con su mujer durante mucho tiempo, ¿usted tampoco se sentía celosa?» «Sufría. Pero no eran celos. Sabía que él se equivocaba, pero entendía su dificultad ante la idea de separarse. Aun así sabía que cuando regresara enseguida volvería a mí y todo volvería a ser como antes. Sabía que él me amaba. Sabía que yo era la mujer que se le adaptaba y que la otra no lo era.»

«¿Y si él hubiera tenido otras amantes?» «¿Se refiere a alguna aventura?» «No. A algo más que una aventura, relaciones sexuales con otras mujeres a las que hubiera conocido antes. Cuando un hombre ya no va a la vez con su esposa, cuando todo ha llegado a su verdadero fin, siempre busca otras mujeres. Supongo que él debió de hacer lo mismo. Y debió de haber continuado haciéndolo incluso después de haberla conocido a usted.» «Sé que las mujeres le hacían la corte.»

«¿Y usted no se sentía celosa? «Estaba convencida de que él sólo me amaba a mí y eso era lo que contaba.» «¿Estaba usted segura?» «Sí, segurísima. Yo era su única salvación.»

Simon tuvo una experiencia análoga. Aquí incluyo una parte de la entrevista: «¿Tú estabas enamorado?» «Sí, lo estaba. Muchísimo.» «Pero aun así sabías que ella tenía a otro hombre, me has dicho que nunca le llegaste a conocer, pero sabías que seguía acostándose con un antiguo amante suyo o con un novio de otra época.» «Sí. Ella así me lo dio a entender.» «¿Y no te molestaba?» «No, me había contado que era viejo.» «¿Estás seguro de que lo era?» «Creo que sí. Además no creo que ella obtuviera mucho placer con él.» «¿Cómo puedes estar seguro?» «Porque cuando yo estaba, ella venía enseguida a encontrarme, se pasaba el día conmigo, sabía que, entre los dos, me prefería a mí.»

«Pero cuando te ibas, ella volvía a él. ¿Te imaginabas cómo lo pasaban?» «Sí, lo pensé varias veces. Creo que ella le hacía mamadas. Me lo imaginaba así, viejo, medio impotente, y ella conseguía que se corriera así.» «¿Y no de otra manera?» «No lo pensaba, pero a lo mejor también hacían el amor.» «¿Te excitaba pensarlo?» «No.» «¿Pero ni tan siquiera te molestaba?» «No. Para mí él no significaba nada. Algo que no cuenta, el pasado. Por otra parte, yo también vivía con otra mujer. Estábamos equilibrados; yo con mi mujer y él con su hombre. Yo iba y venía, podía incluso desaparecer, no le había prometido nada. No le daba ninguna seguridad. Me di cuenta de que para ella ese hombre era un apoyo, un punto de seguridad. Ella me amaba a mí, habría venido conmigo enseguida, pero como tenía esposa y nunca se lo pedí ella necesitaba un anclaje. Lo entendía. Me parecía justo.»

«Pero cuando estabas lejos, ¿pensabas en ella?» «Siempre. La echaba de menos todas las horas del día. La deseaba locamente. Por la noche salía de casa, iba a una cabina telefónica y la llamaba. Tenía el corazón en el estómago cuando oía su voz, me sentía feliz y después alcanzaba un sentimiento de paz. Siempre la encontraba en casa y esto me tranquilizaba.» «¿Y si no la hubiera encontrado en casa porque hubiera estado acostada con alguien?» «No habría hecho nada. Yo la amaba. Sabía que ella también me amaba y la habría encontrado en otro momento. No podíamos estar juntos, no estábamos preparados, pero nos amábamos. Yo estaba mal, lloraba, escribía hermosas poesías para ella, pero no me importaba con quién estuviera. Sabía que el obstáculo sólo era yo. Si la hubiera llamado, si le hubiera pedido que viniera inmediatamente para vivir juntos lo habría hecho y me habría sido fiel.»

«¿Estás seguro?» «Sí. Lo estoy. Hubiera bastado una llamada mía.»

X
Obstáculos al enamoramiento

1. Cuando falta el lenguaje

El enamoramiento no puede desarrollarse cuando no dispone de un lenguaje mediante el cual expresarse, cuando la comunidad en la que viven las dos personas es contraria al enamoramiento y aquélla no reconoce su existencia, su dignidad, su valor, lo escarnece y lo niega. Resulta extremadamente interesante como documento con el que estudiar este tipo de fenómeno el libro *Porci con le ali*, de Lidia Ravera y Marco Lombardo Radice.[1] Fue escrito en 1976 por dos adolescentes que formaban parte de un movimiento de extrema izquierda. En éste confluían cuatro fuerzas contrarias a la pareja amorosa. La primera era la revuelta juvenil en sí misma que rompía con todos los tabúes, sobre todo con el del lenguaje. El movimiento estudiantil había adoptado en Italia un habla soez antirreligiosa (Dios de mierda, Virgen maldita...) y sexual. El libro de estos autores empieza con la frase «Cojones, cojones. Cojones, cojones. Higo. Vulva».[2] El segundo factor es el marxismo popular, que considera el enamoramiento, el amor y la pareja como degeneraciones burguesas y pretende sustituirlos con el amor hacia el proletariado. El tercer factor corresponde a la revolución sexual de raíz norteamericana que exige una absoluta libertad sexual y promiscuidad, sin los compromisos y la exclusividad propios de la pareja. En muchas comunas se había impuesto el comunismo sexual y en muchos ambientes se proponía la bisexualidad. El cuarto componente, el feminismo, veía en la pareja una forma de dominio masculino.

En la novela los protagonistas sólo conocen y usan el lenguaje sexual obsceno. No tienen otro, salvo el marxista que sólo habla de la colectividad, del proletariado, de las clases, del pueblo y de la burguesía. Por eso su lenguaje erótico es del tipo: el primer polvo, el segundo polvo, me ha hecho una mamada, le he hecho una mamada, le he dado por el culo, me ha dado por el culo.

Tanto el protagonista masculino, Rocco, como el femenino, Antonia, tienen experiencias homosexuales. Después, un día, aunque se conocen de vista desde hace dos años porque van a la misma escuela, se perciben, se descubren y tienen un «flechazo». No lo llaman así porque sería burgués. Rocco dice: «He tenido un *raptus*, un *focus*, un *motus*, vaya, que me he acercado a ella y le he cogido la mano […] Ella se ha girado, me ha visto, me ha sonreído y después, en un ataque de locura, me ha lanzado sus brazos al cuello y se ha puesto a llorar».[3]

El chico intenta decir con un lenguaje ordinario, hecho de expresiones inadecuadas, que se trata de una experiencia extraordinaria: «Precisamente porque era una cosa distinta no me lo creía. Una cosa que, hasta cierto punto, bueno, sueña extraña, pero me daba miedo […] Además es tan gracioso, conocerse desde hace dos años y no tener ni la más remota idea de quién eres. Sí, quiero decir que para mí, en el fondo, sólo eras una más de la colectividad, una que todos dicen que ya ha hecho el amor, y por eso más espabilada, una feminista, que no sé qué significa».[4]

La chica, a diferencia de él, tiene sus fantasías erótico-amorosas con personajes del cine y de las novelas. Sabe qué es el amor y tiene necesidad de él: «No, en este punto necesito una bonita declaración, de esas que se dicen entre susurros y que ya no se hacen, ya nadie las hace porque nadie se atreve, entre todos los que conozco, nadie se atreve a decir a una chica las cosas que ha oído en el cine porque… a lo mejor le han dicho que "no es de espabilados"».[5]

Ahora bien, ella también se encierra en el lenguaje puramente sexual, no tiene palabras para expresar otras sensaciones. Se masturba y descubre con estupor que no consigue excitarse pensando en Rocco tal como es: «¿Me veo obligada a imaginármelo como el conde Vronski, un guapo canalla heroico y cubierto de lazos como un pastel de cumpleaños? Vronski, Vronski, padrino de todos mis orgasmos revolucionarios, después oficial de la guardia zarista, después pintor, músico, espadachín, asesino y finalmente defensor de los huérfanos».[6]

El chico ni tan siquiera sabe fantasear, no sabe hablar de amor. Absorbido por la ideología marxista, usa su lenguaje político pero a ella no le basta: «Es uno de esos que sacan la revolución cultural a relucir como el catecismo… [Me dice:] "No nos tenemos que aislar. Tú y yo juntos estamos muy bien, pero debemos vigilar para no separarnos de nuestros compañeros. Porque es una cosa burguesa". Y con esto él ya lo ha dicho todo. Entonces yo me convierto inmediatamente en la mujer-que-quiere-a-su-hombre-sólo-para-ella y él, don Revolución, que lo quiere discutir todo con todo el mundo, ir al cine con las masas populares y campesinas, acostarse con el Comité del aborto y la contracepción y, a lo mejor, a pasear con una delegación de mecánicos de la metalurgia».[7]

Un día la chica se arma de valor y le dice que le ama. Él la corresponde con un beso: «Ha sido, más o menos, el primer beso verdaderamente sentido de mi vida». Pero la ideología obliga: «Hace casi un año que se instauró como obligación celebrar los funerales de la pareja, hasta el punto de que si alguien te dice "quiero a María Teresa" puedes estar seguro de que añade: "pero, naturalmente, no quiero mantener con ella ningún tipo de relación de pareja"».[8]

Así sólo se encuentran para hacer el amor o, mejor dicho, para «follar». Follan por todas partes, sin parar, hasta que ella se da cuenta de que no tiene bastante, que no lo soporta más, y se lo dice: «Y tú, prepotente, siempre quieres más, por delante, por detrás y de lado y menos mal que sólo tienes una polla porque si no me taparías todos los agujeros y no sabría por dónde respirar, por dónde sudar y por dónde hacer pipí. No, de verdad, Rocco, así no puede continuar, a la larga es aburrido, me da la sensación de que no vivo, sino que me paso el día haciendo gimnasia y coleccionando orgasmos».[9]

Y de este modo se separan. A continuación ella hace el amor, perdón, folla, con un profesor más viejo y experto y después se acuesta con una chica. Él con un chico y después con otra chica. La bisexualidad caótica triunfa, la historia termina y la novela acaba.

2. Miedo a los celos

En las relaciones sexuales ocasionales y en la amistad amorosa, nadie exige la exclusividad sexual. Pero ya hemos visto que, tan pronto como apunta un posible enamoramiento, nace el deseo de conocer al otro, su vida, y aparecen unos curiosos celos. En este punto los individuos, no importa si son hombre o mujer, pueden reaccionar de dos maneras radicalmente distintas. Algunos no soportan el tormento que les suponen sus celos. Si existe un rival y temen no ser amados se encuentran tan mal que evitan la competencia con él, tienden a retirarse y a huir. Al contrario, los otros se sienten excitados y estimulados por el obstáculo.

Empecemos por aquellos que no soportan el sentimiento de celos, porque les hace estar mal y no consiguen aguantarlos. Enseguida quieren tener la certeza de que les aman, de que son los únicos, los preferidos. En todos los enamoramientos siempre existe una fase inicial de búsqueda, de exploración, en la que cada cual se pregunta ansiosamente: ¿me ama de verdad?, ¿está verdaderamente enamorado (o enamorada) de mí? Es la fase en la que los dos deshojan la margarita: «me ama, no me ama...». Pues bien; hay personas que soportan muy mal este tipo de incertidumbre y si encuentran a un rival de verdad o posible se sienten turbados, alejados, y siempre sienten la tentación de abandonarlo todo por temor a sufrir. Normalmente esto suele suceder cuando el individuo ha tenido experiencias anteriores de desilusión o abandono. Para él, la lucha entablada bajo la pesadilla de los celos es un sufrimiento insoportable y prefiere renunciar a ella antes que afrontarla. En el libro de Alain Elkann, *Una lunga estate*,[10] el protagonista, Leopoldo, parte a Grecia con una hermosísima mujer de la que se está enamorando. Pero se da cuenta de que ella se siente atraída por otros hombres y que, a lo mejor, todavía no ha cerrado su relación con su antiguo amante. Presa de los celos, se aleja, desaparece por mucho tiempo, después regresa a buscarla, pero cada vez se encuentra con alguien que, al fin, le hace regresar por su camino. Quien quiera retener a este tipo de personas haciéndole sentir celos la pierde. Si se quiere a una persona así, hay que amarla, darle confianza y demostrarle enseguida que es única y es la amada.

A veces esta indiferencia hacia los celos aparece cuando las dos personas que se están enamorando se cuentan su vida pasada.

«Tú no te diste cuenta», nos explica Berenice, «que cada vez que me contabas una de tus experiencias sexuales y creías que me excitabas yo recibía un golpe en el corazón. Me estaba enamorando de ti, me gustaba y es verdad que me enorgullecía, me excitaba la idea de que hubieras tenido tantas mujeres, que se te entregaran con tanta facilidad. Me bastaba saberlo, no hacía falta que me dieras detalles y que me hicieras imaginar todas las traiciones que hubieras podido hacerme a continuación. Diciéndome a mí, yo que te amaba y estaba celosa de todas, lo que habías hecho (después le dije esto, después follamos, después conocí a esa otra y follamos) me traicionabas bajo mis ojos y pensaba que continuarías haciéndolo, que siempre me engañarías. Porque había una cosa, estúpido, que me habrías tenido que decir cada vez, que deberías haber añadido en tus historias y que por el contrario nunca dijiste: "Pero ahora estás tú, amor mío, ahora sólo te quiero a ti. Iba con ellas porque no te conocía. Si te hubiera conocido antes, no habría tenido necesidad de buscar a nadie más". Esto nunca me lo dijiste, porque nunca entendiste nada de mí. Y así, cada historia con la que pensabas que me conquistabas, me arrancaba algo, me alejaba. No quería ser una de tantas, no aceptaba convertirme en una de ellas. Y así, un día, me fui, para siempre. Sí, sí, ya sé que me buscaste, como un loco, pero yo nunca te respondí.»

En el extremo opuesto están las personas que se excitan con los celos, que desean con mayor intensidad cuando no están seguros de ser correspondidos, cuando encuentran un obstáculo, cuando ven aparecer un peligroso rival. Ya habíamos citado *Un amor* de Dino Buzzati:[11] el protagonista, Antonio, se enamora de una joven prostituta. Aunque no se lo confiesa la desea sólo porque se la imagina en la cama con otro. De hecho cuando ella, al final, se queda embarazada y se queda en casa, a sus ojos deja de ser sexualmente deseable. El amor ha terminado.

También habíamos citado *Le donne di una vita* de Carlo Castellaneta, donde el protagonista deja de amar en el momento en que ella se enamora de él. Y este mismo autor, en la novela *Passione d'amore*,[12] muestra que quien se siente atraído por los celos acaba siendo prisionero de este sentimiento. El protagonista, un don Juan que abandona a las mujeres tan pronto como las seduce, en realidad se mantiene locamente fascinado por la misma mujer durante quince años, Leonetta, que lo conserva como amante diciéndole repetidamente que le ama pero que se guarda bien de abandonar a su marido, con quien periódicamente desaparece durante largas vacaciones.

3. Simplificación de la vida

Hemos asimilado el enamoramiento con los movimientos colectivos que «estallan» desintegrando una estructura social que se ha tornado sofocante e insoportable. Por esta razón es más fácil que el enamoramiento llegue a producirse en una sociedad que te asigna roles rígidos que debes resolver cumpliendo un esfuerzo sobre ti mismo, mientras que resulta más difícil en una sociedad con roles extremadamente fluidos en la que no hay barreras que derrumbar.

A finales del siglo XX y comienzos del XXI se ha producido una profunda transformación de las relaciones de trabajo y sociales. Al principio el campesino mantenía un estrecho y duradero vínculo con la tierra, el obrero lo hacía también con la fábrica y el funcionario con su organización burocrática. Durante estos años, el progreso tecnológico, la mundialización de las empresas, el juego de la política o de las finanzas internacionales, los cambios en las ofertas de trabajo, el cambio de costumbres, por el contrario, han hecho que todas estas relaciones se hayan ido aflojando. Zygmunt Bauman hace un buen análisis de ello en *Modernidad líquida*: «Flexibilidad», escribe el autor, «es la palabra del día y cuando se aplica al mundo laboral preconiza una vida de trabajo […] plagada de incertidumbre […].[13] En una situación en la que el trabajo se hace por horas y de modo precario, despojado de perspectivas estables y por ello episódico, en el que prácticamente todas las reglas relacionadas con el juego de promociones y de despidos se han reducido a cenizas o tienden a cambiar antes de que la partida haya cambiado, es bien difícil que la lealtad y el compromiso recíprocos puedan germinar y echar raíces».[14] Éste es uno de los motivos fundamentales de la dificultad de construir un proyecto de vida en común porque, en realidad, nadie está en condiciones de proyectar algo individual. «El puesto de trabajo», continúa Bauman, «se vive como un *camping* en el que se planta la tienda para unos cuantos días. [...] Podríamos decir que esta fatídica separación recalca el paso del matrimonio a la "convivencia" [...] y la posibilidad de que la relación pueda romperse en cualquier momento y por cualquier motivo.»[15]

Pero, más allá de la precariedad, hay otro factor en juego que Ethan Watters pone en evidencia.[16] El autor, hablando de la generación de los años 1990-2000, observa que sus miembros probablemente constituyan la generación más libre de la historia. Sus padres, que se rebelaron en la década de los sesenta y de los setenta, habían perdido ya sus ilusiones y dejaron de dar órdenes y consejos. Tras sus fracasos matrimoniales evidentemente no constituían un modelo de matrimonio. Por otra parte, veían poquísimo a sus hijos, sólo alguna vez al año, con lo cual éstos carecían de vínculos familiares. Los jóvenes ni tan siquiera tenían vínculos económicos porque todos trabajaban y, si perdían el trabajo, les resultaba fácil encontrar otro. No necesitaban ahorrar porque sus padres lo hicieron por ellos y de ellos heredaron casa y dinero. Ninguno de ellos tuvo que luchar duramente para subsistir. No tenían jefes despóticos, no hacían trabajos extenuantes. A ninguno le había costado tener experiencias sexuales. El sexo era abundante y al alcance de la mano. El sida ya no atemorizaba porque bastaba con usar un preservativo.

Nadie tenía ganas de casarse ni debía dejar su pellejo y su salud en el trabajo para sacar a sus hijos adelante. Vivían en grupo, con los amigos, se divertían, no tenían crisis ideológicas ni religiosas. ¿Qué necesidad tenían de cambiar?

Es evidente que en estas situaciones no se crea rigidez, ni obstáculos culturales, étnicos, políticos o religiosos que deban infringir. No hay necesidad de que estalle ninguna revolución y, por ello, tampoco se dan las condiciones para que se fragüe un enamoramiento verdadero y perturbador. Y cuando se enamoran, tampoco buscan la pasión ni sienten la necesidad de construir una pareja estable que comparta la vida y el día a día, que luche el uno al lado del otro contra el mundo, que construya una casa y traiga hijos al mundo.

Aldous Huxley, en *Un mundo feliz*,[17] escrito en 1931, anticipa una sociedad en la que se han resuelto todos los problemas de subsistencia, donde los trabajos pesados son realizados por esclavos, donde la procreación se lleva a cabo mediante probetas, donde se vive una total libertad sexual y donde el deseo de enamorarse puede satisfacerse con una simple inyección de «pasión violenta». La protagonista se enamora cuando va a las tierras salvajes y conoce a un superviviente de nuestra época, una persona distinta, portadora de pasiones violentas de verdad que la hacen entrar en crisis y la empujan a cambiar.

La incertidumbre, la flexibilidad y la vida más fácil explican por qué, a partir del último decenio del siglo XX, son tan frecuentes los cambios de pareja y las separaciones entre jóvenes. Para conocerse a fondo, para alcanzar un verdadero proyecto en común, los enamorados deben afrontar problemas reales, específicos, y hacer elecciones concretas. Antiguamente, las personas pensaban en trabajar, casarse y tener hijos. Hoy asisten a las escuelas superiores y la universidad sin tener una idea clara del propio futuro. En Italia viven en casa de sus padres hasta los veinticinco o treinta años. En otros países donde abandonan antes la casa de sus padres para vivir con los amigos tampoco suelen tener un trabajo seguro, estudian, buscan, tienen experiencias y hacen experimentos. Los amores que surgen durante este largo período no requieren, empero, ningún proyecto de vida. Los dos enamorados desconocen los problemas a los que deberán hacer frente y ni se preocupan de que sus respectivos horizontes temporales sean indeterminados. Incluso puede haber entre ellos incompatibilidades que desconocen. Si su amor se mantiene, se darán cuenta de ello más adelante, por ejemplo cuando decidan irse a vivir juntos o cuando esperen la llegada de un hijo o cuando inicien sus respectivas carreras profesionales.

La película de Muccino *El último beso* nos proporciona una ajustada ilustración de este proceso. El protagonista, un joven de unos treinta años, se casa. Pero nunca se había imaginado cómo sería la vida matrimonial con su propio hijo, las papillas, los lloros durante la noche, el cochecito. Cuando la joven esposa empieza a preparar la canastilla para el bebé que nacerá, él se asusta. No era ésa la vida que esperaba. Su mujer, por el contrario, la cultivó en el fondo de su corazón. Entonces él, para huir de la realidad, se enamora de una joven de dieciocho años que todavía va al colegio. Quiere recuperar la manera de vivir de antes, la de siempre. Pero su esposa descubre la relación y, perturbada, lo echa de casa. Una vez llegado a este punto entra en crisis por miedo a perderla. Puesto que el enamoramiento era sincero y todavía no se había deteriorado, se da cuenta de que la ama de verdad y que su amor por la otra sólo era una pasión. Regresa a casa de su esposa llorando y acepta su sueño de maternidad y paternidad como proyecto de vida común. Pero el espectador continúa teniendo la sensación de que se trata de una renuncia a la libertad. Por otra parte, en la película aparece otra joven pareja que acaba de tener un bebé, pero el hombre no consigue aceptar su nueva situación. Se pelea con su joven esposa y al final se va de viaje con unos amigos. El proyecto ha fracasado y el amor se ha destruido.

4. La renuncia

También existe el caso del enamoramiento verdadero y profundo que encuentra obstáculos y la persona enamorada, en un momento dado, intenta alejarse de la persona a la que ama, lo rechaza y rompe la relación.

En el libro *Te amo*[18] describí ya el caso de la renuncia altruista y el de la renuncia egoísta. La *renuncia altruista* se practica para evitar que las personas que amamos sufran, el marido, la esposa y los hijos. Cuando nos enamoramos de alguien no pasamos a odiar inmediatamente a aquellos a quienes antes amábamos. Es más, es típico del enamoramiento el deseo de poder contar con su aprobación e incluso de poder disponer de su ayuda para llevar a cabo el propio amor nuevo. Quien quiere, no obstante, no quiere hacer sufrir y cuando un hombre que ama a una mujer se enamora de otra se encuentra ante un dilema porque cualquier alternativa que elija producirá sufrimiento y daño.

Es como pedir a una madre, a quien le han raptado a sus hijos, que elija cuál de los dos debe ser sacrificado. ¿Debe de sacrificarse el amor antiguo o el nuevo? La persona enamorada que renuncia a su amor para que no sufran los demás (renuncia altruista) está irrenunciablemente abocada a una catástrofe emotiva. Tras un dolor atroz, cuando la ruptura es ya un hecho irreparable no experimenta ningún sentimiento, sólo una aridez dolorosa: la petrificación. Vaga como un espectro. El marido o la esposa que recuperan a su pareja en estas circunstancias se llevan a su casa una especie de fantasma, a una persona que ha matado su propia capacidad de amar y que, además, busca desesperadamente un nuevo amor. Y quizás tenga la sensación de haberlo encontrado pero el amor rechazado es como una enfermedad subterránea que se manifiesta como un desencanto repentino, como una amargura inesperada y como un sentimiento de vacío. Igor Caruso trató el tema perfectamente bien.[19]

Muy distinto es, por el contrario, el caso de la *renuncia egoísta*, que se aplica cuando la persona enamorada renuncia para defenderse, para no sufrir. Por ejemplo porque no está segura del amor del otro, porque se da cuenta de que le es infiel. O también porque no consigue imaginar un futuro a su lado, porque es demasiado pasivo para llegar a crear un proyecto de vida común. En otros casos porque no soporta los celos, en otros porque no tolera la distancia. La renuncia egoísta va acompañada de un gran dolor, pero no tiene lugar la petrificación porque no se trata de una pérdida pura. Al romper la relación, de hecho, se libra de un peso, de una angustia, de un tormento que, con el paso del tiempo, estaría destinado a crecer. Sin duda sigue deseando a la persona a la que ama y cuando piensa en ella y en la felicidad compartida siente una nostalgia terrible, pero a la vez siente con mucha fuerza el empuje para continuar hacia delante, porque no quiere volver a caer en la duda, en el resentimiento y en los celos.

Como siempre, en la vida real, las situaciones son a veces complejas y mezcladas. En la película *El hombre que susurraba a los caballos*, de Robert Redford, la protagonista femenina es una neoyorquina con una hija minusválida. Durante el tiempo que permanece en el rancho donde Redford cría con extraordinaria maestría a los caballos, se enamora de él y, puesto que él también le ama, está dispuesta a abandonar a su marido. Pero no lo hace. Su hija no puede vivir, estudiar y curarse en ese lugar aislado y debe regresar a Nueva York porque no se siente con fuerzas para abandonarla.

Al final, se marcha con la hija. Nos encontramos ante una renuncia altruista. Sin embargo, a la vez sabe que el hombre a quien ama jamás dejará su rancho y sus caballos. Lo sabe porque él ya le ha dicho que por ellos renunció a la mujer que había amado y se pregunta si ella misma soportará pasar el resto de su vida en el campo, aislada y renunciando no sólo a su hija, sino también a su profesión de periodista. A lo mejor, no. Por ello también es, en cierta medida, una renuncia egoísta.

La renuncia altruista está más presente hoy entre los hombres. De hecho, ellos tienden a prolongar cualquier tipo de relación amorosa oficial, en parte porque, al menos en Occidente, una larga historia de monogamia ha inculcado en ellos el sentido del deber hacia la esposa y los hijos, un sentido del deber que se mantiene aun cuando las condiciones históricas ya hayan cambiado. Entonces, cuando se enamoran de otra mujer estando todavía casados, o si conviven con una amante, sobre todo si tienen hijos, experimentan un fuerte sentimiento de culpa. Sólo si es la mujer quien le empuja con determinación a hacerlo se separará o divorciará. Por el contrario, hoy en día es más frecuente entre las mujeres acogerse a la renuncia egoísta. De hecho, las mujeres, históricamente, han sido educadas para sacrificarse por los hombres, para aceptar y tolerar sus defectos. Por ello, resisten mucho más, pero cuando no se sienten amadas o cuando juzgan imposible o equivocado un amor saben romperlo con decisión sin volver jamás hacia atrás. Y además tienen otra fuerza que las ayuda a cortar: saber que los hijos casi siempre se les confía a ellas.

5. Renuncia y seducción

Quien ha hecho una renuncia altruista se seca, no siente deseos. Contrariamente a ello, quien ha optado por una *renun-*

cia egoísta continúa amando, continúa deseando y a menudo alcanza un gran *poder de seducción*.

Lo vemos más claramente en el hombre, que rompe con más dificultad que la mujer, y que cuando lo hace conserva en su corazón el deseo por su amada. Intenta sustituirla y lo hace dirigiéndose a cada una de las mujeres que le atraen con toda la carga emotiva y erótica del gran amor, pero sin el miedo, el ansia, las palpitaciones de aquél porque nada arriesga. El empuje, el ardor con que la busca, con que la mira, con que le habla, van dirigidos a esa otra mujer a la que abandonó y a la que continúa amando. Pero la mujer tiene la sensación de haber desencadenado una pasión turbadora, tiene la impresión de que ese hombre ama todas sus cosas, todo su cuerpo, todos sus gestos. Siente en ella su mirada, una mirada que le busca el alma mientras le habla con las palabras de la poesía, sublimes e irresistibles. Con él ya no se siente como una mujer, se siente como una diosa. Pero este hombre, recordémoslo, no está enamorado; ni tan siquiera puede enamorarse. Actúa «como si» estuviera enamorado. Este comportamiento es fuente de infinitos malentendidos y de mucho dolor en las experiencias del amor.

Pero también nos ayuda a entender el poder seductor de algunos hombres. Ahora bien, debemos establecer claramente una distinción. Personajes como Casanova y Don Juan son cazadores, quieren sumar otra presa a su morral, otra muesca a su fusil. Sus enamoramientos no son verdaderos sino meros arrebatos de pasión competitiva. Arden, suspiran de amor por una mujer siempre que ésta pertenezca a otro o hasta que ella lo rechaza. Su lucha es un enfrentamiento para conquistar. Una vez han obtenido la rendición, su deseo amoroso y erótico desaparece inmediatamente.

Ciertamente existen también casos de grandes seductores capaces de mantener vínculos fuertes aunque sean de corta duración. Por ejemplo, D'Annunzio, cuando se acercaba a una mujer que lo atraía, buscaba en ella el gran amor. Se dedicaba completamente a ella, se ocupaba de ella, la asistía si enfermaba o si necesitaba algo. Pero, después de un cierto tiempo, su amor por ella desaparecía y pasaba a otro amor igual de intenso, aunque otra vez más de duración limitada. Este comportamiento nos parece comprensible si tenemos en cuenta todo lo que hemos aprendido de las personas que han hecho una renuncia egoísta, es decir, que han abandonado, sin añorarla, a una persona a la que han amado. Lo han hecho porque se han dado cuenta de que ya no respondía a sus más profundas necesidades, pero no han permitido que naciera en ellos el disgusto y el rechazo. Lo siguen apreciando pero, a la vez, desean un nuevo amor.

D'Annunzio nunca deja que un amor se deteriore, siempre lo interrumpe antes, cuando se da cuenta de que ya no alimenta su creatividad. Ésta es la diferencia con Don Juan. Don Juan colecciona éxitos en competiciones amorosas, mientras que D'Annunzio usa el amor como fuente de creatividad artística. Él sólo mantiene una relación a partir de este criterio. Tan pronto como se da cuenta de que ese amor deja de alimentar su genio, rompe y busca inmediatamente otro amor. Así conserva del primero el sabor y el deseo y lo transfiere enseguida a la nueva persona que le parece más evocativa y estimulante. Y se lanza totalmente a la aventura, en cuerpo y alma, sin ahorrarse nada, manteniendo siempre muy claro en su cabeza que la finalidad del amor, su sentido, no es crear una pareja, o una familia, o cualquier otra cosa, sino puramente la creación artística. Cuando estalló la Primera Guerra Mundial se lanzó a ella hasta el fondo, como si fuera otro amor, el último.

XI
Del enamoramiento al amor

1. Pruebas y pactos

Hemos repetido varias veces que el enamoramiento es un proceso que se desarrolla en el tiempo. Un período que puede ser breve pero en el que tienen lugar procesos psíquicos de extraordinaria violencia y complejidad. Aquí tan sólo recordaremos algunas etapas y remitiremos al lector a las obras ya citadas en las que traté con mayor profundidad dicho tema. Empecemos, pues, recordando que, en el proceso del enamoramiento, los amantes se someten a distintas pruebas.

Entre ellas encontramos, sobre todo, las que nos imponemos a nosotros mismos: la **prueba de la verdad**. Cuando nos estamos enamorando siempre intentamos resistirnos al amor, no queremos ponernos completamente en manos del otro. De ahí que al principio sostengamos una lucha con nosotros mismos, que una vez nos soltemos y otra nos retraigamos e intentemos disminuir lo que sentimos. El enamoramiento, en sus comienzos, no es un estado constante, sino un sucederse de períodos de loco deseo, de éxtasis, al que le siguen momentos de tregua e incredulidad.

Hay veces en las que nos decimos: «a lo mejor sólo era una pasión pasajera». O a lo mejor otras en las que nos despertamos por la mañana con la impresión de no estar enamorados. Todo ha terminado, nos decimos, sólo ha sido una ilusión. Después, de repente, la persona amada nos vuelve a la cabeza y nos damos cuenta de que la deseamos desesperadamente, corremos a telefonearla, a buscarla y, si no la encontramos, nos sentimos desesperados.

Recordemos también que en estas primeras etapas del enamoramiento los dos enamorados, antes de abandonarse, pueden recular incluso un poco. Pueden, por ejemplo, volver con un antiguo amante o continuar una aventura empezada poco antes de que surgiera el nuevo amor. Se sienten inseguros y algunos declaran estar enamorados de dos personas a la vez. El amor de verdad avanza poco a poco entre la búsqueda, la exploración, la incertidumbre y los celos y va superando relaciones triangulares. Para saber si estamos verdaderamente enamorados sólo hay una manera: alejarse, intentar echar de menos al amado y observar qué ocurre. Si no podemos soportarlo, si nos domina una profunda *desesperación*, entonces significa que amamos de verdad. Habremos superado la *prueba de la verdad*. Pero es un juego arriesgado, pues el otro puede interpretarlo como un rechazo.

A la vez sentimos miedo de no ser correspondidos. Puesto que el amor del otro nos parece una «gracia» inmerecida, tememos que no se nos conceda precisamente cuando le deseamos más ardientemente. Hemos llegado, de este modo, a la segunda clase de pruebas: las **pruebas de reciprocidad**. Su función es la de descubrir si el otro nos ama de verdad, si nos ama con la misma intensidad con que nosotros le amamos. Al comienzo todo es incierto, el enamorado deshoja la margarita. Pero incluso cuando la relación se ha estabilizado las dudas continúan existiendo. Todo aquello que el otro hace, todos sus gestos, todos los matices de su comportamiento son objeto de continuo análisis. Todos los gestos de la persona amada están cargados de significado, de valor simbólico. El enamorado los estudia, los analiza, los interpreta y los descifra: «Debería haber llegado a las siete. Lleva media hora de retraso. Ello significa…». O también: «No se ha puesto el collar que le regalé, sino otro. ¿Quién se lo habrá regalado?». En un momento dado, se arma de valor y se lo pregunta. «Era de mi madre. Me lo regaló cuando cumplí dieciocho años.» Y nos invade un sentimiento de alivio culpable. También hay personas que inventan situaciones para poner a prueba al otro de modo arriesgado.

Cada uno de los enamorados quiere llevar a la práctica sus propias potencialidades, así como las del amado, y elaborar un **proyecto de vida en común**. Vida en común no significa necesariamente matrimonio y ni tan siquiera convivencia aunque es lógico que dos enamorados deseen estar juntos el máximo tiempo posible. Pero a veces existen los más diversos obstáculos debidos a la distancia, al trabajo o a las presencias personales, que pueden conllevar viviendas separadas o incluso ciudades distintas. Decíamos que los proyectos pueden ser muy variados, pero lo importante es que dos enamorados estén de acuerdo. Cuando el acuerdo no existe aparece el conflicto. Cada uno desea que se reconozca su propio proyecto de vida. La pregunta: «¿Me amas?» también significa: ¿Tú aceptas entrar en mi proyecto?». Y el otro, cuando pregunta: «¿Me amas?» quiere saber si «¿aceptas, tú, entrar en el mío?». Y cada vez que uno de los dos responde: «Sí. Te amo», en realidad le está diciendo: «Modifico mi deseo, vengo hacia ti, acepto tu pregunta, renuncio a todo lo que quiero, quiero contigo lo que tú quieres».

Pero hay cosas que resulta imposible quererlas juntos. Cosas que, al traicionarse, traicionan precisamente los valores en cuyo nombre se ha producido el enamoramiento. Son los *puntos de no retorno*. Puede ser una diferencia religiosa o política, puede ser el deseo o la falta de deseo de tener un hijo, puede ser un modo de vida inaceptable. Ante un punto de no retorno la relación de pareja está gravemente amenazada.

El pacto.[1] El enamoramiento se convierte en amor estable sólo cuando cada individuo pone un límite a sus propias pretensiones y acepta sinceramente los deseos del otro como derechos inalienables. Para que el pacto tenga sentido los enamorados deben contarse sus vidas, sus sueños, deben ver el mundo desde el punto de vista del otro y lo deben hacer en el contexto de la vida cotidiana, con espíritu de verdad. Es del pacto que surge la institución de reciprocidad, el sistema de certezas que hace posible la vida y la visión común del futuro.

Ahora bien, no imaginemos las pruebas y los pactos como fenómenos racionales. Éstos llegan en medio del tumulto de las pasiones del estado naciente. Sólo este particular estado les permitirá imprimirse con caracteres de fuego en el corazón y el alma de los enamorados.

2. El pacto de fidelidad

El enamoramiento se caracteriza por una tendencia espontánea a la fidelidad, pero es un proceso de altísima intensidad emotiva. La persona enamorada desea a su amado por encima de cualquier otra cosa, pero tiene dudas, indecisiones, temores. Si el enamorado tiene la sensación de no ser correspondido o de ser traicionado intenta negar o anular su amor. Si el amado pasa mucho tiempo alejado y piensa no ser correspondido siente la tentación de buscar a un sustituto para olvidarlo.

A menudo, el enamoramiento viene precedido por una fase de búsqueda entre muchas personas distintas. Erica Jong observa de un modo despreciativo: «La mayoría de los divorciados con los que salía Isadora parecía que tuvieran a otras mujeres a las que recurrir en caso de fallar –como si, heridos en las crudas batallas del matrimonio o del divorcio, hubieran decidido no volver a arriesgarse nunca más a jugarse el todo por el todo—. Esto significa que se lanzaban con entusiasmo sobre la presa más apetecible, pero mientras tanto, para no quedarse sin nada, jugaban con sus respectivas mujeres como los jugadores de bolos»[2] con llamadas, citas para días fijos, rechazos y cancelaciones.

La protagonista del libro *Una espía en la casa del amor*, de Anaïs Nin,[3] se reparte entre muchos hombres para no estar unida sólo a uno. Sólo cuando uno está convencido, absolutamente convencido de amar y de ser amado, deja de hacer exploraciones y de tener otras experiencias.

Las personas que se enamoran cuando su amado tiene ya un grupo de amantes son tolerantes. El hombre enamorado de una mujer casada hará ver que no sabe que ella hace el amor con su marido, se creerá su mentira hasta el momento de la verdad, en que le pedirá que elija: él o yo, todo o nada.

Para que el enamoramiento llegue a ser un amor exclusivo y fiel necesita que ambas personas así lo quieran. El amor, en relación con el estado naciente del enamoramiento, es institución, es decir, algo querido y deseado. La tendencia espontánea a la exclusividad y a la fidelidad del enamoramiento se transforma en fidelidad efectiva sólo si así se quiere, se exige y se incluye en el pacto como punto de no retorno.

Se trata de un punto muy importante. El pacto de fidelidad se forma cuando todavía está activo el proceso de fusión y las emociones y las promesas son como lava ardiente, metal líquido que se cala en el molde y adquiere forma definitiva.

El empeño de fidelidad, como todos los otros empeños de pareja, debe renovarse con el paso del tiempo. La institución es el producto de la reconfirmación del pacto. Si éste se realiza, si el pacto se respeta mucho tiempo, produce un profundo cambio de la relación erótica. Poco a poco los dos renuncian a las fantasías de engaño, no se exponen a las tentaciones y aprenden a buscar la belleza y el placer sólo en el cuerpo del otro.

Hay quien sostiene que esto es imposible. No, no es verdad. Es posible, pero con la condición de que primero se sienta y después se quiera incorporarlo explícitamente en el pacto, en el empeño. Sólo ahora ponemos límites a nuestro deseo y estos límites, puesto que son fruto del amor apasionado, del miedo a perder a la persona amada, nos parecen naturales. Hay personas en las que resulta más fácil, más instintivo, pero en otras requiere un poco más de tiempo. Ahora bien, en el enamoramiento de verdad siempre hay un momento en que sólo interesa el cuerpo del otro y el tiempo no nos basta para descubrir su belleza y la infinita variedad de sus formas, siempre nuevas.

«Sí, se lo confirmo», dice Carlos, «hace quince años que estoy casado y nunca he traicionado a mi mujer. Estoy muy enamorado de ella, es una mujer maravillosa. Para empezar, diré que es muy guapa, y no sólo para mí, lo es de verdad. Tiene un cuerpo fino pero a la vez lleno, suave y la piel de seda. Es inteligente, sensible, culta, hablamos de todo, es leal; nunca la he visto faltar a su promesa. Siempre me ha apoyado en las buenas y en las malas. Ha sabido crear un hogar delicioso, siempre perfumado y elegante desde buena mañana. Veo que ella sonríe mientras digo estas cosas, pero para mí son importantes. Una mujer descuidada y sin gracia me molestaría. Me gusta observar su cuerpo flexible al andar, me gusta mirar sus tetas redondas, me gusta mirarla mientras hacemos el amor y cada vez me sorprende la suerte que he tenido. Por eso no siento la necesidad de otras. Antes de conocerla tuve a otras mujeres, pero cuando entendí que ella era la mujer de mi vida, a la que amaría toda la vida, con la que viviría siempre, absorbió todo mi interés, todo mi erotismo. Le soy fiel porque le basto y ella me basta a mí. No me complico, ¿me entiende? Evidentemente he encontrado a mujeres hermosas, pero nunca me he sentido tentado de tener una historia o una relación con ellas. Y no vaya usted a pensarse que soy un reaccionario o un beato. El sexo para mí nunca ha supuesto un problema moral, sólo que habría sido una absurda complicación, habría turbado la armonía que hay entre nosotros, el sentido de plenitud.»

3. La institución

Todos los movimientos pueden disolverse o bien crear estructuras sociales y culturales sólidas y duraderas. Los grandes movimientos pueden generar cultos, sectas, sindicatos, partidos, naciones. El enamoramiento tiene el poder de generar una pareja duradera cuyos miembros viven juntos, tienen hijos, los crían y los educan afrontando unidos las dificultades del mundo. A estas formaciones estables, que resisten al tiempo y a las adversidades, nosotros las llamamos *instituciones*.[4] *Institución* significa querido, instituido, fundado con la intención de durar y, así, hacer realidad los objetivos, los sueños y proyectos.

El más simple objetivo que puede proponerse la pareja que emerge del enamoramiento es vivir plenamente su propio amor. Y, puesto que la persona enamorada siente y cree que su amor será eterno, se emplea en amar sólo y para siempre a la persona amada. La gente hoy en día se burla de la promesa que se hacen los verdaderos enamorados: «Te amaré siempre, pase lo que pase, en la salud y en la enfermedad, en la riqueza y en la pobreza. De ti lo amo todo, tu cuerpo y tu alma, lo que eres y lo que serás. Del mismo modo que te amo ahora, que eres fuerte, te amaré cuando estés débil, te amaré cuando estés contento y también cuando estés triste. Te amaré aunque no tengas tan buena figura como ahora, cuando tu seno ya no sea turgente y tus manos, frágiles. Amaré tu pelo blanco, amaré las arrugas de tu rostro. Porque yo no amo de ti sólo la apariencia, la forma que tienes hoy, sino cualquier forma que tú puedas asumir. Porque yo amo tu esencia profunda. Inmutable, tu ser».

Pero cuesta burlarse de estas palabras, puesto que son el único fundamento posible del amor. Aquel que desea construir algo perpetuo pone unos buenos cimientos y construye de manera que el edificio dure. Los egipcios, los griegos y los romanos construían así y sus monumentos han permanecido. Hubo otros pueblos que no se propusieron este objetivo y, de ellos, sólo nos han llegado algunas tablillas que hay que descifrar. Y lo mismo ocurre con las formaciones sociales y con los productos culturales. Los budistas tibetanos construyen magníficos mandalas de arena colorada que después dispersan para recordar la vanidad de cada cosa. Pero nos han legado centenares de templos, como el Potala. Porque querían que durara. En toda Europa, durante siglos, se formaron y se deshicieron numerosos ejércitos feudales y compañías de fortuna. Pero la Iglesia católica ha permanecido. Porque sus fieles querían que fuera eterna. También la pareja, por muy frágil, precaria y efímera que pueda parecer, no hace ninguna excepción. Sin embargo, todo se pone en juego al comienzo. Cuando una sociedad deja de creer en sí misma, en la posibilidad de ser duradera, la pareja deviene frágil. Cuando los enamorados no se proponen que sea duradera, no durará. Todas las formaciones humanas existen gracias al encuentro de la espontaneidad con la voluntad. Basta que falte uno de estos dos elementos y el otro será insuficiente. El movimiento tiene en su seno la institución, pero debe querer realizarla. La institución tiene en su corazón la llama del estado naciente, pero debe querer mantenerla siempre encendida.

Debemos, pues, diferenciar entre movimiento e institución, entre enamoramiento y amor, pero no podemos contraponerlos, porque el enamoramiento aspira a la certeza, a la perennidad, y por ello al amor. No obstante, el amor persiste hasta que conserva en su interior el fuego del enamoramiento, la esperanza, el entusiasmo, el sueño de una vida siempre nueva.

XII
Conflicto entre sexo y amor

1. La utopía erótica

En toda la literatura erótica la sexualidad fluye sin problemas, conflictos ni obstáculos. Lo vemos en la pornografía donde todos, hombres y mujeres, desde el primer encuentro están ya dispuestos y ansiosos de tener sexo, sin necesidad de decirse nada y sin dudarlo nunca. Después se dejan y se reencuentran sin problemas. La pornografía masculina ignora los sentimientos, es puro sexo, puro acoplamiento, sin complicaciones de ningún tipo. Anaïs Nin, en sus libros, también nos cuenta que pasa de un amor a otro sin tener verdaderos conflictos, sin sentimiento de culpa, sin padecer crisis de celos, sin provocar dramas ni tragedias ni dolor. Ello me hace pensar que, también en sus *Diarios*,[1] hubo mucha manipulación literaria. Pero la utopía erótica más completa la encontramos en Arsan. Ya en las primeras páginas de *Emmanuelle*.[2] La mujer se entrega al hombre que tiene al lado sin decirse nada. Nunca hay un momento de duda, un titubeo, un sentimiento que vaya más allá del puro placer inmediato que, por otro lado, siempre es inmenso. El erotismo de Emmanuelle es promiscuo. Con el hombre del avión, con Marie-Anne, con su marido, siempre incondicionalmente dispuesta a dar y a recibir placer. Pero el erotismo de Emmanuelle no se limita al puro sexo, también hay amor. Emmanuelle se enamora de Marie-

Anne y también está enamorada de su marido. Cuando llega la bellísima Bee se enamora inmediatamente de ella: «Le parecía que había ido a parar a ese rincón del mundo sólo para encontrarla. Y la había reconocido enseguida, con la primera mirada que había esperado siempre».[3] En su mundo hay espacio para los amores profundos, duraderos, hacia el marido, hacia aquellos a quien ella llama maridos y también hacia sus amantes. Y así hacia sus amigos, hacia los hijos y los niños. Ninguno de ellos tiende nunca a la exclusividad sexual, al dominio. No hay celos, conflictos ni dolor.

Me he referido a una utopía erótica porque describe un mundo en el que no hay violencia, no hay conflicto, celos, dudas, arrepentimiento o recriminaciones. Por el contrario, en la realidad todas estas cosas existen. Existen porque el ser humano es complejo, porque, además del impulso sexual, tiene otros como la necesidad de la exclusividad, la agresividad o el deseo de dominar. La sexualidad entra en el amor, forma parte de él, emana de él y lo alimenta, pero, inserida en las relaciones sociales, produce celos, conflicto, dolor, rencor y venganza. Para Schopenhauer la esencia de la vida no es Eros, un simple engaño de la naturaleza que nos empuja a procrear, sino la Voluntad. Para Nietzsche es la Voluntad de Poder, que subsume en sí la sexualidad. Freud, que empezó incluyendo a Eros, después se vio obligado a añadir a Thanatos, la violencia.

El enamorado odia al rival, odia a la persona que ama cuando ésta prefiere a otro. Las personas que una vez se amaron, durante el período de divorcio se oponen, respaldadas e incitadas por sus abogados, como dos fieras salvajes y utilizan a los hijos para herirse a muerte. Los amantes discuten, se dejan, se traicionan. Primero, jadeando, se dicen «qué guapo eres, qué guapa eres, eres divino, eres divina» y al cabo de unos minutos se insultan y se hacen reproches cargados de veneno. Esta disociación está expresada de un modo paradójico en la película *Instinto básico*, con Sharon Stone, cuando la mujer que hace apasionadamente el amor le clava al hombre —que está a punto de eyacular— una aguja en el corazón y ella tiene un orgasmo gracias a la erección convulsiva del moribundo.

Pero, por encima de todo, el conflicto entre sexo y amor se manifiesta en la oposición entre el deseo de retener de un modo exclusivo y el de cambiar, explorar, esto es, entre monogamia y poligamia, entre exclusividad y promiscuidad, entre fidelidad y engaño.

2. Poligamia y monogamia

Helen Fisher, en su libro *Anatomía del amor*,[4] tras haber estudiado las costumbres sexuales y matrimoniales de todos los pueblos de la historia y de las culturas etnológicas de la Tierra, llegó a la conclusión de que, en el transcurso de la historia, siempre han sido los hombres quienes han tenido más mujeres a la vez. Ahora bien, las mujeres siempre han intentado por todos los medios impedir que su marido tomara a otra mujer. Y teniendo en cuenta que los hombres tienen celos de sus mujeres y que no quieren tener competencia, debemos concluir que, en nuestra especie, hay una fuerte tendencia a la exclusividad amorosa y sexual. Contemporáneamente, en todas las sociedades, existe siempre, también, un cierto grado de infidelidad tanto en hombres como en mujeres. Una infidelidad conyugal que, no obstante, con la misma regularidad, es oficialmente prohibida si bien se practica a escondidas. Todo el mundo sabe que existe y es objeto continuado de confidencias y de habladurías. Pero no debe ser demasiado pública. También en la pareja, aparte de acuerdos específicos o de formas de matrimonio abierto, la infidelidad se tolera sólo cuando nadie habla de ella.

La universalidad de estos comportamientos nos dice que en el ser humano se distinguen dos tendencias, dos deseos de base antagónicos. El primero es el deseo de una persona concreta, única, inconfundible, con la que establecemos un vínculo amoroso duradero, exclusivo y del que, por ello, nos sentimos celosos. El otro es un impulso de explorar que nos empuja a todos, hombres y mujeres, a buscar encuentros, relaciones y contactos eróticos con personas nuevas y variadas. El primer impulso, el amoroso, ha sido el que, a lo largo de la evolución humana, ha dado lugar al matrimonio, al cuidado de los hijos y de la familia. Pero, con la misma tenacidad, estas instituciones siempre han padecido la insidia del otro impulso, el de exploración.

Estos dos impulsos sólo dejan de oponerse durante el enamoramiento. Sólo durante el enamoramiento esa persona deviene uno y múltiple a la vez. Es ella misma y cualquier otra. En la persona amada se concentran todos los recuerdos, todas las impresiones aunque fugaces de lo que hemos querido, de lo que hemos esperado, de lo que hemos deseado en el pasado. Nuestro amado es la síntesis de todos los encuentros, de todos los ídolos, de todas las fotografías, de los protagonistas de todas las novelas, de todas las películas, de todos los espectáculos, de todos los sueños, de todos los amores, de todos los amantes, de todos los hombres, de todas las mujeres a las que hemos admirado, soñado y deseado. Por esta razón, ya no tenemos que buscar ni explorar, porque la exploración la hacemos en esta persona, que poco a poco nos da a conocer nuevos rostros de sí misma o que encarna siempre a otras personas. Sólo el enamoramiento es una continua búsqueda, un continuo descubrimiento y un continuo hallar.

Fuera del enamoramiento los dos principios tienden a separarse. El resultado es que, en el transcurso de la vida, el impulso que nos une a una persona y aquel que nos lleva a buscar lo diverso nunca desparecen y, si en un momento dado prevalece el primero, en un segundo tiempo puede prevalecer el otro, e incluso hay casos en que se presentan a la vez. Los datos antropológicos nos dicen, en realidad, que en casi todas las sociedades humanas la relación conyugal es muy estable durante los primeros cuatro años, después tiende a debilitarse y puede terminar en divorcio. O también puede darse que la relación dure pero que se avive el impulso de exploración.

En estos casos, estamos unidos a una persona, la apreciamos y la deseamos de una manera exclusiva, no admitimos que mantenga relaciones sexuales con otros, nos sentimos celosos pero, a la vez, queremos tener la libertad de entablarlas nosotros y poder continuar nuestras exploraciones. Pretendemos tener un marido o una esposa dedicados y fieles mientras nosotros nos permitimos alguna aventura o un amante.

Según mi valoración, ésta es la forma de relación que tiende a imponerse con mayor frecuencia. Pero se trata de una relación moralmente desequilibrada puesto que queremos para nosotros algo que no aceptamos para el otro. Si nuestra pareja hace lo mismo, entramos inexorablemente en un conflicto. En todos los lugares y en todos los tiempos, la sociedad ha intentado impedir este conflicto o ha procurado regularlo. En Oriente lo hacen concediendo al hombre muchas mujeres o concubinas, pero negando ese mismo derecho a la mujer. En Occidente imponiendo una rigurosa monogamia pero, de hecho, admitiendo más libertad para el hombre. Ahora bien, todo esto, tras la revolución sexual y el feminismo, actualmente ha terminado. Entre ambos sexos se reconocen los mismos derechos y los mismos deberes. Pero ya no existen ni leyes ni normas morales impuestas a todos y válidas para todos. Nuestra sociedad concede una enorme libertad de elección. El resultado es que, en cada pareja, aumenta la posibilidad de conflicto entre el amor exclusivo y la sexualidad de exploración.

3. Exclusividad

Jennifer dice: «¿Pero por qué voy a querer que mi marido sólo haga el amor conmigo y no con otras mujeres si yo misma lo he engañado con otros hombres? ¿Por qué no admito que mi hombre folle con otra? ¿Por qué, si lo hiciera, para mí significaría una ruptura irreparable? Lo sé. Sé que hacer el amor una vez no implica un vínculo duradero y que me continuaría amando. Pero, aun así, sigo sin aceptarlo.

»Yo también le he engañado. Me he acostado con dos hombres. Uno era amigo suyo y el otro un compañero mío, durante un congreso. Fue un capricho momentáneo, una época en que habíamos discutido y pasábamos largas temporadas separados. Y pienso que también él, estoy segura, después de tantos años juntos se ha enrollado con alguna. Y también estoy segura de que no soportaría saber que me he acostado con otro. Yo, de hecho, me guardo bien de decírselo. Y también me guardo de preguntarle lo mismo a él.

»Así, somos dos traidores que se mienten. Pero, en el amor, ¿no deberíamos decírnoslo todo, ser sinceros y leales? Nosotros somos leales, nos apreciamos mucho. Yo aprecio sinceramente a mi marido. Hice el amor con esos dos, pero no les cambiaría por mi marido ni por todo el oro del mundo. Ni tan siquiera en sueños. Le conozco bien, sé que es honesto, limpio, generoso, que haría cualquier sacrificio por mí. No sólo me gusta, sino que me gusta vivir con él, hablar con él, dormir con él, hacer el amor con él. Y creo que por su parte piensa lo mismo. Nuestro matrimonio está bien. Pero entre nosotros debemos callar y mentir para evitar que se destruya nuestra relación, nuestra vida. Es extraño: mientras callemos o nos mintamos, nuestro amor continuará siendo intenso manteniendo la pretensión de ser exclusivo. Pero nunca deberemos verificar si es exclusivo porque, si lo hiciéramos, lo destruiríamos.»

En realidad, todas las relaciones humanas están hechas de cosas que se pueden decir y cosas que no se pueden decir. Una entrevistada mía que vivió una intensa y elaborada vida amorosa, en un momento dado se fue a vivir con un hombre más joven que ella y le dijo: «Tú puedes hacer lo que quieras. Pero hazlo de manera que yo nunca vea nada, nunca sepa nada y que nunca te pase por la cabeza querer confesármelo».

El silencio no sólo vale para el amor. La política, el arte de las negociaciones, las relaciones humanas en conjunto, incluidas las que se establecen entre padres e hijos, se fundamentan en lo no decible. No podemos explicar los pensamientos, los hechos y los sentimientos que podrían herir al otro o que desvelarían aspectos de nosotros mismos que podrían turbarle. Ni tan siquiera debemos decírnoslo a nosotros mismos: nuestra vida sería una zarabanda caótica de emociones contradictorias sin un centro que cohesionara y ordenara, que impusiera un no o un sí.

Las relaciones humanas están tejidas con el mismo principio de indeterminación que la mecánica cuántica: sabes cómo han ido las cosas sólo cuando has alcanzado una medida, es decir, cuando has intervenido en el fenómeno o, con tu intervención, lo has modificado. La intención de saber, la pregunta, ya altera la relación. En cualquier caso, la verdad es siempre un artefacto generado por tu acción que ha obligado a las cosas a ser «esto o aquello».

4. ¿Todo como antes?

El gran pintor japonés Shinichi Kadowaki, que hoy tiene noventa y dos años, me invitó a ver sus cuadros sobre el amor y me regaló un breve escrito que dice: «El objeto sexual de los hombres está dirigido a muchas mujeres; en la mujer, éste se dirige hacia pocos y determinados hombres. La finalidad del deseo sexual en los hombres es el placer del sexo o matar. En las mujeres, alcanzar la felicidad y mantener una relación dulce y de colaboración. Por otro lado, el hombre, una vez terminada la relación sexual, pierde el interés. Entre las mujeres, la relación aumenta el deseo de estar juntos». ¿Hoy en día todavía son válidas estas afirmaciones? A primera vista, diríamos que no. En los últimos meses he tenido la oportunidad de leer una decena de novelas escritas por mujeres más o menos jóvenes. Mientras Erica Jong se enfadaba con los hombres porque no sabían amar ni ser fieles e intentaba tener el mismo comportamiento que ellos en relación con el sexo, en estas novelas la búsqueda del hombre para amarlo desesperadamente ya ha terminado y la relación sexual sin implicación emotiva, las drogas y la bisexualidad se han convertido en prácticas comunes. También he visto muchas entregas de la serie *Sexo en Nueva York*, serie de culto entre las mujeres occidentales y retrato de su comportamiento o de sus fantasías sexuales y de poder.

Ello me llevaría a decir que las afirmaciones de Kadowaki se refieren a las mujeres japonesas del pasado y que hoy día ya se han superado, pero, a lo largo de estos últimos años, he recibido muchas cartas confidenciales y he mantenido muchas conversaciones con mujeres jóvenes y menos jóvenes que me han hablado sobre el tema del sexo y el amor. Y he constatado que, efectivamente, muchas mantienen relaciones sexuales sin implicaciones emotivas, y que algunas, durante un período concreto de sus vidas, incluso parece que busquen la promiscuidad como un camino para explorar al completo la potencialidad de sus cuerpos. Un sexólogo amigo mío, tras haber examinado a un centenar de chicas, me dijo que no necesitaban ningún tipo de educación sexual porque sabían tantas cosas del sexo como él mismo. Pero que, en contraposición, les iría bien recibir una formación sentimental porque no entienden sus propios sentimientos ni tampoco los del hombre. Así pues, en el campo emocional son verdaderas «analfabetas» Y ello las conduce a tener experiencias desastrosas y conflictivas, a consumir drogas y a terminar en manos del psicólogo.

Ahora bien, mi experiencia en coloquios y conferencias me confirma que son muchas las mujeres que confiesan que desean, o incluso que sienten una absoluta necesidad de ternura, intimidad y amor durante sus relaciones sexuales. Hasta el punto de que algunas, en un momento determinado de sus vidas, si no lo encuentran incluso prefieren poner fin a la relación. He conocido a mujeres solteras guapísimas que, después de una experiencia turbulenta, se mantienen castas porque dicen no encontrar al hombre del que enamorarse. Confiesan que sólo encuentran a hombres faltos de pasión, de lealtad, de poesía, que no saben entregarse ni amar hasta lo más profundo. Y también he conocido a otras que, con sólo observar cómo se comportan y cómo hablan, dirías que son marimachos, pero, si profundizas en su conocimiento, te das cuenta de que hace mucho tiempo que arrastran en su corazón un amor doloroso y enorme hacia un único hombre.

Asimismo, también he conocido a muchos hombres estupefactos y casi asustados ante la seguridad que demuestran tener sus coetáneas a la hora de tener relaciones sexuales desinhibidas y a quienes parece que no les importe para nada el amor. Observando a estos hombres atentamente, descifrando algunas de sus palabras y algunas de sus observaciones, me he llevado la impresión de que son ellos los sentimentales y los que necesitan amor. ¿Esto también es nuevo? ¿Quién cantaba serenatas? ¿Los hombres o las mujeres? ¿Quiénes, a lo largo de la historia, han escrito más poesías de amor, los hombres o las mujeres? ¿Quiénes han tratado más este tema, ellos o ellas? En la Roma imperial, cuando las mujeres adineradas mantenían relaciones con esclavos y gladiadores, no eran ellas quienes escribían dulces poesías de amor, sino Catulo y Propercio. Y durante la Edad Media, Dante, Cavalcanti y Petrarca. Debemos esperar hasta el Renacimiento para encontrar a mujeres que escriban sobre el amor. Y es que, a lo mejor, nada haya cambiado verdaderamente y el eterno encuentro-desencuentro entre sexualidad y amor continúa, sólo que con nuevas formas.

5. Un hombre

A veces, el deseo sexual impersonal, agresivo y vulgar estalla en el hombre como reacción a una frustración, a una carencia, al hecho de no sentirse cuidado. También la mujer lo experimenta, pero se suele traducir más en forma de falta sentimental, necesidad de cortejo y de amor.

Transcribo aquí la experiencia de un hombre de la que he omitido las expresiones más vulgares: «Eres mi mujer», dice, pero lo hace en voz baja, para que no le oigan. A lo mejor sólo lo piensa: «Eres mi mujer. ¿Por qué no te desnudas y vienes a tumbarte a mi lado? ¿Por qué no alargas una mano furtivamente y te apoderas de mi sexo como lo hacías antes? Y después sin decir nada, ¿por qué no te inclinas hasta él y lo chupas como si fuera un delicioso helado? ¿Acaso no lo hace así una amante? ¿Una amante que hace tanto tiempo que espera? ¿Por qué tú no? ¿Por qué no te desnudas como hacías antes y andas delante de mí con tus pechos erectos y las nalgas duras que parecen melones maduros, orgullosa de gustar y de gustarme y de hacerme beber y comer de ti hasta la saciedad? ¿Por qué no rondas por la casa con un vestido elegante que esconda e insinúe y que me haga crecer el deseo de besarte y de tomarte? ¿Aburrimiento, desinterés, pudor? Siempre tienes cosas que hacer, del trabajo, en el estudio, tus libros, la cocina, tus amigas. Siempre estás ocupada. Y si me acerco a ti, si te acaricio el culo, si te meto una mano por debajo de la ropa y retiro las bragas me apartas: "No hagas el tonto", me dices. O "tengo mucho que hacer". Y es verdad, haces muchas cosas. Pero, si debo serte sincero, a veces tengo la sensación de que no te importa mucho el sexo, por lo menos no le das la misma importancia que yo. ¿Pero hay algo más importante, me pregunto yo cada vez, que dar y tomar placer?

»¿Sabes que te digo? Me apetece tener una amante que me espere ardientemente, que cuando me vea esté ya preparada, que ya esté mojada. Y que yo lo note estando ella todavía vestida. Que lo note por su manera de acercarse a mí, de andar, de sentarse. Notar que siente un estremecimiento entre las piernas, un temblor de placer. Preparada para desnudarse. La abrazo, la beso y ella se arrodilla delante de mí para metérsela en la boca. Es increíble, ya lo sabes, este gesto para un hombre. Sobre todo cuando lo hace una mujer hermosa; te altera. Un gesto que el hombre no puede hacer. Un hombre arrodillándose ante una mujer hace un gesto de adoración, no un gesto erótico, porque como mucho lo único que puede hacer es besarle el vientre, que siempre tiene algo de sublime, de materno. Pero esa flor carnosa, la flor del deseo, está recluida entre las piernas. La mujer debe acostarse para poder besarla.

»A lo mejor no lo sabes, a lo mejor no entiendes la importancia que tiene para nosotros, los hombres, pero yo deseo a una mujer que se deje explorar como un túnel, como una casa. Me gustan las mujeres, me gustan todas, me gusta eso que está escondido. Cuando llevan minifalda mi mirada corre obsesivamente hacia arriba buscando algo que ni tan siquiera sé lo que es, pero que es mi meta. Hago lo mismo que todos los hombres. La minifalda se inventó precisamente para eso, para empujar nuestras miradas hacia el espacio que todavía queda tapado. La sed de mirar que tenemos los hombres es infinita. ¿Sabes que en Internet hay miles, cientos de miles de páginas eróticas? Y en todas se muestra lo mismo en infinidad de variantes: ésta es como una gran orquídea, con sus carnosos labios mayores y sus largos labios menores. Esta otra, tan prominente, es como una petunia a punto de abrirse que se expande hacia fuera, deseosa. Y ésta es pequeña, púdica y delicada, y esta otra parece una enorme boca de cuyo centro surge una lengua maliciosa como una concha rosada. Todas invitadoras, todas seductoras, todas distintas.

»Dios mío. En el fondo me bastaría con que tú te acercaras a mí, mi amor. Y no pasa nada si al principio no te apetece. Ya lo haré yo. Empezaré yo a acariciarte. Pero, por favor, déjame empezar; no me digas enseguida que tienes cosas que hacer. Y después, tan pronto como haya llamado a tu puerta, haz algo con tus manos, con tu boca. Por lo menos un momento. No te cuesta nada. ¿No quieres? Pues entonces desnúdate y mantente simplemente quieta. Yo te despertaré con dulzura. Te oigo hablar. ¿Quién ha venido, adónde vas? Por Dios, ¿no lo entiendes? Quiero a una mujer a quien le apetezca disfrutar, a quien le apetezca hacer el amor. Quiero a una amante que me espere, que venga a mi encuentro corriendo. Y saber que le gusto, y notar que desea hacer el amor conmigo. Sí, una amante. No, dos amantes, setenta y cinco amantes, más aún, centenares de amantes todas deseosas, todas dispuestas. ¡Ya basta de escasez! ¡Ya basta! Intenta entenderlo: ¡Ven aquí! ¿Por qué te vas, cabrona, por qué te marchas?»

6. Una mujer

Katia nos cuenta: «Mi marido todavía me gusta. Después de tantos años, cuando le veo andar con su paso ágil a veces me hace pensar en un chiquillo. Pero siempre está ocupado, de viaje, corre de un lado a otro, de una reunión a otra. Además, cuando estamos solos, tampoco se dedica del todo a mí. Sé que él piensa que lo hace, porque va con cuidado, está atento y me da un beso al partir y al llegar. De vez en cuando hacemos el amor. Pero yo quiero que me mire, que me corteje, que me acaricie. Yo quiero que me seduzca. Sí, que me seduzca. Es precioso que te seduzcan. Veo que usted sonríe cuando le explico mi deseo de ser seducida por mi marido. Créame, todas las mujeres deseamos que nos seduzcan. Ayer pasé media tarde en la peluquería. Soy guapa y atractiva. Y ¿ahora qué hago? Estoy en casa, preocupada por mi padre, pensando que debo hacer que arreglen la pérgola del jardín y ya pienso en el día de mañana, en los quehaceres de la casa y en los problemas que encontraré en el despacho. ¿Le parece una vida divertida? No, no lo es. Ser seducido significa encontrar a alguien lleno de pasión que te lleva lejos de todo esto, que te hace estremecer, desear, vibrar. Y pienso: ¡al diablo mi padre, la pérgola y el despacho! Soy una mujer, una mujer que quiere que la abracen, que quiere sentirse deseada, que quiere amar y ser amada. Sí, amar. Es bonito amar, es bonito amar apasionadamente. Me mira usted con cara de sorpresa. Usted es un hombre. No lo entiende.

»Pero mi marido se encierra en su estudio para trabajar. Si me acerco por detrás y le tapo los ojos con las manos, se gira irritado y me pregunta si no me doy cuenta de que tiene mucho que hacer.

»Y en esos momentos me gustaría estar en otro sitio, en casa de una amiga, en una fiesta, y encontrar a un hombre, a un hombre guapo, a un hombre interesante que me mirara con avidez, que me hablara, que me hiciera reír y que sólo se dedicara a mí. Y mientras me lo imagino, siento como si se derritiera el hielo que me mantiene rígida, mi cuerpo fluye y se torna lánguido y voluptuoso. O tal vez un extranjero, duro, fuerte, de quien no sé nada. No es del tipo de los que hablan de sí mismos. Me mira intensamente y yo me enciendo por dentro. Se me acerca, me coge las manos, está oscuro. Sólo veo sus ojos. Sus manos fuertes son dulces. Tengo fuego en el vientre. Me coge por la mano; me acompaña hasta una pequeña habitación donde hay una cama. Me susurra palabras de amor al oído, me desnuda lentamente. Sus toques son delicados. Se tumba a mi lado. Su cuerpo es fuerte, moreno, me gusta su olor. Me hace suya. A la mañana siguiente lo acompaño al aeropuerto en coche; es piloto. Lo dejo en la entrada y me saluda.

»Ya ve usted. Le estoy contando una de mis fantasías y eso simplemente porque ese idiota no entiende nada. Cómo me gustaría volver a ser su amante como hacíamos antes de casarnos. Le llamaba por la noche, esperaba que ya hubiera regresado aunque no sabía si iba a poder contestarme. Después marcaba el número, temblando, y estaba con el teléfono en una mano excitada, asustada, con el corazón en el estómago y la barriga, los brazos y los senos vibrándome. Después su voz. ¡Qué alegría! Y después la exultación, las ganas de decir tantas cosas. Un torbellino, un torbellino de vida. Y sólo era una llamada telefónica. Y los encuentros, nos arrancábamos la ropa, nos mezclábamos el uno con el otro, hasta caer exhaustos, cansados y felices. ¿Quién dice que el agotamiento amoroso no es felicidad? ¡Es felicidad! ¡Es vida! Sí. Aquella cosa, aquella llamada era la felicidad. Ahora estamos juntos, en nuestra bonita casa, pero me falta lo más importante, la vida. La pérgola, mi padre, el trabajo, a quién le importan estas cosas, lo daría todo por recuperar la excitación de esas llamadas. Y él no lo entiende. Pasan los meses, pasan los años y no lo entiende.

»¡Tengo ganas de gritar! Tengo ganas de oír palabras de amor, de notar caricias, de rodar desnuda en la cama, con alguien a quien ame, con alguien que me ame y saborear todos los placeres hasta el fondo. Pero ¿podré volver a notarlo alguna vez con él? ¿Nunca más? ¿Y un amante podría dármelo? ¿O sólo sería una acción miserable, una huída? Una huída, sí, aunque sólo fuera por una semana, pero qué digo, por una noche.

»Sí, aunque sólo sea una, una aventura así sería mejor que este vacío que siento con él cuando habla de negocios. Así podríamos hablar de mi padre y de la pérgola que hay que arreglar ¿Y la vida? ¿Dónde acaba la vida?».

7. El sexo como vida

El conflicto entre sexualidad y amor puede presentarse también en un amor sólido y duradero que no está amenazado por ninguna fuerza real, porque el deseo sexual nunca se identifica completamente con el deseo amoroso. Sobre todo en el hombre. El amor se convierte en dedicación, ternura, responsabilidad y cuidado. Y es entonces cuando la sexualidad reaparece en toda su aspereza, como impulso vital y como manifestación elemental de la vida y de la vitalidad.

Iván escribe: «Yo te quiero, te quiero por encima de todas las cosas. Fuiste y eres el gran amor de mi vida. Si tú murieras, estoy convencido de que yo no tendría suficiente fuerza para continuar vivo. Ni tan siquiera lo quiero pensar. Sería como si de repente me faltara el aire y la luz. Nuestra casa se convertiría en mi tumba. Cuando regresas por la noche reconozco el taconeo de tus pasos detrás de la puerta y a menudo, cuando estamos en la calle, me retiro unos cuantos pasos para observar cómo andas y me digo a mí mismo que eres preciosa y que he sido muy afortunado encontrándote.

»Pero ahora que estoy en la bañera, sumergido en el agua caliente, siento el deseo de desaparecer. Digo desaparecer y no morir porque la muerte tiene en sí misma algo terrible, algo que da miedo. Tú no temes a la muerte, lo sé. Yo sí la temo. Con sólo evocarla me domina la angustia y el terror. No, me gustaría ser como ése a quien los dioses le dieron el don de no morir y dormir eternamente. Ahora, me bastaría con no tener que salir, no tener que ir a trabajar, no tener que luchar ni combatir. No me espero nada alegre ni hermoso de la vida. Mis deseos se han ido apagando poco a poco. No tengo más metas. Lo que he alcanzado me parece nada, pero sé que no puedo ponerle remedio. Sólo siento cansancio de vivir. Sé que tú también estás cansada, probablemente más que yo. A lo mejor tú también querrías anularte.

»Pero después, de repente, me he imaginado que entraba una mujer por la puerta de casa. En mi fantasía la he visto cruzar la sala y venir hasta aquí, donde estoy yo, y después sentarse en un rincón de la bañera. Después, sin decir nada, ha tocado el agua como para comprobar si estaba caliente y, al inclinarse, le he visto sus senos, blandos y atractivos, a través del escote. Y fíjate que, de repente, la pesadez de vivir, el esfuerzo que supone, ha desaparecido. He recuperado mi vida. He recuperado el deseo en su forma más simple como ganas de acariciar esos pechos, como deseo sexual, deseo de una aventura, deseo de una nueva experiencia. ¿Por qué morir cuando tiemblas de vida y de deseo? La vida es deseo. El sexo es deseo, el sexo es vida.

»Si te contara estas cosas, enseguida me dirías: "Pues entonces ya no me quieres. Quieres a otra. Vete con ella. Yo me aparto". No, no me has entendido. Si tú te fueras, yo no podría desear nada más. ¡Imagínate, pues, tener deseos sexuales! Esa mujer imaginaria no es un sustituto, es un complemento. Es como en la comida. Tú sabes que hay sustancias, como las vitaminas y algunos minerales, que necesitamos en cantidades infinitesimales, algunos miligramos. Aunque comamos quintales de comida, si nos falta la vitamina C acabaremos contrayendo aquella enfermedad, cómo se llama, escorbuto. Los navegantes la contraían antiguamente cuando se pasaban meses en el mar. Por esto se llevaban limones. Porque contienen vitamina C. Basta con un poco de vitamina C, algunos miligramos, y la enfermedad desaparece. Por el contrario, si te falta, te mueres. Pues bien, esa mujer de la bañera, esa mujer que me muestra su seno y que pone su mano en el agua y que acaricia mi cuerpo desnudo es como un poco de vitamina C en el estado carencial de mi organismo.

»Los humanos estamos hechos de contradicciones. ¡Necesitamos tantas cosas distintas que resultan incompatibles a nuestras mentes! La contradicción no puede eliminarse. Existe y basta. Yo creo en el amor, en la monogamia, pero la monogamia se autodestruye si no dispone, en su interior, de partículas de poligamia. Si no en el comportamiento real, por lo menos sí en la fantasía. Cuando tú ves una película y me dices que ese actor te encanta, estás haciendo lo mismo que hago yo con mi mujer de la fantasía. Pero esa mujer que se mete desnuda en mi fantasía, a mi lado en el agua y que vuelve a darme la vida, la energía, la juventud, no puedes ser tú, tiene que ser otra. O quizás sí. También puedes ser tú, pero llena de vida y de deseo. Necesito sexo, sexo desenfrenado, vulgar, el elemento escaso que se precisa, aunque sea en dosis mínimas, para que haya vida. La sexualidad es ambas cosas a la vez, lo obsceno y lo sublime. Se puede morir de obscenidad y se puede morir de sublimación.»

8. El sexo como traición

Janette dice: «¿Pura sexualidad, lo llamas, encuentro sin importancia? ¿Qué significan estas palabras? Cualquier encuentro, incluso una simple conversación, bailar con un persona que te gusta, todo te cambia. ¿Y pretendes que me crea que haber hecho el amor con esa mujer no significa nada, que no ha cambiado nada, que no me ha quitado nada? No. Con una prostituta todavía podría admitirlo, pero con esa mujer bella, brillante e inteligente, con esa mujer llena de vitalidad y que ha tenido una vida interesante, tú no te acostaste con ella por casualidad, distraídamente. Te diste cuenta de que le interesabas, te debió de dar muestras y admiró alguna de tus cualidades. Nosotras, las mujeres, créeme, sabemos cómo atraer a un hombre. Tiene que haberte mandado alguna señal. Y tú desde entonces empezaste a pensar en ella. No me lo niegues. A nosotras también nos sucede, ¿lo sabías? Muchas veces también a mí me ha llamado la atención un hombre, me ha venido a la cabeza. Me he dado cuenta de que le gustaba y se lo he dado a entender, hay mil maneras de hacer entender una cosa como ésta, que era interesante, que me apetecía estar con él, hablar con él. Esto es lo que te ha pasado a ti. Has pensado en ella y enseguida te has imaginado desnudándola. Nosotras, las mujeres, también desnudamos a los hombres a veces, aunque nos interesen más otras cosas, pero a veces lo hacemos. Pero vosotros, los hombres, tenéis ojos como taladros. Los metéis por el escote, entre las piernas cruzadas, debajo de la falda, por todas partes. Así, la has desnudado y la has deseado. A lo mejor la buscaste, os volvisteis a ver, hablasteis y tú entendiste que ella quería estar contigo y tú con ella. Has empezado a tener tus fantasías pornográficas con ella. Vosotros, los hombres, tenéis la pornografía metida en la cabeza. Por lo tanto sabías que si os volvíais a encontrar, solos, si la ocasión era íntima, podíais llegar a hacer el amor. ¿Con cuánta ansia, con cuánta excitación esperaste ese momento, con cuánto cuidado la preparaste? Nosotras, las mujeres, sabemos apañárnoslas muy bien en estos casos pero vosotros, los hombres, aunque lo neguéis, no os quedáis cortos. Y en la primera ocasión que tuvisteis, haciendo ver los dos que no pensábais para nada terminar acostándoos, quién sabe de qué hablasteis. De arte, de cine o a lo mejor de filosofía. La conversación preparatoria es una destilación de erotismo, cada palabra es una invitación, una alusión, un reclamo. Y esto ya era quitarme a mí algo, ya era robarme tu interés erótico, tu deseo. Ya era una traición. Y todavía no habías hecho nada desde el punto de vista puramente sexual, físico. Después os debisteis besar. El beso une profundamente. Las prostitutas, de hecho, no besan. El resto, el momento en que os desnudasteis, os acariciasteis y después mezclasteis vuestros cuerpos sólo fue la continuación de lo que ya estaba empezado. No la amabas. Pero durante la espera, durante la preparación, durante el acto sexual, ella te gustaba infinitamente más que yo. E insistes en que me amas a mí, no a ella. Te creo, me amas. Si te abandonara, si pidiera el divorcio, estarías desesperado y, si te abandonara de verdad, te convertirías en un escombro. Pero este amor que tú sientes no es completo. La mitad se lo has dado a esa mujer. No para siempre, pero se lo has dado y durante ese período yo era un obstáculo, un impedimento. Sólo ahora que te he amenazado con ponerte de patitas en la calle te das cuenta de que me necesitas. Si no te hubiera dicho nada habrías continuado considerándome un impedimento. No, las relaciones sexuales entre un hombre y una mujer nunca son nada. Son el empobrecimiento de ese amor que sólo está completo cuando es total, excluyente. De ese amor en el que cada uno lo es todo para el otro, el amante, el amigo, el hermano, el padre, la madre, el mayor don que jamás hayas recibido y que te basta porque te satisface completamente. Ahora bien, si deseas conservarlo debes protegerlo como un precioso tesoro».

9. Monogamia y fantasías de infidelidad

«¿Monogámica?», dice sonriendo el sexólogo a Joseph, «¿pero cómo consigue usted calificar de monogámica la relación que mantiene usted con su esposa? Me ha dicho que llevan diez años viviendo junto, que la ama, que jamás la ha engañado y que se siente sexualmente satisfecho. Pero, desde la primera vez que hizo el amor con ella, se ha imaginado que lo hacía con otras mujeres que había conocido antes. Y siempre recordando o imaginando una historia cierta. Por ejemplo imaginando que hacía el amor con una chica de la que estuvo enamorado, o que estaba en un hotel donde un grupo de hombres se habían traído a una prostituta –una historia que además ni tan siquiera es suya pero de la que ha oído hablar–, la tomaban uno detrás del otro y, al final, incluso llamaron al camarero. Y mientras penetraba a su mujer, usted se imaginaba ser uno de ellos.»

«Bueno. No he dicho que cada vez que hago el amor con ella deba inventarme una historia o una fantasía. Y, además, en la última historia queda bien claro que mi mujer no era esa prostituta, era ella y basta. Yo amo a mi mujer. No es únicamente la sola persona con la que podría vivir, sino que además es la que más me gusta de todas. Para mí, mi esposa es la mujer más hermosa del mundo, no la cambiaría por ninguna otra, ni por Nicole Kidman. En mi fantasía me imaginaba que estaba en el lugar de la prostituta.»

«Pero piense un poco», observa el sexólogo, «si para alcanzar el orgasmo necesita ponerla en el lugar de la prostituta e imaginar que es uno de esos hombres que la poseían, ello significa que, tal como es, no le basta. Por eso usted, con la cabeza, es monógamo, pero en el fondo es polígamo, y para satisfacer ese deseo transforma a su esposa en otras mujeres. Respóndame a otra pregunta: ¿de dónde saca usted el material para sus fantasías?»

«De todas las experiencias de mi pasado. No, sólo de algunas que me impresionaron, las más significativas. Por ejemplo, una chica me había dicho que en verano salía a bailar, conocía a hombres y cuando se daba cuenta de que estaban excitados les invitaba a salir e intentaba contentarlos, eso es lo que decía, "contentarlos". Entonces me imagino que voy a bailar a ese sitio, que la veo, que consigo que se fije en mí, después ella me toca, me excita, me lleva fuera, me dice que quiere contentarme, y empieza a...»

«Y entretanto usted penetra a su esposa.»

«Sí, el cuerpo de mi esposa, un cuerpo que me gusta muchísimo, porque la otra, quién sabe, a lo mejor era mucho más fea.»

«Pero le habría gustado vivir esa experiencia.»

«Nunca me pasó por la cabeza ir a buscarla, suponiendo que hubiera sido posible. Pero, si me hubiera ocurrido, admito que me habría gustado.»

«¿No se da cuenta? Le ha quedado el deseo insatisfecho de esa mujer, de esa experiencia, y ahora la alcanza con el cuerpo de su mujer. Usted usa el cuerpo de su esposa para satisfacer un deseo no realizado, para vivir lo que no ha vivido. En el fondo desea a la otra.»

«No. No deseo a la otra. La otra forma parte del pasado, ya no me interesa, es pura fantasía. Escúcheme, dejemos esta historia de los deseos insatisfechos. Yo construyo fantasías con experiencias en las que obtuve satisfacción, con otras que sólo son fruto de mi imaginación y también con historias de las que sólo he oído hablar. Es como si hiciera representar a mi esposa las partes de las mujeres que he tenido en mi vida o con las que he fantaseado. Soy como un director que hace películas siempre con la misma actriz. Yo arrastro todas mis historias eróticas, reales o imaginadas, y siempre la incluyo a ella en todas.»

«Así siempre la engaña.»

«Sí, es verdad que siempre la engaño, pero también es verdad que nunca la engaño y que, por el contrario, engaño a las demás. Porque todo lo vivo en ella, pongo a todas las otras mujeres en ella, a todas las mujeres que he imaginado y que he conocido. Y a lo mejor no soy el único. Leí un libro de una americana donde se decía que las mujeres también tienen fantasías eróticas increíbles mientras hacen el amor: que las violan, que las toman muchos hombres a la vez…»

«Porque están insatisfechas. La fantasía y la satisfacción alucinatoria de un deseo.»

«Bien. Quiere usted decir que yo estoy absolutamente insatisfecho y que cargo con infinidad de deseos frustrados porque siempre he tenido una inmensa necesidad de ver, de imaginar, de fantasear. A lo mejor yo deseaba a todas las mujeres del mundo pero por una razón misteriosa sólo amo a una, sólo ella me gusta y sin ella no podría vivir, no podría respirar, enloquecería ante la simple idea de que me abandonara o se muriera. Y por eso le hago representar todas estas cosas que me pasan por la cabeza y no se lo cuento porque no soy tan estúpido como para arriesgarme a perderla. Es probable que el gran amor lo incluya todo, también la poligamia, las contradicciones, todo…»

«Intente ahora imaginar que cada vez que su esposa hace el amor con usted está pensando en otro. Está con usted pero piensa en otro, está con usted pero en realidad folla con otro. Piense en ello y dígame qué siente.»

«Es muy embarazoso. Creo que le preguntaría cabreado: "¿Y ahora en quién estabas pensando, puta?…". La noto lejos, ausente, como si la perdiera… Pero, fíjese usted que todo es un error. Es más, ¿sabe qué le digo? Que, sabiéndolo, ahora empezaré yo a pensar que está jodiendo con su anterior marido o amante o amigo y fantasearé con la idea de llevármela… Sí, por un lado estará él follándosela y, a la vez o al cabo de poco, estar sólo yo y que él ya no exista. ¿Sabe por qué lo puedo hacer? Porque la amo y sé que ella también me ama. Mi esposa ha tenido otros hombres antes de conocerme a mí. Me ha hablado de ellos y me ha dicho: "Sólo te quiero a ti, el resto es pasado, sólo estás tú, sólo estarás tú". En ese momento yo asumí todo su pasado, todo su futuro, también a sus amantes, y puedo imaginarme sustituyéndolos. Ya se lo dije al comienzo: el gran amor lo puede devorar todo, cogerlo todo, hacerlo todo suyo.»

Que Joseph tiene razón nos lo demuestra otro caso narrado por Ilda Bartoloni (*Come lo fanno le ragazze*) donde Diana está profundamente enamorada de Pino y hace diez años que viven juntos. A las amigas que la critican porque dice tener una vida sexual satisfactoria con el mismo hombre y no querer cambiarlo les responde: «Sé que la química […] con el cuerpo de Pino es lo máximo que puedo alcanzar porque la verdad es que disfruto muchísimo cuando hago el amor con él».[5] Pero esta fantástica vida amorosa casa a la perfección con las fantasías. De hecho, la chica dice: «A menudo, en mis fantasías aparece otro hombre u otra mujer. […] Él me mete el pene en la boca mientras Pino me lo introduce en el culo, o él me penetra y el otro me chupa las tetas o me acaricia, o soy yo quien hace cosas y hay personas mirándonos, a lo mejor sólo son hombres y después... si las fantasías te cansan siempre las puedes cambiar. Entre nosotros nos las contamos, con todo detalle, para excitarnos al máximo».[6]

10. Sin pacto de fidelidad

También hay personas que, durante el enamoramiento, no establecen el pacto de fidelidad ni se imponen la exclusividad. Los motivos son múltiples y obedecen a las costumbres, a las ideologías y a las prácticas personales. ¿Qué ocurre en estos casos? Continúan estando enamorados pero establecen otros vínculos, inician otros amores y tienen más experiencias sexuales. Instauran una especie de poligamia con un amor principal en el centro y otros secundarios –exploraciones, pasiones, amistades eróticas– a su alrededor.

Anaïs Nin nos da un ejemplo de ello cuando, a los veintinueve años, se enamora en París de Henry Miller. Es un amor mayúsculo, pero tanto él como Miller están casados y además Miller no acepta la exclusividad. Su experiencia obedece a una búsqueda sexual desenfrenada –era la época del psicoanálisis y del descubrimiento del sexo– y aun estando enamorado no reconoce el amor. Lo vive, lo prueba, pero no admite el fanatismo exclusivo. Anaïs mantiene su relación con el marido, Hugo, por quien siente gran estima y a quien reconoce aspectos humanos y eróticos que le gustan mucho, pero le esconde su relación con Miller.

A continuación vive un amor pasión por su psicoanalista Allendy. Acudió a él como paciente pero acabó seduciéndolo y convirtiéndose en su amante. Es un fenómeno extremadamente frecuente entre los psicoanalistas hombres y sus pacientes femeninas que ellos se han preocupado de esconder hablando de *transfer* y evitando admitir que el *transfer* pertenece a la misma categoría que el enamoramiento. Sea como sea, en el caso de Anaïs su amor continúa siendo Miller. Así, escribe: «No me asusta el hecho de que la sexualidad de Henry [Miller] lo hará ser inevitablemente infiel. Sólo será un desliz, un incidente, una fase. No tengo miedo aunque pueda llegar a sentir celos porque sé que Henry me pertenece y, además, ¿acaso no le engaño, yo, también?».[7]

Después conoce a Artaud, pero su relación amorosa con Henry Miller continúa: «Llega Henry y la continuidad de nuestro amor se mantiene misteriosamente ininterrumpida. Fluye como un río, instintivamente. A nivel mental, puedo romper con Henry, el Henry que ven los demás. Pero no puedo romper con el Henry cuya voz desde el jardín me remueve el útero».[8]

Durante el mismo período seduce a su padre.

A continuación tiene una relación amorosa (más concretamente una pasión erótica) con un segundo psicoanalista, Otto Rank. «Siento por Rank una pasión de verdad –un apetito físico, ciego–. Cualquier cosa que suceda fuera del momento en que estamos juntos en la cama no tiene importancia en comparación con esa colisión llameante [...] Pasión. Nada de discursos. Ninguna creación. Ninguna madre. Ninguna comunión. Ninguna ternura.»[9] Confiesa estar preparada para vivir con él, para partir con él a Nueva York. Pero espera un hijo de Henry, una niña que nace prematuramente, muerta.

En este punto, su amor por Miller se debilita, desaparece. Tras algún tiempo desaparece incluso la pasión erótica por Otto Rank, que es sustituida por un violento enamoramiento por Gonzalo Moré. Anaïs entiende dónde empezó todo: en la naturaleza y en las elecciones de Henry Miller. Él siempre había renunciado al amor total, siempre había renunciado a la poesía y por ello la empujó a que buscara en otra parte: «He descubierto lo que me has negado en la vida», escribe, «es algo muy sutil para definir, una muerte que tú esparces amando, siempre de lejos, no consiguiendo además darte totalmente». Y después: «Henry no consigue ser fiel a esa pasión; se pierde en otras mujeres, en otros deseos, como un río demasiado impetuoso. En realidad jamás me ha amado en la vida, en el presente, en la cotidianeidad; sólo a través de la pérdida y del dolor».[10]

11. Sexualidad libre y amor

Todavía más que las de Anaïs Nin, las novelas de Erica Jong son la expresión de un conflicto no resuelto y recurrente entre el deseo de enamorarse y de establecer un amor duradero y la agresividad hacia el hombre propia del feminismo de los años setenta. Entre el deseo de amor exclusivo y total y una irresistible tendencia a no ceder al amor que no permite ir más allá de un seudoenamoramiento, de una pasión erótica.

Jong se debate entre su educación tradicional, que le enseñó a esperar el gran amor, y la voluntad de mantener separada la sexualidad del amor como hace el hombre, «el polvo sin cremallera», como lo llama en *Miedo a volar*. Porque son los hombres, según ella cree, quienes no saben amar. Son los hombres quienes, tras un momento de enamoramiento loco, de pasión, se separan y retoman sus vidas sexuales errabundas dejando a la mujer, que, por el contrario, ama de verdad, desilusionada y herida.

Pero Jong se equivoca. Los hombres no se comportan así. Los hombres separan perfectamente la sexualidad del amor. Pueden tener relaciones sexuales plenamente satisfactorias, felices y alegres con cientos de mujeres distintas una después de otra, y en muchos casos también a la vez, sin necesidad de pensar nunca en el amor. El sexo es sexo, aunque esté lleno de intimidad, de ternura, de dulzura, pero no de amor. Ciertamente, las mujeres también pueden hacerlo, pero después de un tiempo se cansan y desean encontrar algo más intenso, desean encontrar emociones.

Jong, como hizo también Anaïs Nin diez años antes, intenta comportarse como un hombre pero, como no entiende la naturaleza masculina porque se imagina al hombre de una manera que no es, se comporta de un modo completamente distinto a como lo hace él. Apenas acaba un amor, que describe regularmente como la consecuencia del engaño del hombre, olvidando que ella no deja de engañar, inicia una fase de exploración sexual promiscua. Se acuesta con todos, los prueba a todos. Pero no lo hace con placer y con alegría, como haría un hombre. Lo hace con rabia y desprecio. Por esta razón usa expresiones obscenas, despreciativas, vulgares: «He aprendido que las pollas tienen tamaños muy distintos según el hombre: algunas se doblan seductoramente hacia delante; otras se doblan reticentes hacia atrás; otras toman el mundo al asalto; otras se insinúan gradualmente, como espías. Algunas son rosadas, otras rojas, otras incluso amarillas, marrones o negras. Algunas tienen venas y parecen mapas lunares; otras son lisas como cerditos de mazapán rosa; algunas gotean antes de crecer, otras se niegan a crecer del todo».[11]

Después, tras un peregrinar «de cama en cama, de polla en polla», donde todo le parece más o menos desagradable, aparece, sin más, el hombre que le gusta, el hombre maravilloso, guapísimo, que, además, es, recordémoslo enseguida, un follador sublime. Con él inicia una historia de amor y de sexo, frenética y apasionada, donde se mezclan todos los elementos de la más banal oleografía romántica junto con la sexualidad más desenfrenada. Playas bañadas por el sol, fiestas maravillosas, personajes importantes, villas venecianas de ensueño, noches estrelladas, deseo, amor, y –usemos su lenguaje– folladas sin fin, orgasmos delirantes, ríos de esperma, encuentros frenéticos entre polla y vagina en una mezcla inextricable de sexo y amor donde lo uno deviene lo otro y viceversa.

Una experiencia, recordémoslo, que encontramos en el enamoramiento (sin necesidad de incluir esa escenografía de playas, ocasos, noches y lujo), y que hace que el lector la viva como enamoramiento aunque, en este caso, no lo es en absoluto porque ese amor sexual arrollador y divino no dura, nunca llega a ser convivencia cotidiana, nunca deviene ternura, complicidad, confidencia, lucha codo con codo. Y no puede llegar a serlo porque sólo existe como aventura separada de la vida cotidiana, como vacaciones, como un acontecimiento extraordinario.

Sin embargo, Jong nunca nos describe la sexualidad masculina libre, alegre y placentera y tampoco nunca nos describe el verdadero enamoramiento. Nos describe lo que nosotros llamamos pasión erótica, una orgía sexual amorosa a plazos, incapaz de convertirse en amor profundo, duradero, incapaz de vivir en la cotidianeidad. Su historia es una sucesión de enamoramientos frenados, de desilusiones, de venganzas, de búsquedas rencorosas y después de pasiones. Y, podemos añadir, pasiones eróticas un tanto cargadas, retóricas, artificiosas. De las grandes pasiones, del amor que es éxtasis y desesperación, del amor verdadero, del amor cotidiano, hecho de dulzura, de ternura, del placer de vivir juntos, de poder dormir juntos, de poder hablar, de poder confiarse, de este amor no hay absolutamente nada.

12. Matrimonio abierto

Deborah habla: «Todos vosotros sois víctimas del delirio de exclusividad y de los celos. Establecéis una frontera entre marido y amante, esposa y amante, a veces incluso teniendo dos familias, con dramas, mentiras, arrepentimientos, perdones y otras estupideces del mismo género. ¡Pero no os dais cuenta de que actuando así os prohibís la posibilidad de vivir una vida amorosa y sexual rica, completa y serena! Johnny y yo llevamos casados treinta años. Lo hicimos siendo muy jóvenes y decidimos establecer un matrimonio abierto. Que cada uno pudiera tener todos los amores, todas las relaciones sexuales que quisiera pero con la condición de que nos lo explicáramos todo mutuamente, de que no tuviéramos secretos, para así poder mantener entre nosotros una sexualidad y una amistad profunda y sincera, una ayuda continua recíproca sin sombras y sin traiciones. Cada uno de nosotros ha vivido así su propia vida erótica y también la del otro disfrutando con él, sufriendo con él, pero siempre unidos y solidarios.

»Al comienzo fuimos fieles, después recuerdo perfectamente el día en que Johnny vino y me dijo: "He conocido a una chica finlandesa. Tiene la piel blanca como la nieve, es rubia, con el cabello largo y liso. Te habría gustado. Estábamos alojados en el mismo hotel, coincidimos en la misma mesa y, la noche después de haber salido juntos, ella me invitó a su habitación. Hicimos el amor. Fue muy bonito". Al principio me quedé muy pasmada pero después, mientras él me lo contaba, me imaginé a la chica. Sí. Johnny tenía razón, me habría gustado. Yo soy morena y armoniosa; ella rubia y delicada. Y enseguida pensé que me habría gustado verles haciendo el amor e incluso haber estado allí y poder acurrucarme entre ellos, acariciar la piel blanca de la finlandesa mientras Johnny la tomaba y después me tomaba a mí. Cuando tu marido en el matrimonio abierto te cuenta qué hace con otra es como si tú fueras ella, pero sin dejar de ser tú misma. En pocas palabras, siempre somos tres.»

«¿Pero alguna vez llegó usted a enamorarse de verdad?» «Sí, dos veces, y las dos veces se lo conté a Johnny, expresándole también mis sentimientos, mis ansias, mis temores. Él me dejó actuar teniendo en cuenta que estas cosas acaban pasando. Estuvo siempre muy, muy cerca de mí, hicimos varias veces el amor y yo le decía que me imaginaba estar haciéndolo con el otro, pero él sonría y me decía que continuáramos y que le contara cómo podía mejorar. A veces me venían ganas de reír. Pero también sufrí. Una vez me duró tres años. En la práctica tenía dos maridos y debo confesarle que fue desagradable.»

«¿Nunca le pasó que la persona de la que estaba enamorada le pidiera que eligiera: él o yo?»

«Una vez, pero, créame, los hombres nunca son tan decididos, lo somos más las mujeres. O por lo menos son más fáciles de llevar, puedes encontrar excusas, aplazar las decisiones. Tenga presente que en el matrimonio abierto debes confesarlo todo a tu pareja, pero al otro puedes mentirle. Poco a poco se fue acostumbrando a tenerme como una amante que de vez en cuando se aleja por cuestiones de trabajo, o se va a casa de sus parientes o de un ex marido con el que, sin embargo, ya no mantiene ninguna relación. Ciertamente, si me hubiera planteado la alternativa en serio, si me hubiera abandonado y no hubiera querido verme, habría sufrido una profunda crisis porque estaba verdaderamente enamorada y deseaba vivir siempre con él. Así, fíjese, no sólo pude disfrutar de toda la sexualidad que quise, sino también vivir dos grandes pasiones, dos grandes amores. Con la seguridad de un refugio seguro al que regresar.»

«Otra pregunta. Recientemente conocí a una mujer que lleva casada treinta y siete años y que tiene tres hijos. Se casó muy joven porque estaba muy enamorada. Tras diez años de amor intenso con el marido, se enamoró locamente de otro hombre. Pero no abandonó al marido, vivió plenamente su nueva historia de amor que duró también otros diez años. Después volvió a enamorarse y ha vivido también este amor hasta el fondo durante otro decenio. Pero nunca dijo nada al marido sobre estos dos amores porque no quería hacer sufrir ni a su esposo ni a sus hijos. Le pregunté si los hijos eran del marido o de alguno de los amantes. De mi marido, me respondió. ¡Nunca habría podido esconder a mis hijos quién era su verdadero padre! Así pues, esta mujer vivió tres grandes historias de amor sin divorcio y sin decir nunca nada, manteniéndolas encerradas en el fondo de su corazón o de su cuerpo. Su relación con el marido continúa siendo de afecto, de estima y de confidencia. ¿Qué diferencia hay con su experiencia de matrimonio abierto?»

Deborah reflexiona: «Es muy distinto. En el matrimonio abierto estamos más unidos: entre nosotros no hay secretos.

Cada uno vive el amor y el placer sexual del otro como si fuera propio. Sólo nosotros dos lo sabemos todo. Después, cada uno trae como huéspedes más o menos duraderos, o incluso fijos, a otras personas y llegamos a ser tres o cuatro. Pero los amos de la casa, los protagonistas siempre y únicamente somos nosotros dos juntos».

«Si no me equivoco es lo que intentaron hacer Sartre y De Beauvoir. Entre ellos, empero, hubo celos y hostilidad e incluso llegaron a ser crueles muchas veces, sobre todo Sartre, que acababa convirtiendo a sus mujeres en personal doméstico.»[12]

«Esto depende de la personalidad de Sartre, que era un hombre poderoso, admirado, que se lo podía permitir todo y que se comportaba como un verdadero déspota. Tenía un harén en el que Simone ejercía como primera esposa y las otras la tercera o la cuarta, como sirvientes. Una pareja abierta muy fuerte puede destruir a aquellos que acaban cayendo en sus redes e intentan ingenuamente dividirla.»

«Por favor, una última pregunta: ¿No pesa tener que contarlo todo, compartirlo todo, no tener nada exclusivo para uno mismo, un secreto erótico, un gran amor sólo tuyo?»

Deborah se queda pensando por un rato y después añade: «Por lo que tú explicas, nunca lo transmites todo. Cada cual sigue siendo él mismo. Si te duelen las muelas, aunque lo digas y te entiendan, aunque participen, el dolor sólo lo sientes tú».

Estoy comparando la experiencia de Deborah con la de la mujer que eligió el secreto para mantener sus tres grandes amores. Deborah nunca los habría podido vivir hasta el fondo, con el escalofrío, el miedo y el ansia que sintió esa mujer porque debería haberlos compartido con su marido y, cuando se comparte lo que es único, inefable y misterioso, se destruye. Pero estuvo más cerca de su marido. Construyó con él, a través de la promiscuidad, una intimidad extremadamente profunda.

XIII

El amor que termina

1. No había enamoramiento

Muchos amores terminan porque hay gente que cree que la pareja se puede basar en una *elección racional*, ponderada sobre el hecho de tener trabajos, intereses y gustos afines. La mayor parte de los test que se usan para encontrar pareja se fundamentan en estos presupuestos. Hay quien también piensa que cuando dos personas tienen muchas cosas en común, al vivir juntas pueden llegar a enamorarse. Evidentemente es posible, pero también improbable. Si sucede es porque, en un momento dado, se ven con ojos radicalmente nuevos. Sabemos también que una amistad puede derivar en un enamoramiento, pero esto sucede cuando tanto el uno como el otro están pasando por una fase de cambio en sus propias vidas y están preparados a la vez para una muerte y un renacer. Entonces puede darse que cada uno vea en el otro aquellas cualidades que le permiten el paso. Pero que quede claro: lo que ven cuando se enamoran no es el viejo amigo o la vieja amiga, sino una persona totalmente distinta. Las expresiones que emplean son todas del tipo: «entonces, de repente, es como si se me hubiera caído una venda de los ojos; me di cuenta de que era extraordinariamente hermosa, fue como una revelación».

Así pues, no cabe la menor duda de que dos personas pueden establecer una buena relación erótica y quererse sinceramente basándose en la afinidad de valores, gustos e intereses, pero esto nada tiene que ver con el enamoramiento.

También existen personas que «se ponen a vivir juntas» o que se casan para no estar solas porque no soportan la soledad. Y les basta con que la persona sea gentil, que tenga buen carácter y que coincidan en algún gusto para poder así llevar una vida serena.

También están los que se unen a alguien para *olvidar un amor frustrado*, para llenar el vacío que sienten dentro. Supongamos, por el contrario, que la pareja no haya tenido ninguna desilusión. En cuanto al primero, si su amor frustrado todavía sigue vivo y es un tormento, no podrá enamorarse. El otro, sin embargo, lo puede hacer y está dispuesto a cambiar, a transformarse, a dedicarse totalmente al amado. Es él quien infunde creatividad, seguridad y energía en una relación que, por lo tanto, puede durar muchísimo tiempo, incluso con hijos y manteniendo una vida familiar serena. Pero el primero continúa teniendo dentro de sí un vacío terrible. Aunque no quiera, continúa buscando al sustituto del amor perdido y es muy probable que, tarde o temprano, se enamore de una tercera persona. Entonces, si están casados, si han tenido hijos, sucede una catástrofe. Porque el enamoramiento estalla sin avisar, suscitando desconcierto en el cónyuge, entre los amigos, entre los parientes que, al desconocer lo que albergaba en el fondo de su corazón, tienen la sensación de que se trata de un arrebato, de una locura inesperada. Es una situación que sucede con mucha más frecuencia de lo que podéis imaginar, porque cuando uno está enamorado lo cuenta todo al otro. Quien no está enamorado no lo hace. Se calla precisamente las cosas más importantes.

Las cosas no cambian si ninguno de los dos tiene superada una profunda desilusión amorosa, pero la sorpresa y el estupor son menores porque en estos casos se hacen confidencias y los dos están en condiciones de entender qué siente el otro. Están más atentos, son más prudentes, no se dejan coger desprevenidos.

Después, también hay muchísimas personas que «se ponen a vivir juntas» porque, además de tener intereses comunes y de querer estar bien y en compañía, *se gustan desde un punto de vista erótico*. Sucede muy a menudo entre los adolescentes y los jóvenes, que no titubean a la hora de hablar, en este caso, de enamoramiento. Nadie puede predecir el futuro de estas parejas. Son las experiencias de la vida, los cambios que ésta impone, los recursos escondidos de cada individuo, los que determinan su evolución.

2. Falta la experiencia cotidiana

Hay amores que pueden terminar enseguida porque durante el enamoramiento se ha interrumpido el proceso de fusión. Es el caso de dos personas que «se gustan» y se arrojan inmediatamente la una en brazos de la otra, manteniendo relaciones sexuales frenéticas y yéndose pronto a vivir juntas. Los amantes, presos ambos de esta maravillosa experiencia, no quieren mantener ningún vínculo con la vida cotidiana, con los problemas. Quieren disfrutar del presente, olvidar el mundo de la lucha, de los problemas, del cansancio. Saborean el estado naciente de pareja como una liberación de todos los vínculos, como un impetuoso irrumpir de una nueva vida, de un erotismo superabundante, de un mundo que se transfigura, donde los colores, los rostros, todas las cosas, parecen más hermosas. Es como si de repente se les hubiera abierto la puerta del paraíso terrenal y pudieran tumbarse en sus prados sin pensar en nada y sin hacerse preguntas, sin recordar el pasado, sin saber nada del uno y del otro, sin pensar en proyectar el futuro. Se sitúan enteramente en el ámbito de lo erótico y se prohíben hablar o pensar en nada más.

De esta manera, sin embargo, no ponen en movimiento el proceso de conocimiento recíproco y de comparación que permite que sus partes nuevas emerjan y que dejen de lado las que resultan incompatibles con el otro. Cada uno de ellos, convencido de haber sido completamente renovado, se mantiene como antes, y su plasticidad, su capacidad de cambiar, no se usa para adaptarse al amado ni para intentar construir juntos un proyecto de vida.

Este tipo de amor, que es sólo el comienzo del enamoramiento, ellos lo consideran como el verdadero enamoramiento. Estoy locamente enamorado, estoy locamente enamorada, dicen, y a partir de esto, en un momento dado deciden vivir juntos, incluso casarse, imaginando que ese estado durará para siempre. Pero no han fundido sus personalidades, no se han adaptado recíprocamente, no conocen las diferencias incompatibles que les separan. Una vez terminada la etapa de ebriedad erótica, en la vida real y cotidiana descubren atónitos que entre ellos existen diferencias que desconocían. Y, como no hicieron nada en el momento de mayor plasticidad, cuando podían ponerles remedio, las contemplan trastornados y llegan a la conclusión de que han sido engañados. Cada uno dice del otro que es distinto de cómo parecía y se retraerán del hecho de ser como son. El enamoramiento termina así entre disputas y lloros.

Este tipo de experiencias podemos llegar a vivirlas cuando nos instalamos en una ciudad o en un país extranjero durante un tiempo limitado, por ejemplo durante las vacaciones o durante una estancia en el extranjero. Alejados de nuestro ambiente habitual, de nuestro trabajo cotidiano, se da rienda suelta a la fantasía. Fascinados por nuevas amistades y por culturas distintas dejamos correr la imaginación hacia maravillosas vidas alternativas. Y así prende la llama del enamoramiento. Pero cuando volvemos a nuestro mundo nos damos cuenta de que esa persona, que nos parecía adorable en su contexto, no significa nada en el nuestro. Y que el tipo de vida imaginado era imposible.

3. No se establecieron los pactos

En la vida actual, entre las generaciones que han tenido una vida fácil en la que la moralidad tradicional se ha relajado, que han experimentado una amplia libertad sexual y amores sin una gran pasión, el matrimonio y la convivencia se viven cada vez menos como un contrato vinculante, como un pacto con el que se comprometen a amarse, a ser fieles, a mantenerse unidos tanto en las buenas como en las malas, en la salud y en la enfermedad. Lo interpretan más bien como una unión que durará mientras haya atracción y el placer perdure. En el momento en que el amor disminuye, se enfría el deseo –por una discusión, porque estás angustiado por los problemas y el otro no te comprende o no te ayuda como querrías– y ambos deciden que ya no hay ningún motivo para continuar juntos. Pero la vida, por su naturaleza, nos plantea problemas, dificultades, incomprensiones, dolores y pruebas. La pareja que ha interiorizado profundamente el pacto de solidaridad y de ayuda mutua está en condiciones de afrontarlos manteniéndose unida. Estas nuevas parejas, no, no están preparadas para hacerlo y se resquebrajan.

Aquel que no está acostumbrado a resistir la frustración, aquel que busca el placer inmediato, no sabe luchar. Si uno de los dos pierde su trabajo, el otro se asusta, reacciona reprochándoselo, se deja llevar por la cólera y cree que ha dejado de amarle. Aquella dificultad que es temporal se vive y se convierte en el fin de un amor. Lo mismo sucede cuando uno de los dos enferma, sufre o necesita ayuda. El otro tiene la impresión de que su función se reduce a hacer de enfermero, debe regresar a casa antes, trabajar el doble, renunciar a las salidas, a las vacaciones. «¿Esto es vivir?», se pregunta la mujer, «¿Para esto me casé? ¿Para curar a un hombre enfermo y débil, para hacerle de madre, de sirvienta, de enfermera? ¿Por qué no le mando al cuerno, a este desastre de marido, y recupero mi soltería para hacer lo que quiera cuando quiera? ¡Hay tantos hombres en el mundo, guapos, sanos, alegres, que desean sacarte a cenar, a pasear el fin de semana, a esquiar y que saben hacer tan bien el amor!»

Tras algunas experiencias de este tipo, la persona es incapaz de controlar sus impulsos y reacciona según el principio del placer inmediato. Retrocede hasta el comportamiento infantil, adolescente, y a menudo termina fracasando en todas las relaciones afectivas que se basan en la confianza.

4. Descomposición

Partamos ahora de un enamoramiento de verdad. Los dos enamorados han empezado a vivir juntos, se han casado, pero su sueño de amor, su proyecto de vida debe pasar cuentas con la realidad objetiva, que puede ser, a causa de las más diversas circunstancias, distinta a como la habían imaginado al principio. La vida profesional moderna es a la vez precaria y competitiva, puede crear frustraciones y desilusiones, puede favorecer a uno y desfavorecer al otro. Cada cual arrastra consigo costumbres consolidadas que, si se afrontan en el estado naciente del enamoramiento, si son insertadas en el pacto de convivencia, pueden ser cambiadas sin problemas. Pero hace falta quererlo. Muchísimos enamorados, muchísimos amantes, por el contrario, piensan que cambiarán solas. No, nada cambia si no lo queremos y no lo procuramos. Así es como surgen pequeños conflictos en la vida cotidiana que dan origen a un intercambio de acusaciones, a discusiones que, si se repiten, crean un muro de incomprensión y de frialdad. La gente no sabe que las palabras son piedras, que las acusaciones, los escarnios, los insultos, dejan heridas que no cicatrizan.

Después también está el hecho innegable de que la sexualidad es, en ambos sexos, errabunda y, si bien el hombre tiene bastante con una prostituta, la mujer suele sentir el deseo de alcanzar emociones intensas y soporta mal a un hombre al que considera frío, árido, incapaz de experimentar y de comunicar sentimientos, que la descuida, que no la escucha, que decide por su cuenta, que la infravalora, que se ríe de sus opiniones, de sus creencias. Entonces, poco a poco, crece en ella la irritación, el resentimiento, y estas experiencias emotivas se traducen en un rechazo físico. Hasta que llega el momento en que su mera presencia empieza a darle fastidio, su cuerpo invasor, su ropa abandonada de modo desordenado, sus camisetas, sus calcetines apestosos, su mutismo o su vociferar. Quizás las cualidades que en la fase del enamoramiento le habían parecido maravillosas ahora se transforman en defectos insoportables.

Con la igualdad entre hombres y mujeres es cada vez más frecuente el caso en que una mujer gana más que su marido, lleva una vida más activa, encuentra personas más interesantes. Pero, por un antigua tradición histórica y por herencia filogenética, la mujer se siente atraída por el hombre que destaca, por el que vence. Un marido perdedor, que depende económicamente de ella, que incluso llega a perder el trabajo y se lamenta desconsolado de su suerte, la irrita, perdiendo el marido valor erótico. Son mecanismos automáticos de los que no nos damos cuenta, que hoy todavía no queremos admitir, pero que cada vez tendrán más peso en el futuro.[1]

Bridget dice: «Lo conocí en el mar, era pescador, era alto, fuerte, guapo como un dios, follaba con todas las turistas, que le seguían babeando. Yo me enamoré profundamente de él. No, créame, no era sólo hambre de sexo, aunque lo cierto es que hacer el amor con él me dejaba aturdida, como ebria. Me gustaba su seguridad, su arrojo y su manera dulce y tierna de amarme. Después del verano, él vino a la ciudad, encontró un buen trabajo en el puerto, nos fuimos a vivir juntos, éramos felices. Yo soy dentista. Con un compañero montamos una consulta. He empezado a ganarme bien la vida. Pero él, desgraciadamente, no ha sabido promocionarse, no consiguió sacarse el diploma que le exigían. A causa de esto perdió su trabajo en el puerto, se abandonó, pasaba las horas en el bar con los amigos, empezó a perseguir a las mujeres. Regresaba tarde a casa y por la mañana se quedaba también hasta tarde en la cama, se paseaba por la casa medio desnudo como si bastara enseñar el pajarito para ser importante. Dejaba la ropa sucia tirada por el suelo, no se lavaba, al final apestaba, me daba asco». El rechazo sexual de Bridget es la consecuencia directa de su desprecio humano y social. Ese cuerpo medio desnudo que se pasea por casa, esa ostentación del sexo, ese olor que ahora la incomoda fueron los mismos atributos que hacía un tiempo la excitaban.

Es la mujer quien abandona. En ella el rechazo madura lentamente, progresivamente, hasta un punto en que supera un umbral explosivo. «Siento», escribe Catherine Texier, «dentro de mí un poder creciente. Una fuerza que vibra. Un día decidiré ponerle fin, y a ti te sorprenderá. No te lo esperas porque yo sé cómo mantener mis cartas escondidas. Mi rabia a duras penas emerge a la superficie. En realidad me gusta tenerla bajo control porque no quiero que se filtre, inadvertidamente, cebando discusiones inútiles. La rabia, según mi opinión, sirve como combustible para seguir adelante. Por ello dejaré que se acumule hasta que estalle por sí sola. Fuera, fuera, a través de la estratosfera. Quizás no sea una buena luchadora, pero sé cómo hacer un buen corte. Tú no conoces este aspecto de mí, en realidad; que yo pueda pasar en un segundo del amor al odio, y que se acabe, que termine de verdad en un segundo.»[2]

La mujer sabe abandonar al marido aun cuando no ame a ningún otro. El hombre no. El hombre, normalmente, abandona el hogar si se enamora de otra mujer y ésta le pide que se separe o se divorcie. Esto las mujeres lo saben y por eso no sólo se enfadan con el hombre, sino también con «esa puta» que se lo ha llevado.

5. No eres como te había imaginado

Pero el amor del enamoramiento tiende a terminarse sobre todo cuando las circunstancias de la vida cambian y cambian las maneras de reaccionar, los proyectos de los dos amantes. Es la *evolución divergente* a la que Jurg Willi[3] se refiere. El resultado, con todo, es un rechazo del otro, la constatación de una insuficiencia suya, de algo inadecuado que diluye la atracción y puede incluso transformarla en repulsión.

El enamoramiento siempre es un hecho histórico. Te enamoras de una persona que te indica el camino para progresar en el marco de las circunstancias de ese momento. Entonces, para salir de la trampa existencial en la que habías terminado o en la que te sentías atrapado, para liberarte de una esclavitud que te resultaba ya insoportable, te servía esa persona con sus cualidades y sus ideas, con su cuerpo y lo que ella simbolizaba. Todas estas cosas transfiguradas por el enamoramiento te han ayudado y te han resultado indispensables para ganar tu partida. Pero después, con el paso del tiempo, has tenido que enfrentarte a otros problemas y esa misma persona que había sido tu compañera y tu guía ya no te sirve para continuar avanzando. No es que haya empeorado, sino que en el peor de lo casos sigue siendo la misma. No es que te equivocaras al juzgar sus cualidades. No, ella era tal como la percibías. La transfiguración del amor no es nunca una pura invención, un puro delirio, siempre tiene una base, no hace más que acentuar lo que existe, esparcir todo lo que en ese momento te atrae. Es una exageración, una hipérbole, no una pura ilusión. Estas mismas cualidades que, no en abstracto, sino en concreto te exaltaban en la vida cotidiana, llega un punto en que dejan de servirte. Entonces, lentamente, las sientes como un límite, como un obstáculo, como una incomodidad. Y, puesto que tú has cambiado, las transformas en defectos. El final de un amor siempre es amargo para ambas personas porque cada una recriminará a la otra no ser como se había imaginado, cuando en realidad lo que le recrimina es ser lo que es.

Sasha dice: «Te he amado locamente, por ti dejé mi casa, mi patria, mi trabajo. Dejé los reconocimientos sociales a un lado e inicié un camino de soledad, de pobreza y de riesgo. Éramos dos guerreros que luchábamos codo a codo. Me sentía invencible. Vivía en una especie de ebriedad y no me importaba lo que pensaran los demás. Todo lo que hacía contigo me parecía inteligente, sensato e importante. A los ojos de quienes me habían conocido en el pasado parecía una loco; con los ojos de hoy me doy cuenta de que cometí muchísimas insensateces. Pero no me lo parecían entonces porque nos gustaba lo que hacíamos, nos parecía bien. ¿Cuántas veces cambiamos de casa, cuántas veces empezamos de cero? Pero ahora lo veo claro, era yo quien inventaba, quien volvía a empezar, quien construía. Los proyectos eran míos, las ideas, las estratagemas con las que conseguí edificar para nosotros una vida dotada de sentido. A ti siempre te costó bastante entender el funcionamiento de las cosas, siempre hacías las cosas mal, con poco tacto y sin gusto. Y quizás en ese momento fue cuando empecé a entender que la chica brillante e inteligente, extraordinaria y creativa con quien creía estar, en realidad era una mujer extraña que suplía su falta de creatividad con la improvisación y las rarezas. Entendí entonces que no eras inteligente, sino brillante. Que no sabías inventar, sino sorprender. Que no me dabas apoyo, sino que tenía que arrastrarte. Que no tenías ideas claras, ni proyectos; tan sólo intentabas subsistir. El ideal que me había construido se derrumbó y con él el amor».

Y Sara le responde: «No fue culpa mía que te decepcionaras, fue culpa tuya. Pensabas haber creado un mundo que no existía, que no podía existir. Te ilusionaste con ello y te dejaste engañar. Yo te había llevado hasta el umbral, pero sabía qué se podía hacer y qué no se podía hacer. Tú no. Cuando te diste cuenta de que habías fracasado te escapaste. Desde tu punto de vista hiciste bien, claro. Buscaste otro camino. Te echaste a la espalda la derrota. Pero yo tuve que quedarme y aguantarla, soportarla. Poco a poco nuestro mundo iba haciéndose más miserable, feo, estúpido, equivocado. Inventé mil cosas para enriquecer nuestra vida, para que nunca fuera monótona, sino original y siempre nueva. Hice muchas más cosas que las que tú hiciste al comienzo. Pero no sirvió para nada. Querías algo nuevo pero no sabías qué querías. Todo lo que te había ofrecido, todo lo que podía ofrecerte, no te interesaba, ya no te gustaba. Me reprochaste que fuera lo que siempre había sido. Me odiaste. Sí, me odiaste. A lo mejor ni te dabas cuenta, pero me odiaste hasta el punto de poner en peligro mi vida. Hasta que un día te largaste. O mejor dicho, no te dejé entrar en casa. Fue un alivio».

6. Los hijos

Los hijos, normalmente, suelen unir a la pareja. Pero la unen cuando se dan dos condiciones. La primera es que exista un enamoramiento de verdad, la segunda es que los dos miembros de la pareja deseen de verdad tener un hijo y que le hayan incluido en su proyecto amoroso común. El nacimiento de un hijo siempre representa un momento traumático para la pareja incluso en el plano emotivo, porque la madre experimenta, para con el recién nacido, algo que se parece mucho al enamoramiento: la espera ansiada, los temores y finalmente ese pequeño ser que, para subsistir, depende completamente de ella, que llena absolutamente su jornada, su corazón, al que lleva continuamente en la cabeza y al que observa encantada y curiosa. Por la noche se despierta para observarlo y comprobar su respiración. Es un amor inmenso, cegador, que inexorablemente ensombrece cualquier otro amor y cualquier otro deseo sexual. Desde ese momento la mujer es una madre y necesita que su pareja ame al niño como lo ama ella, que le quiera como lo quiere ella y que la ame a ella a través del bebé. Es una solicitud que el hombre sólo puede satisfacer en dos casos: si él también deseaba muchísimo al hijo o si está profundamente enamorado.

En el primer caso el porqué es evidente: ha obtenido lo que había deseado desde siempre. En el segundo caso porque el enamoramiento le hace amar todas las cosas que su amada quiere. En nuestra sociedad el modelo erótico femenino que nos proponen desde todos los medios de comunicación es el de la mujer con vientre liso o sólo ligeramente redondeado. Ahora bien, si el hombre está enamorado, si ama a su mujer tanto si está enferma como sana, tanto si engorda como si adelgaza, amará como algo natural su tripa hinchada, amará su dolor en el parto, amará al hijo que le da y que constituye una unidad con ella. Su erotismo, que primero se expresaba a través de un continuo cortejo sexual, se convierte en ternura y delicadeza. Y más adelante, cuando su esposa recupera su aspecto normal, todo vuelve a ser como antes.

Pero también puede darse el caso de un hombre que no desee tener un hijo porque es incompatible con su proyecto de vida amorosa. A lo mejor su decisión obedece al hecho de que ya ha tenido hijos en alguna relación anterior y piensa que el nacimiento y la cría de un bebé, con su cochecito, sus pañales, sus pipís, los lloros nocturnos, las obligaciones cotidianas, la falta de privacidad, le impedirán mantener con la mujer a la que ama una vida erótica íntima intensa y apasionada con la que siempre había soñado. Su decisión implica un punto de no retorno, pero la mujer no siempre lo entiende. Tecla escribe: «Yo te amaba, te amaba tanto, y estaba convencida de que tú también me amabas. Me lo decías, me lo jurabas, corrías detrás de mí como un desesperado, te refugiabas llorando entre mis brazos, hacíamos el amor y me decías que nunca, absolutamente nunca podrías hacer nada sin mí. Pero todavía tenías que arreglar algunas cosas con tu esposa. La llamo esposa aunque no estuvierais casados. Te atormentaba la idea de perder a tus hijos. Y yo te contaba que los hijos, cuando ven discutir a sus padres, se lo pasan mal, sufren; es mejor cortar y aclarar la situación. Nadie ha perdido a sus hijos por haberse divorciado y vuelto a casar. Pero tú continuaste tergiversando las cosas, desaparecías y volvías a aparecer. Después me quedé embarazada y te lo dije sin tapujos, que quería tenerlo, que deseaba que creciera libre. Pero tú, cuando te dije que estaba embarazada, enseguida lo entendí, te sentó fatal, se te descompuso el semblante y no dejabas de repetir que decidiera yo. Pero cuando dos personas se quieren, las cosas tienen que quererlas las dos, un hijo se desea a la vez y tú, aunque sólo buscaras tiempo, no lo querías, no te importaba lo más mínimo. Si me querías tenías que querer también al hijo que llevaba en mis entrañas. Pero tú no me amabas tanto, nunca fuiste tan libre. No. Nunca te perdonaré no haber estado a mi lado durante el parto, no haberme dado la mano. Fue entonces cuando acabó nuestro amor; mejor dicho, acabó mi amor por ti, porque tu amor nunca existió. Y, de esta manera, ahora me encuentro sola, con un hijo, obligada a hacer las tareas más humildes en esta cooperativa de explotadores».

Tecla no ha entendido que ha superado un punto de no retorno. Fue en ese momento cuando el hombre dejó de amarla. En realidad es ella quien lo abandonó.

7. Los puntos de no retorno

Los puntos de no retorno pueden ser muchos. Ahora bien, entre los principales destacamos las fuertes divergencias políticas, las incompatibilidades religiosas, los conflictos étnicos, también los conflictos entre familias y algunos deseos incompatibles. Teniendo en cuenta que el enamoramiento nos hace ser moldeables, llegamos a creer que el otro cambiará, se adaptará, y nos limitamos a esperar que suceda algo que haga posible todo aquello que ahora no lo es. Las personas que se aman hacen todo lo que pueden para no herir sus respectivos amores y evitan tomar decisiones que pudieran comprometerlos irreparablemente. Dejan las cosas para otro momento, callan, pero el punto de no retorno está ahí, como un obstáculo insalvable. Hasta que llega el momento de la confrontación. En la película *El hombre que susurraba a los caballos* el protagonista (el actor Robert Redford) estaba profundamente enamorado de su esposa, una gran intérprete de música, pero la incompatibilidad de sus proyectos de vida les había separado. Ella viajaba constantemente de una ciudad a otra, iba de concierto en concierto, mientras que él necesitaba vivir en el campo con sus caballos.

Birghitta no había entendido que sus diferencias religiosas con su esposo podrían llegar a suponer un obstáculo insuperable. Él era ateo y ferozmente anticlerical. Ella era católica y tenía una sensibilidad místico-religiosa muy acusada. Pero estaban profundamente enamorados. Los dos habían dado no uno sino hasta diez pasos hacia atrás y habían conseguido ser afectuosamente tolerantes. Todo funcionó durante unos cuantos años hasta que el país fue sacudido por un conflicto étnico de tintes religiosos, ateos marxistas por un lado y católicos por el otro. Cuando los amigos del marido iban a su casa a pasar la velada, para evitar discutir ella no decía nada o se levantaba de la mesa y se iba.

No muy lejos de donde vivían hubo una aparición mariana. Birghitta se convirtió en una ferviente devota y cada vez que encontraba un momento se acercaba al santuario y se llevaba a su hija de cuatro años con ella. El marido empezó a reprochárselo, a reírse de ella, a soltar comentarios sarcásticos sobre las publicaciones y las imágenes sagradas que la mujer llevaba a su casa. Pero por encima de todo no quería que su esposa llevara a su hija al santuario. Al principio Birghitta continuó siendo afectuosa y mantuvo sus relaciones sexuales con normalidad. Después, a medida que las críticas de su marido se fueron haciendo más frecuentes, burlándose y, sobre todo, prohibiéndole llevar a su hija a la iglesia, empezó a cerrarse en sí misma y a entristecerse. Un día llevó una estatua de la Virgen a casa y le construyó un pequeño altar con otras imágenes sagradas y una vela permanentemente encendida. El marido fue presa de un acceso de cólera furibunda, agarró la estatua y la estampó contra el suelo profiriendo insultos y blasfemias. La mujer se quedó petrificada, absolutamente muda, recogió los pedazos de la estatua, la vela, las imágenes esparcidas por el suelo y, sin decir ni una palabra, se encerró en su dormitorio con la niña, que lloraba. El marido salió de casa dando un portazo y no regresó hasta muy avanzada la noche. La mujer puso sus vestidos y los de la niña en dos maletas, preparó la mesa para que su esposo cenara y, en el primer tren de la tarde, regresó a casa de los suyos.

Actualmente en Europa cada vez son más frecuentes casos como éste en los que las diferencias religiosas entre miembros de una pareja enamorada se hacen más evidentes. Suelen darse en matrimonios mixtos entre personas de formación hebraico-cristiana, por un lado, e inmigrantes musulmanes, por otro. Y es que cada uno de estos individuos lleva como bagaje una creencia religiosa, una familia, una tradición, una cultura y un modo de sentir y de pensar particulares que les hace pertenecer a un grupo al que no pueden renunciar. El enamoramiento no hace más que esconderlos, pero cuando hay polémica, conflictos, guerras o matanzas vuelven a emerger violentamente.

8. La ruptura

Hay veces en que la evolución divergente es el resultado de una catástrofe. Algo que sacude en las mismas raíces el proyecto de vida de dos miembros de una pareja y que conlleva, por un lado, que ese proyecto que ambos habían construido juntos deje de ser realizable y, por otro, un cambio radical que les lleva a no reconocerse el uno al otro: la muerte de un hijo, la muerte de los padres o la ruina económica. Ciertamente, no es el objetivo de este libro establecer una clasificación de estas razones, de ahí que sólo apuntemos algunos ejemplos.

Este caso está extraído de un guión cinematográfico escrito por Ramón: «Estoy en una cocina. Hay un hombre de sesenta años con un brazo enfermo. Lo lleva mal vendado. Se entiende que está esperando a que su mujer le haga la cura o termine de vendárselo. Ella es una mujer de unos cincuenta, guapa pero demacrada por el cansancio y también por la enfermedad. Está lavando los platos, la paellera, limpia con meticuloso cuidado cada uno de los rincones de la cocina y del fregadero. El hombre espera, aparentemente paciente, pero de su cara, de su manera de mirar, se entiende que le gustaría que la mujer se ocupara de él, que le curara el brazo enfermo y que después terminara sus labores domésticas. Su mirada muda parece querer decir: "Hay cosas prioritarias y cosas secundarias, la herida de mi brazo es más urgente que limpiar tan a fondo la cocina". Pero la mujer lo ignora, continúa haciendo sus cosas hasta que las termina a la perfección y le da sus explicaciones: "Mañana viene gente. Estaré sola y si no lo dejo todo listo ahora me volveré loca". Su sufrimiento, su cansancio, los quehaceres de la casa, el brazo del marido enfermo, las compras, sin nadie que la ayude, la hacen "enloquecer" de verdad. Su indiferencia no es un pique, el brazo de su marido, para ella, es infinitamente menos angustioso que el peligro que la amenaza. Son dos personas que se estiman pero cada una lucha desesperadamente por sí misma, porque se encuentran al límite de sus propias fuerzas. Ninguno de los dos consigue hacer propios los problemas del otro. Ella se está defendiendo de las angustias del marido y compara su esfuerzo, todo lo que hace, su propia capacidad de intuición, de organización, con la del marido inválido, que se comporta de un modo infantil, inmaduro y egoísta. Le ha hecho de madre, de enfermera, de mánager, de hermana, de guía moral, de amante condescendiente. Sin su cuidado y atención habría sido presa de cualquier explotador o estafador, de cualquier persona sin escrúpulos. Y ahora está ahí sentado, con su brazo maltrecho y le parece un mocoso caprichoso. ¿Lo ama? Sí. Pero está decepcionada, cansada, infinitamente cansada. En su vida en común ya no encuentra verdadera felicidad, sólo cansancio».

Sharon escribe: «Todo empezó con la crisis de la Bolsa y cuando perdiste el puesto de director general. Aprovecharon tu enfermedad, dijeron que estabas desahuciado, hicieron un complot y, al final, a la jugada también se sumó tu mejor amigo, aquel que venía por casa, aquel que conocía todos nuestros secretos. De repente te sentiste pobre, enfermo y viejo. No tuviste valor para empezar de cero, aceptando la propuesta de dirigir una pequeña empresa en la que entrarías como inversor. Lo habrías conseguido y habrías trabajado para ti y no para otros, para ese avispero. A mí no me importaba vender nuestra casa lujosa o el barco y cambiar de tipo de vida. Nací pobre, trabajé siendo niña. Sabía cómo volver a empezar. Pero tú no. Tú venías de una familia rica, estabas obsesionado por lo que pensaban los tuyos, te sentiste despreciado, apartado. Entonces, Dios mío, recuerdo esos días de angustia durante los que empezaste a ceder y te dejaste arrastrar hasta el fondo de la depresión. Vi cómo la alegría desaparecía poco a poco de tus ojos, cómo desaparecía la vida y la esperanza. Vi, día a día, noche a noche, insinuarse en tu alma el sentimiento de que todo era inútil, nada tenía valor. Tu rostro quedó como inmovilizado, tus cejas se doblaron, tus ojos asustados miraban a ninguna parte. Vi crecer tu cansancio, el peso de vivir. Te resultaba incluso difícil levantarte por la mañana, difícil responder al teléfono, encontrarte con un amigo, y, después, te resultó insoportable el más mínimo ruido, el sonido de un timbre, todo.

»He luchado de todas las maneras posibles para encontrar la manera de transmitirte confianza, para demostrarte que en la vida hay cosas bonitas por las que vale la pena vivir. Que, en el fondo, aunque fuéramos más pobres, podíamos continuar juntos para siempre, trabajar juntos, viajar. Que bastaba con que tú dedicaras un poco más de atención y de regularidad a tus curas para sanar. Pero ¿qué había en tu interior, amor mío, qué secreta debilidad había despertado en ti? Ahora tú vives aislado en casa. Soy yo quien ha salido, quien se ha dado a conocer. He creado una nueva actividad, tengo nuevos amigos, nuevos socios y nuevos clientes. Viajo mucho y me he dado cuenta de que todavía gusto. Quizás sea por mi optimismo, por mi energía, que atrae a los hombres. Dicen que a las mujeres les atraen los hombres que las hacen reír. Es verdad, pero te aseguro que a los hombres les pasa lo mismo. Si miras a tu alrededor sonriendo, confiada y brillante, te persiguen como moscas. A lo mejor he empleado las dotes que tuve que desarrollar para ayudarte a ti, para darte apoyo y, cuando me di cuenta de que todo era inútil, las proyecté hacia el exterior. Me sabe tan mal, pobre amor mío, porque todavía te aprecio mucho, pero mi corazón ya no se acelera cuando te veo, sino que me embarga una profunda tristeza y me apetece escapar enseguida adonde hay vida. Lo siento…».

9. Los mecanismos de la pasión

Hemos descrito algunos tipos de pasión en su estado más puro. Falta decir al respecto que sus respectivos mecanismos continúan funcionando incluso en una pareja consolidada hasta provocar su disgregación.

Una persona propensa a las *pasiones competitivas* puede casarse y establecer una convivencia duradera, pero la tendencia competitiva se mantiene viva en ella y por consiguiente se dejará atraer e intentará otras aventuras. Si es un hombre y su mujer tiene la habilidad de mantenerlo siempre en un estado de incertidumbre, de hacerse ver entre otros hombres, de coquetear con ellos, de hacerle sentir celos, si consigue hacer que el hombre viva siempre con la convicción de que existe un rival, su vínculo se reforzará periódicamente y durará más. Si, por el contrario, le demuestra un amor incondicional, si siempre está a su lado como un perro fiel, si no le deja ni a sol ni a sombra, él tiene la sensación de ahogo y a la primera ocasión que tenga la engañará. Lo mismo sucede a las mujeres. Algunas sólo sienten atracción por su marido cuando le ven brillar, rodeado de otras mujeres disponibles a las que él desea. Esto las excita, las estimula a ser más hermosas y deseables. En ambos casos, se trata de un juego al alza muy peligroso que a menudo termina con una secuela de engaños y con la separación.

Todavía más peligrosa es la persona que tiene una tendencia a la *pasión por dominar*, que tiende a convertir a la otra persona en un esclavo, tanto en el plano intelectual como en el emotivo, que quiere imponer sus ideas, su voluntad, así como sus convicciones políticas y religiosas. Esta persona suele burlarse de su pareja si ésta intenta afirmar su propio punto de vista. Conozco el caso de un hombre extremadamente inteligente que tenía esclavizada a su mujer hasta el punto de prohibirle leer un libro o ver una película que él consideraba políticamente o estéticamente equivocada. Criticaba con la precisión de un filólogo pedante todo lo que decía y la corregía continuamente, como un profesor implacable. Cordial y simpático en sus relaciones sociales, era duro, malo y despiadado en su domesticidad. A causa de este comportamiento represivo acabó perdiendo a tres esposas y alimentó problemas insolubles con sus hijos. Y se trataba de tres mujeres que le habían amado, que durante años habían intentado encontrar la manera de adecuarse a él, pero que poco a poco fueron acumulando una tensión y una agresividad incontenibles y acabaron rebelándose. Una de ellas, vejada y humillada por sus continuas traiciones, acabó suicidándose. Pero ello no sirvió para que corrigiera su actitud. Años después volvió a casarse, y se comportó de la misma manera hasta que también su cuarta esposa terminó pidiéndole el divorcio.

Asimismo, las personas que tienen una fuerte tendencia a la *pasión de idolatría*, sobre todo las mujeres, pueden ser víctimas de múltiples y variados problemas si se casan o instauran una relación duradera porque continúan mirando hacia arriba o tienden a hacer comparaciones. Su novio o marido, si trabaja en el mundo de la comunicación, les parece insignificante e insípido, les echan en cara su incapacidad de hacer carrera o de ganar más dinero y se sienten inexorablemente atraídas, tanto emotiva como sexualmente, por cualquier otra persona que destaca, que es más guapo, o ocurrente, o divertido, o famoso, o mucho más rico. Normalmente suelen pasar mucho tiempo sin manifestar nada, pero con el tiempo llegan a sentir repulsión por su hombre y acaban acostándose con cualquiera. Así, acaban convertidas en la amante del cirujano, del periodista o del empresario del pueblo.

Por último, están las personas portadoras de una enorme carga sexual, que tienden a separar, con más facilidad que otras, el sexo del amor. Éstas, si bien continúan queriendo a su esposa o a su marido, pueden tener aventuras sexuales con muchas personas y asimismo *pasiones eróticas* a las que llaman enamoramiento. Ahora bien, cuando están obligados a escoger entre la amante o la esposa, entre el amante o el marido, terminan inclinándose por el último. Siempre y cuando la relación no se haya deteriorado tanto que el otro los eche de su lado para siempre.

10. Separación: hombre y mujer

Cuando en una pareja el amor se termina, el hombre y la mujer tienden a reaccionar de un modo distinto. Los hombres tienden a prolongar la convivencia. Aunque se enamoren de otra mujer intentan prolongar la relación con la primera mujer a través de compromisos y subterfugios. Por el contrario, las mujeres, normalmente, rompen bruscamente.

El 80% de los divorcios lo solicitan las mujeres; el 20% restante es iniciativa de los hombres porque la nueva mujer de la que se han enamorado les empuja a hacerlo.

Un sueño: «Una mujer y un hombre. Les veo en la cama, desde arriba. Él la besa apasionadamente. Después llega el marido de la mujer. Se detiene para hablar conmigo. No les ha visto. Pero me habla de ella. Dice que la ama, que la desea, pero que ella le evita, se le escapa. Él la busca pero no la encuentra. Noto en él una tensión de amor que podría convertirse en cólera, en odio. La quiere, pero no consigue obtenerla. En su ánimo hay un vacío peligroso. Me da miedo de que quiera matarla. Y me doy cuenta de que sería capaz, de que depende de cómo se comporte ella. Si lo rechaza, la cólera aumentará y podría convertirse en un homicida. Se necesita poco para calmarlo. Que ella lo acogiera con ternura, lo acariciara, que hiciera el amor con él.

»Se lo digo a la mujer. Pero ella rechaza la idea: "No, no. Ya no le quiero. Me repugna, no soporto la idea de que me toque. Le dije que no le amaba, que no quiero volver a hacer el amor con él, nunca, jamás." La mujer apoya su hombro sobre el mío, me doy cuenta de que está disponible, de que podría hacer el amor con ella. Conmigo, aunque no me conozca. Y, entonces, ¿por qué no puede hacerlo con su marido? Cuesta tan poco, calmarle cuesta tan poco, eliminar el peligro cuesta tan poco.

»Pero ella repite que no. Y en cambio hace poco la vi besar a otro hombre. Ahora me aprieta, disponible. Por consiguiente no quiere a nadie de verdad, no necesita mantenerse fiel a nadie. ¿Por qué sólo le rechaza a él? Sólo a él. Le pregunto si alguna vez lo amó. Sí, lo amó, pero ahora ya no le ama, ahora le repugna, no lo soporta.»

Así como al comienzo, cuando lo amaba, sólo le quería a él y rechazaba a todos los demás, ahora está disponible para todos salvo para él. Para mí, que soy hombre, su reacción me parece incomprensible. Si yo dejo de amar a mi mujer, nunca llegará a desagradarme tanto como para no poder hacer el amor con ella. A menos que no nos hayamos peleado a muerte, que es lo que suele ocurrir tras un divorcio feroz. Ahora bien, si esta lucha cruel no ha sucedido, aunque la considere un enemigo implacable, la pondré en el mismo plano que las otras. No la apartaré sólo a ella. No la rechazaría conscientemente a ella sola.

Ésta me parece que es la diferencia fundamental entre ambos sexos: que cuando un hombre y una mujer se enamoran ponen al amado en lo más alto y al resto de personas en un plano inferior, pero cuando el enamoramiento cesa, mientras el hombre se limita a poner a la que había sido elegida otra vez al mismo nivel que las demás, la mujer sitúa a quien amó en un nivel más bajo que los demás, en una especie de abismo. Por esta razón puede hacer el amor con todos, con el primero que pase, pero no con él. La expresión tan frecuentemente usada de «me voy con el primero que pasa, pero contigo no», no es simplemente una manera de hablar, sino una amenaza real, un comportamiento de verdad.

«Significa», dice mi esposa, «que la mujer ha acumulado mucho rencor y ello le impide poder soportar al marido; ya no le puede ver y mucho menos tocarle con un dedo porque, desde ese momento, para ella él se ha convertido en un paria.» «Pero ¿qué le ha hecho?», le pregunto yo. «Insiste en que la quiere a toda costa, quiere retenerla, violenta su libertad.» «No es así», respondo yo, «se lo está pidiendo, se lo está rogando.» «Sí», añade ella, «ruega e implora, pero esto no hace más que empeorar las cosas. Aumenta su desprecio.»

Entonces debe de tener razón Schelotto cuando escribe: «Como niños perdidos, los hombres invocan desesperadamente a su amada [...] Precisamente esto es lo que hace que las mujeres sean inflexibles: no pueden aceptar ser amantes decepcionadas para transformarse en madres piadosas:

cuanto más le implora, le suplica y la amenaza, más dura e implacable es».[4]

El hombre tiene una reacción opuesta. Si la mujer le implora, le pide que se quede o por lo menos que vuelva alguna vez a ella, que no la olvide completamente, él le responderá que, si bien ya no puede mantener la relación de antes, continuará apreciándola y podrá contar siempre con él. Implícitamente le hace saber que, aunque sea enseguida, si está sola, si le necesita, él podrá volver a abrazarla, a acariciarla y a lo mejor volverán a hacer el amor. Y si ella llora y le implora, él se siente afectado y enternecido. El lloro y los ruegos no la hacen parecer despreciable a los ojos del hombre, sino, al contrario, rebosante de nobles sentimientos.

11. Tras la ruptura

Bastante a menudo, cuando la mujer deja brusca e irreparablemente al hombre del que se ha cansado y al que ya no soporta, experimenta una sensación de liberación, tiene incluso la sensación de volver a nacer. Es como si hubiera rejuvenecido, cambia su vestuario, se preocupa por su cuerpo, quiere gustar y se siente segura y fuerte cuando se da cuenta de que muchos hombres, algunos jóvenes, se interesan por ella. Todo esto es lógico, natural y positivo porque le da fuerzas para volver a empezar sin la necesidad de tener un nuevo amor que le ayude a borrar el recuerdo del anterior.

Ahora bien, cuando esta ruptura brusca se sucede tras una larga vida en común la realidad es más complicada. Entonces la euforia y el ímpetu inicial no duran demasiado y dejan lugar a un sentimiento de aridez y de vacío. No se trata de añoranza ni de deseo de volver hacia atrás, sino que representa tomar conciencia de una pérdida. Tampoco es algo que dependa especialmente de la edad. Hay mujeres de cincuenta o de sesenta años que han vivido durante mucho tiempo solas y que se sienten serenas y tienen una buena vida amorosa y sexual. No, el misterioso malestar al cual nos hemos referido deriva de la cantidad de vida que se ha pasado junto a esa persona y que hay que remover y desplazar. El amor y el dolor sentido, las alegrías y las penas compartidas, la experiencia vivida con los hijos cuando eran pequeños, las luchas sostenidas el uno al lado del otro, la ayuda mutua en la enfermedad, todo esto debe ser desplazado y olvidado. Es una vorágine inmensa, un vacío que duele, que reseca las fuentes del deseo, de los sueños y de las esperanzas. Borrar, olvidar una parte tan grande de nuestra vida pone en crisis nuestra propia identidad.

«No», dice Alexandra, «es una equivocación romper del todo cuando has pasado una vida con la otra persona. Lo he visto en mí y también en muchas de mis amigas. Te vuelves malo, te resecas por dentro. Yo eché a mi marido de casa porque me había hecho pasar muy malos ratos, después luché contra él, quería destruirlo. Le hice volver loco con los hijos. Ahora estoy convencida de que me equivoqué. Debería haber encontrado otra solución, le habría podido sugerir que se marchara a un hotel, incluso le habría podido dar libertad para hacer lo que quisiera con otras siempre y cuando ello no interfiriese en mi vida. No había ninguna necesidad de divorciarse de esa manera. Entonces estaba convencida de tener la razón, estaba llena de rencor, de deseo de vengarme y arrastré ese odio durante mucho tiempo. Pero hoy me pregunto si no hubiera sido mejor ser más tolerante, menos rígida, tener más imaginación.

»No hace falta cortar nuestra vida con un cuchillo, de un modo desagradable. La vida es breve. Cuando te giras para mirar atrás adviertes que es muy, muy corta, y entonces te das cuenta de que te habría gustado haber conservado un vínculo, un puente con todas las personas que has conocido y amado. Evidentemente, debemos ser exigentes, intolerantes incluso, para poder llevar a cabo nuevas experiencias, para crecer y cambiar. Pero cuánta vida, cuánta riqueza perdemos. Ese director de cine italiano, Fellini, en la película *Ocho y medio* imagina que encuentra otra vez a todas las mujeres de su vida. Primero me pareció simplemente una buena idea; ahora, empero, entiendo qué quería decir.»

XIV
El amor unilateral

1. El rechazo

El amor que se estropea con la vida cotidiana, las incomprensiones y los conflictos desaparece irremediablemente dejando sólo tras de sí irritación y rencor. El amor que se apaga sin odio, sin conflictos dolorosos, sin consecuencias rencorosas, puede continuar como afecto. Pero también tenemos el caso del amor no consumado, de un amor que ha sido brutalmente cortado porque uno de los dos ha dicho que no mientras el otro continuaba amando. Este amor tiene una extraordinaria tendencia a perdurar.

Cuando el estado naciente del enamoramiento se inicia, cuando se abren las fronteras de la posibilidad y se entrevé una vida luminosa y una felicidad absoluta, perder a la persona amada, ser rechazado, es algo irreparable e intolerable. Porque no es la persona concreta lo que perdemos, sino el poder creativo de la vida, su soplo divino. Una vez enamorados, nuestro ánimo se alumbra con la esperanza, el mundo se ilumina y nos muestra que tenemos a nuestro alcance una posibilidad inimaginable de felicidad. Se nos muestra el rostro profundo del ser donde todo es perfección, divina plenitud, divina simplicidad.

En estas circunstancias el rechazo, el abandono, produce en nosotros una catástrofe emotiva y mental. «La catástrofe amorosa», escribe Roland Barthes, «se asemeja bastante a lo que, en el campo psicótico, llamamos *situación extrema*, esto es, "una situación que el sujeto vive teniendo conciencia de que ésta acabará destruyéndolo irremediablemente"; la imagen está extraída de los acontecimientos que tuvieron lugar en Dachau. Debemos preguntarnos si no resulta indecente comparar la situación de un sujeto que sufre penas de amor con la de un deportado que vive en el universo del campo de concentración de Dachau. ¿Una de las más inconcebibles atrocidades de la historia puede ser comparada con un incidente fútil, infantil, sofisticado y oscuro que sucede a un individuo que lleva una vida de comodidades y que, en definitiva, no deja de ser una simple víctima de su imaginario? Con todo, las dos situaciones tienen algo en común: ambas son, literalmente, situaciones de pánico; las dos carecen de continuación, no tienen retorno.»[1]

El mundo, la vida, la existencia misma de las cosas pierden sentido. Ese rechazo se nos antoja incomprensible e imposible. ¿Incluso cuando, al comienzo, en el momento de enamorarnos, dudábamos continuamente, deshojábamos la margarita y le preguntábamos con insistencia: «me ama, no me ama»? El estado naciente del enamoramiento no sigue la lógica del principio de no contradicción. Nos sentimos a la vez convencidos y vacilantes. Nos preguntamos sin parar: ¿me ama?, pero, en el mismo momento, estamos interiormente convencidos de que «estamos hechos el uno para el otro», que el otro es lo que nos falta desde el comienzo de los tiempos, la otra mitad de la esfera de la que hablaba Alcibíades en *El Banquete* de Platón.

Esta misteriosa seguridad (unida a la más completa incertidumbre) no deriva del hecho de que poseamos una cualidad particular que nos hace ser deseables, sino de la experiencia metafísica del estado naciente. La persona enamorada siente que tiene una afinidad metafísica con el amado, que el amor que se prodigan pertenece al plano del ser, contribuyendo a la armonía del cosmos.

De ahí que el rechazo sea visto como una monstruosidad, como una cosa que se opone a las leyes de la lógica, de la justicia y de la naturaleza. Que se opone a la estructura constitutiva del ser. De las leyes que deberían estar en la base del cosmos. Entonces, cuando se manifiesta, nos parece absurdo. El enamorado que ha sido rechazado tiene la impresión de que la vida, el mundo, el universo están gobernados por unas fuerzas locas o inmorales, por una divinidad demente, por un demonio. El enamorado no quiere creerlo, busca al amado, le implora, le suplica. En algunos casos, se niega a admitir la realidad y enloquece. Como sucedió a la hija de Victor Hugo, Adèle, que persiguió a su amado durante años por América y acabó enloqueciendo.[2]

La mayoría de las personas, por el contrario, tienen conciencia de lo inevitable, aunque no alcancen a entenderlo. Muchos piensan en el suicidio. Otros, cuando hay un rival de por medio, fantasean con matarlo o con matar al amado. Por consiguiente son frecuentes los casos de homicidio-suicidio. Otros pierden la fe y se convierten en ateos. Otros se endurecen y, convencidos de que el mundo es un campo de batalla, buscan su afirmación a través de la astucia y la violencia. Otros se convencen de que el amor es completamente imposible, una ilusión, una enfermedad mental y se lanzan desenfrenadamente a la conquista sexual, para dominar así al otro, o a la lucha por el poder.

Hay quien intenta autoconvencerse de que el enamoramiento es una enfermedad, una locura, y por esta razón sólo busca un afecto sólido fundamentado en el respeto, la comprensión y la ayuda recíproca y leal. Otro cambia de pareja sin parar, las corteja y se acuesta con todas las personas a las que consigue seducir, se libera con el sexo. Pero en lo más profundo de sus almas, les queda el deseo lancinante de la persona perdida, la única que cuenta de verdad. Y este deseo permanece enquistado y no se apaga. Puede durar mucho tiempo, durante decenios, incluso toda la vida. Sólo se apaga en un caso: cuando nos enamoramos de otra persona. Cuando aparece otro estado naciente y desaparece el viejo mundo para dejar lugar a otro nuevo. Cuando, en otras palabras, puede restaurarse el orden moral del cosmos.[3]

La pérdida de la persona de la que estamos perdidamente enamorados no puede compararse con la pérdida de una persona querida. Podemos recordar a las personas queridas a las que hemos perdido, intentamos volver a verlas como cuando estaban entre nosotros, y al hacerlo, aunque sufrimos, atenuamos nuestro sufrimiento. Hay quienes las sienten muy cerca. Otros hablan mentalmente con ellas. Pueden recordarlas porque éstas también les quisieron, porque, al evocar el pasado, evocan su amor. Sin embargo, quien ha sido rechazado no puede recordar sin dejar de sufrir de un modo atroz. El recuerdo reactiva inmediatamente el dolor, el desgarro del rechazo.

El enamorado abandonado, no obstante, hace todo lo posible para mantener enterrado en el olvido aquello que sólo le provocaría sufrimiento. Pero su mente regresa inexorablemente al pasado, recuerda, a pesar de todas las defensas, que el amor habría podido ser, incluso más, que el amor habría debido ser. No puede dejar de pensar que las cosas habrían podido ir de otra manera. El recuerdo del amor frustrado siempre es instantáneamente recuerdo de algo que debería haber sido pero que no ha sido. Y, por consiguiente, es un grito que emerge del abismo, un rechazo, una protesta, un no. Y, a la vez, una esperanza, una espera, una pregunta.

Y si la persona amada regresa, aparece y demuestra, si no amor apasionado, por lo menos ternura, confianza, dulzura erótica, amistad, entonces ese amor destrozado puede despertar nuevamente y reencontrar, aunque sea tímidamente, la palabra, y un poco de paz. Ahora bien, sólo si ha transcurrido mucho tiempo y no hay peligro de que vuelva a estallar para ir al encuentro de una nueva derrota.

2. El amor perdido

Ya hemos analizado unos capítulos antes cómo en la pasión erótica creíamos que la atracción sexual era enamoramiento. Pero puede suceder precisamente el contrario: que un verdadero y profundo enamoramiento sea interpretado como una sexualidad violenta. Nos lo demuestra el caso de Giselle, que escribe: «Han pasado casi treinta años desde que te vi por primera vez. Me senté a tu lado y ya entonces me pareciste, como siempre, fuerte, dulce, hermoso y enigmático. Sí, enigmático; nunca sé en qué estás pensando. Si me lo hubieras pedido, habría hecho el amor contigo enseguida. En esos tiempos, lo hacía con facilidad, con el primero que me gustaba, era una conquista, un modo de conocer, un desafío. Al cabo del tiempo fui en tu busca, te encontré del mismo modo: sonriente, muy dulce, superior e impenetrable. Me resultabas infinitamente cercano e infinitamente distante. Me di cuenta de que te gustaba, me llevaste hasta tu cama y desde ese momento nos hemos vuelto a ver otras muchas veces. Yo no sabía que te quería; me atraías sexualmente. Tenía a muchos hombres, pero tú eras el que más me gustaba. Después te fuiste, desapareciste durante unos años. Sin embargo, un día, de repente, regresaste a buscarme y me pediste que me fuera contigo. Te seguí con naturalidad, como si siempre lo hubiera esperado. Te conté toda mi vida, mis amores, mis experiencias sexuales, incluso las más secretas; no te escondí ninguna, te ofrecí mi alma y mi cuerpo, te expliqué todo lo que había hecho, todo lo que había probado, todo lo que sabía, todo lo que pensaba. Tú estabas ávido de mi alma y de mi cuerpo. Todavía no sabía que te quería tanto. ¿Cuánto tiempo duró nuestra relación amorosa? Dos, tres años. Dos años durante los cuales nos encontrábamos a menudo, dos años de sexo desenfrenado. Pensaba que sólo se trataba de sexo, pero te amaba, oh, sí, te amaba, hablábamos de todo, me sentía alegre, te sentías alegre, me sentía creativa, te sentías creativo. Estabas bien, estábamos bien. Cuánta felicidad durante las estancias en el mar, cuánta felicidad en las playas desiertas. Cuánta felicidad al acariciar tu piel fina como la de una mujer, al sentir tu polla dentro de mí, hasta hacerme gritar de placer, llorar de placer, esa polla que, a la vez, acogía dentro de mi cuerpo como si fuera un hijo. Incluso estuvimos a punto de ir a vivir juntos en la casa que te había preparado con infinito cuidado, aun sabiendo que estabas apenado porque todavía tenías a tu primera mujer. Después todo llegó a su fin, enfermaste, regresaste a tu casa y desapareciste. Dejaste de buscarme, nunca me telefoneaste, nada. Yo te dejé libre. ¡Pero no quiero recordar esos años! No quiero recordar el desgarro que no expresaba, que nunca dije. No quiero recordar el llanto de esas noches de soledad, ni el que reprimía estando al lado de otro hombre, de otros hombres que siempre eran tú. Cientos de veces esperé volver a verte, cientos de veces me desplacé hasta la ciudad donde vives, incluso con otros hombres, pero con la esperanza, jamás confesada, de "encontrarte por casualidad". Dios, ahora quiero gritarlo: ¡continué amándote, siempre! ¡Tú has sido el amor de mi vida! ¡Sólo tú has sido mi verdadero amor! ¿Con cuántos hombres he estado? Con muchos, muchos, muchos porque era hermosa, porque me buscaban, porque el sexo siempre me ha parecido una cosa natural, alegre, divertida y exenta de pecado. Y tú sabes que es verdad, porque nunca te escondí nada, ni tan siquiera los detalles. Hoy entiendo lo estúpida que fui, empeñada en no decirte que mi amor por ti era grande y verdadero, que la vida de antes había terminado, que de ahora en adelante sólo sería tuya. Debería haberlo entendido, que tú querías una mujer sólo para ti y fiel. ¡Yo te habría sido fiel! Ahora lo sé, contigo siempre habría sido fiel. ¿Por qué no entendemos las cosas esenciales cuando deberíamos? Amor mío, aunque ya sea demasiado tarde, ahora te lo digo: incluso después de separarnos, todos los hombres con los que me he acostado siempre han sido tú, siempre es a ti a quien he buscado, siempre he sido sólo tuya. Y te encuentres donde te encuentres, estés con quien estés, hagas lo que hagas, continuaré siendo siempre tuya».

3. La adoración

También existen mujeres que, aunque no sean correspondidas y la otra persona no esté enamorada de ellas, se mantienen enamoradas mucho tiempo de un personaje famoso o de un ídolo. Ello es consecuencia de la fuerza que empuja a la mujer a desear y amar al hombre que destaca, al campeón, al jefe o al ídolo. Se trata del residuo ancestral del deseo de poseer el semen más valioso del que ya hemos hablado. Cuando él responde al amor de estas mujeres, si se encuentran sexualmente, si mantienen aunque sea una breve relación erótica, ellas, aunque desean un amor exclusivo, desechan esta idea de sus cabezas y hacen todo lo que está en sus manos para no cansar ni irritar con sus exigencias a la persona a la que no quieren perder. Es posible que ni tan siquiera experimenten celos. Hay casos de secretarias que se pasan la vida entera o muchos años de su vida enamoradas de su jefe, que, por su parte, está casado, les habla de su esposa, de sus hijos, de sus otras amantes, y con el cual tan sólo comparten tensiones y luchas cotidianas. Estas mujeres

aman con un amor profundo que no pasa al plano de lo erótico a menos que él no haga algo para que así sea. Si llegara
el día en que se las invitara a hacer un viaje con él y, en un
momento dado, él se las llevara a la cama, ellas lo acepta-
rían con toda la naturalidad del mundo. Entonces ese amor
espiritual se convertiría en pasión amorosa.

También hay mujeres que se pasan mucho tiempo enamoradas, incluso toda la vida, de un hombre casado, a veces incluso del marido de una amiga a la que aprecian de
verdad o del de la hermana. Hay quien se limita a tener fantasías eróticas y también quien se arriesga a establecer una
relación sexual ocasional, que mantiene escondida. Todo
ello sabiendo que el hombre ama a la otra y que jamás la
abandonará. Ella se conforma con ser la amante que aprovecha la oportunidad que la vida le brinda de mantener una
relación amorosa con una persona con la que, de otro modo,
jamás habría podido estar. Es feliz con lo que recoge y vive
los momentos de éxtasis que se le conceden como un don.
No se conforma, entendámonos bien, con una pura sensualidad, también quiere sentir que el otro la desea, que la
aprecia, que haya, si no amor, ternura, aprecio y amistad.
Pero no exige reciprocidad, no exige exclusividad. Su sentimiento es el de un enamoramiento unilateral no correspondido pero duradero.

Para entender cómo funcionan los mecanismos debemos
recordar nuevamente el proceso del enamoramiento. No
cometamos el error que hizo Sartre de imaginar que el amor
nace plenamente de la pretensión de ser amados como nosotros amamos al otro. El enamoramiento es un proceso.
Requiere una larga fase preparatoria en la que nos acerca-
mos gradualmente al amado. No tenemos inmediatamente
la osadía de pensar que el otro pueda amarnos como nosotros le amamos a él. Él se nos aparece como una divinidad y
nosotros nos sentimos como si no fuéramos nada. Nos deci-

mos a nosotros mismos que nos contentaríamos con poco, tan sólo con poder estar cerca de él, poder verle de vez en cuando, poder gozar alguna vez de una caricia suya.

Sólo cuando sentimos la posibilidad de una reciprocidad completa nos abandonamos a la dinámica del amor recíproco. Pero en los casos de los que estamos hablando este mensaje no se envía; es más, es completamente inimaginable. Entonces el proceso se para antes. La pastora que se encuentra al rey o la chica que encuentra a su ídolo no alcanzan la fase de la reciprocidad. Continúan fascinadas, enamoradas, pero no se atreven a pensar que puedan corresponderlas de la misma manera. Saben que, si piden demasiado, él se irá. Y entonces elaboran una forma de amor sin exclusividad.

Se trata, con todo, de un equilibrio inestable. El enamoramiento exige la reciprocidad. Siempre existe el peligro de que la intimidad sexual e intelectual desencadene el deseo total. Ha saboreado la beatitud del instante, quiere conseguir la del tiempo. Ama y quiere ser amada de la misma manera. Aspira a la exclusividad completa. Y si el otro no está enamorado, no puede darla. Entonces la alegría muta en dolor.

«Habría sido mucho mejor que no te hubiera dejado que me besaras, aunque lo deseara desde hacía mucho tiempo –dice Fátima–. Llevaba años mirando tus labios, tu cuerpo, pero siempre me había prohibido a mí misma pensar que algún día podría tenerte. ¿Por qué me has besado? ¿Por qué me has desnudado, por qué has besado mis pechos, mi sexo? ¿Por qué has hecho el amor conmigo y me has dado un placer que jamás habría soñado que experimentaría? Me has devuelto la juventud, la confianza en mí misma, me has hecho sentir hermosa y deseable otra vez. Me has devuelto el deseo. El deseo desenfrenado, el ansia de placer, de disfrutar sin fin. Pero ahora esta ansia de placer, del placer de estar contigo, no me da paz. Antes, en la espera, pregustaba el momento en que me llamarías. Ahora sufro porque no me llamas. Y me falta todo: tu saliva, tu sexo, tu olor, tu voz, el ruido de tus pasos. Y mi vida, precisamente porque está llena de felicidad, se ha convertido en una continua agonía... No, deja de tocarme, no despiertes el deseo otra vez, déjalo dormir. Dormirá. Yo seguiré amándote, pero no quiero volver a caer en el frenesí de la pasión cuando todo mi cuerpo grita su deseo y tú no estás. Seguiré amándote, pero dulcemente, alejada.»

4. En el matrimonio

Llevaban treinta años casados. Él la quería mucho y había jurado que nunca la haría sufrir. Pero la engañaba continuamente. Ejercía una fascinación increíble sobre las mujeres. Alto, musculoso, con rasgos marcados y una capacidad seductora irresistible e hipnótica, apenas lo veían se quedaban prendadas de él. Después, cuando empezaba a hablarles en la intimidad, perdían la cabeza. Más que hablar susurraba, y con increíble habilidad aferraba las manos de las mujeres, les acariciaba los hombros, el seno, después el sexo y ellas se dejaban hacer. No se resistían, se dejaban desnudar y después hacían el amor con absoluta naturalidad, como si fuera una continuación lógica del juego que había iniciado. Era generoso, sincero y leal. Sólo tenía una preocupación: que su esposa no sufriera, que no supiera nada. Estaba convencido de haberlo logrado. Yo no, entre otras cosas porque su esposa se sentía ferozmente celosa de cualquier mujer que entrara en su casa. A lo mejor porque, por la manera que tenían de mirar a su marido, se daba cuenta de que estaban dispuestas a entregársele o de que era él quien las habría tomado, por la manera que él tenía de mirarlas —o de hacer ver que no las miraba—. Probablemente debía de saber muchas cosas, se las imaginaba. Pero nunca habló de ello. Nunca. Ni con él ni con sus amigas. Se lo guardó todo en su interior de forma absolutamente secreta.

Adoraba a su marido, lo adoraba como si se hubieran enamorado pocos meses antes. Lo adoraba porque era fascinante, lo adoraba porque sabía (aun negándolo) que todas las mujeres le deseaban, porque sabía (aun negándolo) que él hacía el amor con todas, y ella se identificaba con ellas, orgullosa, empero, de ser la única que lo tenía como esposo, la única que lo poseía legítimamente, pero sobre todo segura de que él siempre regresaría a su lado, únicamente a su lado, segura incluso de que jamás se alejaría de ella. Las otras quizás habrían tenido su sexo, pero sólo eso. Por el contrario, ella había tenido su amor constante, su delicadeza, su intimidad, su sexualidad. Ah, sí, la quería para sí su sexualidad, la deseaba y cuando él la abrazaba y la penetraba tiernamente se convertía otra vez en la joven enamorada de ese estupendo hombre al que había sabido conquistar, arrancándoselo a las otras. ¡Y cuántas había! Pero ella las había vencido a todas con la paciencia, la dedicación, la pasión, la absoluta fidelidad, el cuidado, su habilidad de mujer casada, su infinita tolerancia, el silencio. ¡Y él había continuado siendo –increíble dote del verdadero gran seductor– un enamorado que la cortejaba, que la mimaba, que la excitaba, que la seducía cada vez! Desde entonces nada había cambiado. La vida se había portado bien con ella al haberle dado este inmenso amor.

5. Recuerdo

«Me preguntas cómo cambia el deseo sexual y el amor al hacerse vieja», responde Carol, «pero una no se da cuenta de que envejece. De repente un día te ves vieja o, más bien, tienes tantos años que no sabes cómo has llegado. Y el deseo sexual, el deseo de amor son como antes, incluso más intensos. Pero antes sólo tenía que salir, ir a una fiesta, encontrar a los amigos y alguno se me habría acercado, me habría susurrado algo al oído, me habría hecho sentir hermosa y yo habría notado las ganas de que me abrazaran, de reír, de jugar y después quizás también de acostarme con él, saciarme de su sexo, impregnarme de su olor y, finalmente feliz, tomar una ducha. Hoy no. ¿Dónde quieres que vaya? ¿A una fiesta? Mis viejos amigos me parecen infinitamente más viejos que yo. Los jóvenes no me miran con mirada de deseo.

»A los viejos les queda el pasado. Hoy me doy cuenta de que mi alma es como un palacio con muchas habitaciones, con muchos apartamentos. Y cada uno contiene una experiencia, una persona, un amor que he vivido pero que no ha desaparecido, que sigue vivo, que puedo volver a encontrar y, cuando lo hago, experimento un estremecimiento, la ebriedad, la flaqueza de entonces. En mi vida están las habitaciones de los primeros deseos, de las primeras palpitaciones, del primer sexo siendo niña; y después el amor apasionado, loco, que me llevó hasta Inglaterra y Estados Unidos como un torbellino jamás experimentado hasta ese momento: una locura. Y los amores sudamericanos, sensuales. Después tantos, tantos hombres y, al final del viaje, mi marido, un gran artista, y la embriaguez del amor, del sexo y del arte mezclados a la vez. Tras su muerte, el amor más espiritual que físico con Amanthya, la música, la danza oriental: una puerta que se abre a un nuevo mundo, desconocido, excitante y maravilloso. Y mientras todo esto sucedía, tomó forma un amor sutil, que siempre ha continuado como música de fondo, por otro hombre que, a lo mejor, si lo hubiera entendido al comienzo, habría podido tomar como esposo y, quién sabe, amarlo toda la vida. También él ocupa una habitación de mi palacio y cuando, de vez en cuando, recibo una postal suya me sacude, intenso y doloroso, un estremecimiento de nostalgia y el deseo casi doloroso de sentir sus manos en mi cuerpo. Así es como yo creo que estamos hechos: como un palacio, con una pluralidad de habitaciones, de apartamentos en los que se encierra entera y viva una experiencia de amor. Y basta con abrir la puerta para recuperarla y sentir sus brazos, sus besos, el placer de entonces.

»Por eso, incluso cuando crees haber tenido sólo un gran amor, en realidad descubres que en las habitaciones del palacio de tu vida hay muchos amores, todos verdaderos, aunque alguno sea mucho más importante. Además, con el paso de los años, estos amores se hacen más fuertes y más intensos de lo que creíamos, probablemente porque la nostalgia los transfigura, porque todas las cosas que nacen quieren vivir eternamente.

»Tras la muerte, los tejidos no mueren inmediatamente. Las células luchan desesperadamente para sobrevivir y resisten muchas horas de asfixia. Por esto es posible realizar trasplantes. Del mismo modo, yo creo que el recuerdo erótico, el recuerdo amoroso, el recuerdo lleno de vida quiere sobrevivir cuando, con la vejez, se aproxima la muerte. Es una lucha por mantenerse vivo que incluso deviene más intensa y real y que nos empuja a buscar personas a las que habíamos amado. Y si encuentras a una de ellas, el amor vuelve a prender. ¿Tú sabes alemán, verdad? Goethe, en su prólogo a *Fausto* escribió: *Was ich besitze, seh ich wie im Weiten / Und was verschwand, wird mir zu Wirklichkeiten*, es decir, «Aquello que poseo lo veo como en lontananza y cuando ha pasado adquiere realidad». Cuando eres joven nunca sabes que tu alma está hecha de esta manera: no sabes que el amor siempre se compone de muchos amores que se mantendrán vivos y que lucharán para vivir hasta que su cuerpo no sea aniquilado por la muerte.»

XV
La pareja enamorada

1. El amor que perdura

Hemos hablado de amores que duran porque su objeto huye o es inalcanzable. Amores cuyo estado naciente se ha visto inmovilizado en su fase de esplendor de la espera. Pero ¿existen los amores correspondidos duraderos? ¿Amores que continúan como un sueño que corre paralelo al desarrollo de la vida normal? Muchas personas creen que no. La princesa de Clèves, en la famosa novela de Madame de La Fayette, está enamorada del duque de Nemours –que a su vez también la ama– pero, incluso después de la muerte del marido, el príncipe de Clèves, la princesa decide renunciar a su amor por el duque de Nemours y retirarse del mundo. Y le dice al duque: «¿Acaso los hombres conservan su amor cuando se atan para siempre? ¿Debo esperar, a favor mío, un milagro o debo meterme en la situación de ver terminar con toda seguridad este amor en el cual pondría toda mi felicidad? El príncipe de Clèves probablemente era el único hombre capaz de conservar el amor en el matrimonio. El destino no ha querido que yo pudiera aprovechar esta felicidad; quién sabe si a lo mejor su amor no ha durado porque no ha encontrado en mí su igual. Pero no tendréis el mismo medio para conservar vuestro amor por mí; creo incluso que han sido los obstáculos quienes os han dado vuestra constancia».[1]

Las palabras de la princesa de Clèves anticipan lo que será el tema dominante de una concepción literaria que crea una antítesis absoluta entre el amor pasión y el amor conyugal, donde el primero dura mientras haya obstáculos y el segundo termina porque se satisface.[2] Estas tesis tienen sus últimos teóricos en Sartre, De Rougemont y René Girard. ¿Pero es realmente verdad lo que todos ellos dicen? ¿Es realmente verdad que no pueda existir una pareja en la que el fervor del enamoramiento dure, aun perdiendo el carácter paroxístico de la pasión? ¿Es realmente imposible la «pareja enamorada»? La teoría general que expuse en *Movimiento e institución*, en *Genesi* y en *Enamoramiento y amor*[3] dice que sí. Dice que el movimiento deviene institución y que una buena institución es el heredero y el custodio del estado naciente.

Preguntémonos, pues, abiertamente: ¿puede existir una pareja que, tras la fase ardiente del estado naciente del enamoramiento, continúe sintiendo amor y deseo erótico incluso en el matrimonio y viviendo juntos mucho tiempo?

Todos los cuentos, tras haber narrado las peripecias de los dos enamorados para alcanzar su amor, terminan con la frase «y vivieron felices y comieron perdices». Pero nunca nadie ha intentado decirnos, describirnos, analizar en qué consiste, de qué manera se manifiesta esta felicidad y contento. Si los cuentos otorgan que los dos vivirán felices y contentos, parece haber un consenso generalizado en no considerar posible que la pareja viva una intensa vida erótica. Tomemos la expresión «el amor conyugal». Casi ha desaparecido del léxico habitual, casi se ha borrado de la literatura, del cine y cuando se usa se hace en sentido antitético, para indicar el desamor conyugal, las lamentaciones del matrimonio. Bajo la acción de la literatura y del cine sobre el amor romántico, así como de los estudios de los psicólogos sobre los conflictos matrimoniales y el divorcio, el matrimonio se ha convertido en un sinónimo de convivencia sin pasión, sin novedad, en una aflicción de la vida cotidiana en la que dos personas envejecen y se embrutecen ahogadas por el aburrimiento, las peleas y el descuido.

El amor conyugal intenso, apasionado y erótico oficialmente no existe, nadie habla de él, nadie escribe de él, nadie lo ha analizado, a nadie se le ha pasado jamás por la cabeza estudiar su fenomenología y su dinámica emocional. Entendámonos bien. Existen muchos libros sobre el amor de pareja, innumerables investigaciones sobre la relación de pareja. Pensemos sólo en las de Sternberg.[4] Y existen innumerables obras y libros sobre la terapia de pareja. Obras y libros donde los psicólogos nos presentan a parejas que asisten a sus consultas porque tienen problemas emocionales y sexuales y ellos les ayudan a resolverlos. En Italia pensamos particularmente en Willy Pasini.[5] Pero lo que falta en estas obras, por otro lado valiosas y ciertamente útiles, es la fenomenología de la vida amorosa y erótica, la compleja dinámica emotiva que les permite durar.

Fuera del mundo de los ensayos terapéuticos existe infinidad de novelas que nos dan la fenomenología de las más disparatadas formas de pasión amorosa y de enamoramiento, pero no existe ni un solo libro sobre la del matrimonio o la del amor triunfante. Para la alta cultura, para la cultura escrita, el sexo y el amor existen sólo como objetos que interrumpen la banalidad de la vida conyugal, donde los cónyuges como mucho se «aprecian», pero de una manera amistosa, desprovista de erotización. Según el pensamiento corriente, sobre todo el de la alta cultura, el matrimonio y la convivencia destruyen la pasión, destruyen el erotismo. ¿Ahora bien, cómo se puede analizar o estudiar algo que no existe?

No es la primera vez que la alta cultura ignora u oculta un aspecto de la vida real. Durante mucho tiempo ignoró el sexo. No empezó a tratarlo hasta el siglo XIX, con un lenguaje médico. Después, de golpe, Freud lo convirtió en el instrumento de explicaciones para cualquier emoción humana hasta el punto de restar valor al enamoramiento. Después de Stendhal, el único que empezó a tratarlo, nadie habló más de él. Fue mi libro *Enamoramiento y amor* el que le volvió a dar la dignidad que se merece y a convertirlo en objeto de estudio. Pues bien, el primer escotoma que excluyó del campo visual primero el sexo y después el enamoramiento, hoy excluye del campo del análisis, del campo de la descripción, del estudio y del diálogo el amor erótico de pareja.

Que, por el contrario, existe. Tomemos una vez más los datos de Helen Fisher[6] sobre la duración de la pasión erótico-amorosa: tres o cuatro años. Pero tres o cuatro años es un tiempo largo y, teniendo en cuenta que constituyen un promedio, ello significa que hay pasiones amorosas cortísimas, de tan sólo unos días, pero también pasiones largas, de ocho, diez e incluso más años. ¿Y qué diablos pasa en estos largos períodos? ¿Y si sólo fueran, como así parecen ser según se deduce de lo que dice la alta cultura, períodos de aprisionamiento o de aridez erótica, por qué diablos la gente no escapa? Es fácil de entender que la gente no se separe en el mundo rural cuando una familia tiene cinco o seis hijos y ni el marido ni la mujer están en condiciones de apañarse solos. Pero desde hace al menos cincuenta años muchas parejas han dejado de tener hijos o tienen uno solo, los dos trabajan y el bienestar es algo generalizado. ¿Por qué estos se mantienen prisioneros cuando pueden ser libres? La realidad es que hay muchísimos hombres y mujeres que viven juntos, casados o en pareja, que se aman, se gustan, se desean y hacen el amor.

Si queremos proceder honestamente en nuestra investigación debemos, pues, examinar este sector del amor erótico. ¿No queremos llamarlo «amor conyugal» porque a estas alturas nos produce incluso asco y porque es una palabra desgastada? Pues usemos la expresión «amor de pareja» en su lugar y, ya que se trata de amor erótico, hablemos de «pareja enamorada» y hagamos un esfuerzo rudimentario para ver, más allá de la barrera de las incomprensiones y los prejuicios, qué ocurre.

2. Los cimientos de la relación duradera

Sólo el enamoramiento nos hace ser lo suficientemente moldeables como para poder amar a la otra persona aun cuando ésta experimente algún tipo de transformación. Al enamorado no sólo le encanta la nariz respingona y los labios carnosos de su amada, también le gustan su voz, sus gestos, la vida que lleva, su aspecto y su interior, incluso ama, como decía De Beauvoir, su hígado y sus pulmones. Y continúa amándola aunque se transforme. De hecho, durante el enamoramiento no amamos a esa persona empírica que tenemos delante de nosotros, sino sus raíces y su potencialidad. Amamos aquello que en términos aristotélico-escolásticos recibía el nombre de sustancia, y no el accidente.

Cuando nos enamoramos solemos quedar admirados y fascinados por alguno de los rasgos físicos de la persona amada y creemos que son éstos los que alimentan nuestra atracción, nuestra necesidad de unirnos a ella, con lo cual pensamos que en caso de que cambiaran nuestro amor desaparecería. Pero no es así. Si estamos realmente enamorados, si nuestro amor es verdaderamente grande, continuaremos amando a esa misma persona aun cuando esas características físicas cambien. Continuamos amándola incluso cuando su cuerpo se transforma, cuando empiezan a aparecer las primeras arrugas en su rostro, cuando su barba y su pelo encanecen. Al comienzo ni tan siquiera lo observas pero, después, cuando percibes esos cambios los amas con una ternura, una dulzura y una languidez que poco a poco van sustituyendo la exultación triunfal del principio.

En la novela de Nabokov *Lolita*,[7] el protagonista, Humbert, se siente irresistiblemente atraído únicamente por las chicas de once o doce años, a las que él llama «ninfas». Y, así, pone todo su empeño en seducir y tener para él a una chiquilla de esta edad llamada Lolita. Está convencido de que la atracción que siente es fruto de un deseo sexual deshonesto de tipo paidofílico. Pero la realidad es otra, porque, cuando Humbert pierde a Lolita, él tiene la sensación de enloquecer y la busca desesperadamente como un poseído, desgarrado por el dolor y por la sensación de vacío. La vuelve a encontrar al cabo de muchos años, cuando ya es una mujer adulta que, además, espera un hijo. Y cuando la ve, si bien ha cambiado completamente y ya no tiene nada que ver con la «ninfa» que fue, se da cuenta de que la ama apasionadamente, igual que antes, y que la amará siempre. Y es que el gran amor puede dilatarse y acoger cualquier cambio que pueda realizar nuestra amada. Humbert le pide que vuelva a su lado, que viva con él, ahora que sabe que su gran amor jamás desaparecerá. Pero la joven le dice que no y él le entrega todo el dinero de que dispone y va a buscar al hombre que les ha separado y les ha desgraciado la vida para matarlo.

El hombre verdaderamente enamorado, profundamente enamorado, nunca cambia por mucho que su mujer, con el paso de los años, engorde, pierda la turgencia de sus senos y el perfil de sus caderas. Descubre en ella una nueva belleza y experimenta una ternura conmovedora. Para poder entender esta propiedad del gran enamorado podemos establecer una comparación con la madre que continúa amando a su hijo, e incluso mucho más, cuando éste enferma, adelgaza y se queda chupado. Evidentemente quiere que esté sano y hermoso, pero su amor por él no se modifica aunque esté flaco y ojeroso. Y así se mantiene cuando crece, llega a la adolescencia y a la edad adulta. Sólo si recordamos esta propiedad del verdadero gran enamorado podremos entender por qué el amor puede durar.

3. Enamoramiento y amor

Ahora bien, esta capacidad de adaptación no basta para asegurar la duración del amor erótico. En la vida nada permanece, todo se renueva, todo vive en cuanto muta. El amor tampoco es un estar sino un devenir.

El enamoramiento aparece cuando el otro se nos presenta como lo nuevo, como lo totalmente diverso, como el *atopos* al que aludía Barthes,[8] como lo desconocido donde se encierra el secreto de nuestro destino. El desarrollo del amor en la pareja es el descubrimiento del otro que permite que le descubran a él y a su nuevo mundo. De ahí que los enamorados tengan bastante con «pan y cebolla» porque están plenamente absorbidos por la búsqueda física y espiritual. Una vez viven juntos, encuentran el mundo real en su total complejidad, en su novedad, en sus retos. Pero el enamoramiento les ha preparado precisamente para esto: cada uno ha recogido en el otro una posible expresión nueva de sí mismo, nuevas fuerzas y nuevas capacidades. Cada cual enriquece y ayuda al otro, le transfunde entusiasmo y energía para de este modo poder llevar a cabo, unidos en la pareja amorosa, todo aquello que jamás habrían podido hacer estando solos.

Tomemos el caso de dos personas que viven juntas. Los dos forman parte de la vida y se enfrentan unidos a ella cada día. Se levantan por la mañana a la misma hora, se besan, desayunan juntos y se sonríen, leen los mismos periódicos, hablan, discuten, hacen proyectos, después cada cual va a su trabajo y, una vez de regreso a casa, se cuentan las experiencias que han tenido, comentan el comportamiento de las personas que han visto, juzgan, valoran, proyectan y luchan unidos.

Y, puesto que se gustan, se buscan y se cortejan. La mujer comunica su amor, ejerce la seducción cambiando de peinado, variando el maquillaje, poniéndose un vestido largo abierto por un lado, o unos pantalones ajustados, o una camiseta transparente. Y después expresa su erotismo en el hogar, bien a través del mobiliario, que simboliza su cuerpo, bien preparando la cama con nuevas sábanas o llenando la casa de flores frescas, o esparciendo esencias perfumadas. Normalmente al hombre le cuesta entender el refinado trabajo que ella lleva a cabo. No entiende que se trata de una obra de arte en la que ella canaliza su mente y su corazón, aunque sí es capaz de percibir la belleza y la armonía del entorno. Así, cuando entra en casa, tiene la impresión de que la casa lo acoge como una amante, porque esa casa, en realidad, es el cuerpo de la mujer que lo ama.

Esta intimidad le hace sentirse cómodo y refuerza la energía de ambos, sus respectivas capacidades intelectuales y vitales. Cuando uno está cansado, el otro le echa una mano, cuando uno está irritado y pierde la paciencia, el otro conserva la calma y el equilibrio. Los dos han aprendido a confiar en la capacidad de juicio del amado. Se han visto actuando y saben que pueden confiar el uno del otro. Si uno de los dos no puede asistir a algo, manda a su amado porque sabe que hará el mejor papel posible. Después, además, podrán confrontar sus respectivos puntos de vista y llegar a un resultado común. Ya que el uno es hombre y la otra mujer sus sensibilidades se complementan. Cada uno ve aspectos que se le escapan al otro y, cuando discuten sobre un caso concreto, tienen una capacidad de penetración mayor que la que podrían conseguir analizándolo por separado. Con el tiempo han llegado a habituarse y a tolerar los defectos menores del amado y a corregir los más dañinos. Han aprendido a bromear, a evitar los temas irritantes, a pedir excusas, a tolerar los errores. Y cuando hacen el amor han alcanzado una intimidad y una confianza que les permiten pedir lo que les gusta, sin pudor, sin vergüenza ni inhibiciones. Conocen sus cuerpos y los hacen sonar como instrumentos musicales.

Básicamente viven tal como solían imaginar que vivían los enamorados. Juntos, cogidos de la mano. Pero, aun así, siguen siendo dos personalidades separadas, distintas, dos individualidades inconfundibles. Según observa Murray Davis,[9] precisamente el hecho de tener tantas cosas en común les permite enfocar y diferenciar mejor los elementos personales que les caracterizan. El ser humano, observa este autor, tiene la capacidad de descomponerse en innumerables partes y de sentir cada una de estas partes como su propio yo. Gracias a esta sinécdoque psíquica una persona puede entregarse completamente y a la vez seguir siendo ella misma, mantenido sólo los componentes que la caracterizan.

De ahí que sea completamente erróneo hablar, en estos casos, de unión simbiótica, como hacen algunos psicólogos. Aun estando estrechamente unidos, los amanes continúan siendo distintos y libres. Cada cual conserva sus gustos culinarios específicos. Tiene sus propios ritmos biológicos, aunque haya aprendido a armonizarlos con los de la persona amada. Tiene sus películas y autores favoritos, sus propias opiniones filosóficas, políticas y religiosas. Naturalmente es muy receptivo y abierto con las ideas del otro, entiende sus razonamientos y, cuando discuten, muestra atención y respeto. Básicamente, ve el mundo con sus propios ojos y, a la vez, es capaz de verlo con los del otro. Su relación no es siempre un consenso ininterrumpido, sino confrontaciones y diálogos continuos en los que se dan muchísimas convergencias pero también divergencias. El amor, repitámoslo, nunca es un estar, sino un devenir constante.

4. El sexo como fidelidad

El siguiente fragmento está extraído de un comentario que hizo Roland: «Estaba sentado delante de mí, al lado de su esposa, una mujer gorda, y a continuación estaban sus cuatro hijos. El mayor debía de tener unos dieciocho años y la pequeña, diez. En un momento dado alguien dijo: «Si lo sueltas, lo pierdes». Es una frase que he oído cientos de veces. Otra persona respondió que era cierto. Él se quedo un rato pensativo, parecía un poco incómodo con su mujer al lado, y después farfulló algo sobre la tentación, pero me doy cuenta de que está de acuerdo, y estoy convencido, absolutamente convencido, de que este marido correcto, que quiere a su esposa, ha hecho de ello una práctica de vida. A lo mejor se le han brindado pocas ocasiones, pero las ha aprovechado todas. Le estoy viendo en su empresa, haciendo el amor con la secretaria en el despacho, deprisa, cuando ya no queda nadie, con la empleada que quiere conseguir un contrato indefinido, con la representante de suministros. Y pensé que, antes, envidiaba a este tipo de personas. Sobre todo cuando pensaba en las ocasiones que dejé perder. ¿A cuántas mujeres habría podido tener si me hubiera soltado? A muchas. ¿Por qué no aproveché esas ocasiones? ¿No me habría gustado? Sí, seguro que me habría gustado. Pero, aun así, siempre que me acerco a una mujer, aunque me parezca atractiva, nunca he pensado, como primera idea, en hacer el amor con ella. Recuerdo una vez, en casa de una amiga, que, para animarme, se desnudó delante de mí, se metió en la cama arguyendo cansancio e indisposición y yo, aunque entendí perfectamente que era una invitación a que me metiera con ella debajo de las sábanas, salí de su casa con la excusa de que iba a buscarle una medicina. Supongo que debió de pensar que era imbécil. Pero, si lo pienso bien, creo que debe de haber una decena de mujeres que me han considerado imbécil porque no me di cuenta, en su momento, de que lo que hacían era una explícita invitación sexual. Ahora bien, yo también he buscado siempre la intimidad. Con muchas mujeres he preferido tener una relación erótica de tipo platónico. Faltó muy poco para terminar en la cama, pero yo no quise. Preferí conservar ese cosquilleo de la posibilidad que es el cosquilleo de lo maravilloso. Sólo he hecho el amor con las mujeres con las que he salido, con las que podía hablar, confiarme, con las que pude establecer un poco de intimidad. He tenido unas cuantas. Pero todas me han querido un poco y yo también las he querido un poco.

«Estos hombres son distintos. Tan pronto ven a una mujer lo que se proponen es "follársela". No intentan crear un diálogo, una intimidad, no, piensan en meter su pene en la vagina de ella. Una persona así no puede ser fiel. Es más, ni siquiera debe de entender qué significa ser fiel, cómo se puede obtener placer siendo fiel. Se lo imagina como una renuncia, cuando, lo que es, es una elección por la intimidad, la profundización y la intensidad. Intenté explicárselo al tipo que tenía delante con un ejemplo. Es como aquel al que sólo le gusta viajar, que se cansa de estar metido en casa, siempre en la misma ciudad. No ve el momento de partir, de llegar a un lugar exótico, y después a otro, siempre cambiar. Pasa de un hotel a otro, ve muchas habitaciones distintas, muchos aeropuertos, muchos camareros y muchos paisajes. Pero también existe quien ama su ciudad, le gusta observarla, pasear por sus calles, ama su paisaje y lo mira contento. Y le gusta la casa que ha construido y ha arreglado como quería, a lo mejor tiene terraza con vistas a la montaña o al mar, y un jardín donde se abren flores distintas según la estación del año. Lo mismo ocurre con una persona. Si mantienes una relación exclusiva con la persona a la que amas, toda tu energía, todo tu interés converge en ella y no sólo la descubres continuamente renovada, distinta e interesante, sino que ella llega realmente a serlo. Es verdad que pueden vivirse distintos amores a la vez, pero nunca con esta intensidad de la que te hablo.

»Mientras hablaba tenía la impresión de que no me entendía. Y entonces no le dije nada más. No le dije que fidelidad es intimidad, diálogo, profundización, complicidad, confianza, seguridad, dedicación, orgullo. Que no renuncias a nada porque, si tuvieras que aprovechar todas las oportunidades, estarías continuamente distraído, disociado y empobrecido. No le dije que la fidelidad es como proyectar un grandioso monumento, como escribir una gran novela. Y, para hacerlo bien, te tienes que concentrar en ello. Que no puedes proyectar diez maravillosos edificios a la vez, porque todos saldrán mal. Que no puedes escribir diez novelas a la vez, porque sólo escribirías banalidades. No le dije que todas las cosas bonitas y valiosas nacen de la concentración de todas nuestras energías hacia un fin, nacen de la pasión, de la dedicación, de la elección de aquello que es esencial y de la renuncia de lo que no lo es».

5. El viaje

La vida es un viaje en el que cada vez buscamos una meta y luchamos para alcanzarla. Pero a la vez es un peligro continuo y una lucha constante. Estamos convencidos de haber conseguido superar la condición natural, de haber franqueado la precariedad del animal que dedica su tiempo a buscar su sustento o a huir de sus depredadores. Cuando miramos a las golondrinas surcando rápidamente el cielo olvidamos que dedican prácticamente todas sus energías a procurarse alimento y que su maravilloso vuelo es una desesperada lucha por subsistir. Ahora bien, nosotros no nos encontramos en una situación demasiado distinta a ésta en nuestra sociedad. Si alguien duda de ello, le servirá el ejemplo de los grandes hombres y nos daremos cuenta de que fue una lucha constante entre incomprensiones, obstáculos y traiciones. Abramos un libro de historia y leámoslo todo entero. Sólo encontraremos una sucesión de guerras, leyes, alianzas, rupturas y nuevas guerras. La simple sexualidad, el simple erotismo, nos parecerá, en este marco de tensiones, una isla feliz porque la gente no se reúne para luchar sino para darse placer. Y es que el amor es el único momento en el que bajamos armas, cesa el miedo, cesa la lucha, cesa la desconfianza y nos abandonamos indefensos al otro como el niño en brazos de su madre. Y deseamos el bien del otro incluso por encima del nuestro. En el interior del recinto encantado de nuestro amor saboreamos el placer de la inocencia del paraíso terrenal de donde se ha desterrado todo mal.

Y es esta experiencia la que fundamenta la pareja —casada o en convivencia, poco importa—, la que hace sólida la nave con la que afrontar en el mar la tormenta. Si tenemos la suerte de construir una pareja unida, complementaria, nuestro viaje ya no será solitario. Somos una tripulación que se mueve para alcanzar una meta común. Y si nos completamos recíprocamente, nos enriquecemos y nuestra fuerza se multiplica. Tenemos a una persona en quien podemos confiar y de quien nos podemos fiar, que lucha siempre a nuestro lado en los momentos fáciles y en los difíciles, una persona que no da calor y energía.

«Atravesamos momentos tremendos», dice Arthur, «recuerdo cuando la tormenta se cernió sobre tu familia y llegó la ruina y la devastación. Recuerdo tu rostro pálido, contraído, recuerdo que llorabas por la noche y que no querías que yo te viera. Nos mirábamos como extraviados, asustados porque no estábamos seguros del futuro. Sin embargo, sabes, es extraño, en estas circunstancias, pero incluso en los peores momentos, cada vez que te veía sentía cómo se me hinchaba el corazón y experimentaba una gran alegría. La alegría de quien tiene lo esencial, un tesoro precioso que hace que todo lo demás no cuente. Nunca has dejado de gustarme. Para mí siempre has sido la mujer más hermosa y deseable del mundo. Pero no en abstracto, sino en concreto. En todos los lugares donde fuimos había muchas otras mujeres, algunas ciertamente hermosas, pero para mí ninguna era como tú. A lo mejor no puedes entender lo que significa para un hombre, cuando se siente solo y derrotado, poder decirse: "Pero yo tengo algo que los demás no tienen, lo más precioso: la mujer más hermosa del mundo, que me ama y me amará siempre. Cada vez que hacía el amor contigo recibía las ondas más profundas de la tierra, las energías vitales, y me levantaba joven, fuerte, capaz de volver a comenzar la lucha. Como una roca que nunca sucumbe a la fuerza de la tormenta.»

6. Tormentas

La pareja es una comunidad solidaria. El destino y la suerte de uno están vinculados a los del otro. Que la tormenta descargue encima de él o encima de ella poco importa, porque son una unidad. Si él pierde el trabajo o fracasa, la ruina se cierne sobre los dos. Y si ella no alcanza sus expectativas o la tratan injustamente, él sufre con ella, está de su lado y lucha a su favor. La gente suele burlarse de las parejas casadas y de los amantes que se ayudan y se valoran recíprocamente. Ello duele, porque es raro que en la vida se nos reconozcan nuestros méritos y nuestros valores y es necesario que alguien lo haga.

Hay veces en las que una persona puede contraer una enfermedad muy grave, mortal incluso, y entonces es el otro quien lucha por él, lo sostiene, le da fuerzas, busca nuevos medios de curación y otras salidas. Y el enfermo, precisamente porque se sustenta en la voluntad inquebrantable del otro, resiste e intenta curarse. Son innumerables los casos de esposas que se han comportado con heroicidad para salvar a su marido y los de maridos que han hecho lo mismo por sus esposas.

Natalia dice: «Tú ni tan siquiera puedes imaginarte cómo estabas. Tenías el rostro pálido y gris y unas profundas ojeras alrededor de los ojos. No te diste cuenta porque luchabas, luchabas como sueles hacerlo, sin calcular el esfuerzo, luchabas para arrastrar hasta una meta a aquel tropel de miserables que recogiste en la calle y a los que diste trabajo y riqueza. Y puesto que eres ingenuo como un niño, puesto que creíste en los médicos, aceptaste sus directivas, y te encaminaste hacia la ruina, la desesperación y la muerte. Pero yo no. Yo había entendido, había decidido que no, había decidido que te salvaría. Y luché como una leona, luché con una determinación y una confianza absolutas porque sabía que era posible. Tú estabas mal, no lo entendías, entonces yo me hice mil veces más vigilante, busqué y busqué hasta que entendí dónde se hallaba la solución. Todo dependía de una persona. No pensé en nada más, sólo me dediqué a eso. Tenía que transferir a su corazón y a su mente mi problema, hacer que se convirtiera en su problema, en su necesidad. Y así lo hice, día tras día, mes tras mes, hasta el punto de vivir en su interior más que en el mío. Y la solución llegó, y ahora estás vivo, sano y fuerte. Y yo, cansada, muy cansada, pero feliz».

Marcus habla: «Estás enferma, lo sé. Tu cuerpo está débil, se te escapa la fuerza. Te veo sentada al lado de la ventana, extenuada. Tu cabeza apoyada en la mano, como si pesara. No te das cuenta de que te observo, tu mirada es dulcemente triste. Tus rizos de oro caen por tu fino cuello, te ha resbalado el vestido de verano que llevas puesto y se te ve el hombro izquierdo y la copa de tu seno. Tu belleza siempre me resulta conmovedora y mi amor por ti llena el espacio y el tiempo. Pero sé que no basta. Me gustaría detener el tiempo para detener, así, tu enfermedad, para que te quedaras tal como estás y poder mirarte eternamente y que no hubiera nada más.

»Me siento a tu lado, tiro del vestido y veo tu pequeño seno, me inclino sobre él y apoyo mi rostro en su delicada piel. Lo beso. Mis manos acarician tu cuerpo desnudo, tu espalda, tus nalgas, se meten entre tus piernas suaves y tú sonríes. Te abandonas como para descansar y yo te acaricio con dulzura, largamente y querría continuar así siempre. Me gustaría que todo terminara, que nos quedáramos solos los dos, tú y yo, así, y que ésta fuera la eternidad de la muerte. Cuántas veces me he maravillado de que a Goethe le hubiera costado tanto imaginar el momento en que dijo: "Espérate, eres hermoso". Yo lo he dicho muchas veces, muchas veces mientras te hacía el amor y miraba tu hermoso cuerpo. Y también dije: "para siempre". "Para siempre" es la muerte, y no habría muerte más dulce que apretar tu cuerpo como ahora, besar tus labios, nada más, y desaparecer.»

7. Cualidades morales

Las cualidades morales cuentan mucho más de lo que podamos llegar a pensar en la solidez y la duración del amor e incluso de la sexualidad. El gran amor duradero incluye en sí mismo la atracción del enamoramiento, la carga erótica y la moralidad de la amistad. Habíamos dicho que la amistad es una forma de amor impregnado de ética. Nos fiamos del amigo de verdad, sabemos que es honesto, que tiene un alma pura, que está de nuestra parte, sabemos que podemos confiarle a nuestros hijos, nuestro dinero y que está dispuesto a correr en nuestra ayuda en cualquier momento de necesidad. Dos personas se enamoran porque, en ciertos planos profundos, se complementan recíprocamente indicándose así un posible futuro individual y colectivo. Pero no hemos dicho que reúnan las cualidades morales que constituyen las premisas para una amistad profunda. Y tampoco hemos dicho que sepan desarrollarlas después. Sin embargo, estas cualidades y su consiguiente desarrollo son indispensables para que el amor dure. Son el ingrediente de más que no suele tenerse en cuenta porque creemos que la atracción y la sexualidad bastan para que todo funcione. No, para que el flechazo llegue a convertirse en enamoramiento precisa de una elaboración y para que el enamoramiento devenga amor necesita convertirse en comprensión profunda, lealtad y respeto de las partes.

También es una equivocación pensar que la atracción sexual sea algo independiente de la moralidad. Lo puede ser, pero entonces no dura. Al estudiar la pasión erótica vimos que la sexualidad más apasionada desaparece ante las dificultades, los problemas y las relaciones concretas de la vida cotidiana. Al estudiar el enamoramiento también vimos que la profundidad del amor sólo se establece en la vida concreta y en las pruebas más o menos difíciles de la existencia. Y que incomprensiones y peleas aparentemente superficiales, por el contrario, crean poco a poco una barrera infranqueable y, al final, se traducen en un rechazo erótico radical y repentino. Al estudiar el final de un amor vimos lo fácil que es superar un punto de no retorno, el umbral en el que la convivencia deviene insoportable y el erotismo se transforma en repugnancia.

Dicho de un modo simple y sintético, un amor dura cuando el encanto del enamoramiento, aun conservando su calor y su entusiasmo, evoluciona hacia la transparencia, hacia la limpidez moral de la amistad. Isabel dice: «Yo quiero a mi esposo porque tiene un alma noble, porque es digno, generoso, valiente, porque tiene palabra. Todo lo que hace lo hace bien; es más exigente con él que con los demás. Ayuda a todo aquel que se lo pide, y a veces incluso exagera porque algunos no se lo merecen. Tiene una inteligencia superior, pero no hace ostentación de ello, al contrario, siempre se mantiene unos pasos atrás. No conoce la vanidad. A su lado me siento orgullosa, dichosa. Cuando me abraza noto su fuerza física, pero también su fuerza interior. Cuando me besa, sus labios me transmiten su intenso amor, inquebrantable. Sus ojos son profundos y ven más allá de las apariencias. Cuando hago el amor con él no sólo me abandono con su cuerpo, sino que me fundo con su alma. Mi amor por él es físico y espiritual, y no sabría distinguir el uno del otro. Nunca habría podido amar a un hombre que no tuviera un alma noble. A un vil o mezquino, nunca».

8. Libertad y reto

¿Y el aburrimiento? ¿No se dice continuamente que el amor conyugal está inexorablemente condenado a ahogarse en el aburrimiento? El aburrimiento como repetición de los mismos gestos, el aburrimiento como el fin de la sorpresa, el aburrimiento como pérdida de interés por algo que ya se ha probado y vuelto a probar. Aburrimiento porque todos sentimos la necesidad de cambiar, de conocer, de explorar, de probar la variedad. Como en la comida. El hombre es un animal omnívoro y, cuando se le obliga a comer siempre las mismas cosas, a menos que no esté muerto de hambre, siente repugnancia y desgana. Y lo mismo ocurre con el sexo. De ahí que el amor duradero deba incorporar la variedad y la exploración. ¿Cómo hacerlo?

Cuando empezamos a enamorarnos y vemos a ese hombre entre todos los demás, al principio no nos parece en nada distinto al resto. Después sentimos curiosidad y empezamos a preguntarnos quién es. Y cuanto más nos gusta, más queremos saber de él, su historia y sus amores. Llega entonces un momento en que todas las mujeres que están a su alrededor se convierten en nuestras rivales potenciales y cuando una se le acerca y él la trata con cierta familiaridad, con confianza, nos preguntamos qué hay o qué puede haber entre ellos y notamos como una mordida, aunque sutil, de celos. En resumidas cuentas, para usar una expresión de Anaïs Nin,[10] somos siempre espías en la casa del amor.

A continuación, cuando tenemos la seguridad de amar y de ser correspondidas, cuando nuestro amado nos parece una criatura maravillosa, el miedo a la competencia desaparece, hablamos de él con las demás, elogiamos sus cualidades, nos gustaría mostrarlo a todas como si fuera una obra de arte y nos sentimos orgullosas cuando lo admiran. Pero, a la vez, al hacer este juego, nos puede suceder que volvamos a ser presa del mismo miedo que sentíamos al comienzo, cuando estábamos inseguras, cuando se nos removía el estómago por el simple hecho de verle acercarse. Un miedo que sólo desparecía, con sensación de alivio y de inmensa felicidad, cuando nos abrazaba y restituía, así, la certeza de ser amadas de un modo exclusivo. En el amor consolidado, el ansia del abandono desaparece, pero siempre se mantiene viva una sombra de inseguridad. «Cuando Bastian no me abraza o no me besa al volver a casa, cuando pasa delante de mí como si fuera transparente, me siento mal y me pregunto el porqué. Tengo miedo de que ya no me quiera como antes, tengo miedo de no gustarle y me pregunto si he fallado en algo», dice Zoe.

El amor, incluso el amor más seguro, se fundamenta siempre y a la vez en la espera, el anhelo y el orgullo de tener a una persona maravillosa. Se construye como un reto, como un peligro de perderla y como la exultación de conquistarla nuevamente.

Porque el amor se fundamenta en la libertad y ésta presupone cada vez una pluralidad de alternativas, una posibilidad de elecciones distintas. La seguridad, la posesión estable, nunca se alcanza de una vez por todas, como se daría cuando se posee a un esclavo o un objeto inanimado. Sartre[11] piensa que el amor termina precisamente por esto, porque el amado esclaviza al amante, lo somete, lo domina totalmente, le quita la libertad. Pero se equivoca, porque el amor verdadero quiere libertad y dura precisamente porque el hombre, incluso en prisión, siempre se mantiene libre.

El espíritu es libre. Por lo tanto, en la pareja enamorada ninguno de sus dos miembros puede estar plenamente seguro de la respuesta del otro o de su amor. El otro es autónomo y libre. Si le ofendes o le traicionas puede decirte que no.

El amor no existe en sí como un objeto inanimado, como una roca. Existe porque es continuamente renovado. Para renovarlo debe ser discutido, desafiado por los peligros, acechado por la tentación y la duda. En el amor duradero cada cual debe escrutar el rostro de la persona amada para ver si está contenta o si no lo está, para recoger una respuesta o una sonrisa, siempre con un poco de inseguridad, de emoción y de celos, incluso. Cada cual debe acercarse al otro con atención, con respeto e incluso con temor, porque nadie puede estar completamente seguro de ser perfecto y de ser insustituible. El hombre debe continuar cortejando a su mujer y la mujer debe continuar seduciendo a su hombre.

Quien ama necesita vivir en sociedad, participar en las fiestas y en los bailes, desear a otras mujeres (y a otros hombres), darse cuenta de que su mujer es deseada, verla con los ojos ávidos de otro. Girard[12] se equivoca cuando dice que todos los deseos son miméticos, pero tiene razón cuando afirma que siempre es algo mimético. Si alguien admira, aprecia y desea a quien amamos, nos lo hace más deseable. El peligro de perderlo nos lo hace valorar más. Y las mujeres lo saben perfectamente. ¿Por qué cuando salen, aunque sólo sea para ir a cenar, para ir al teatro o a una fiesta de etiqueta se peinan, se maquillan y se visten como diosas? Fijaos en los desfiles de moda, mirad la publicidad de los perfumes, de la ropa interior dirigida a los hombres. Su indumentaria y sus complementos han sido pensados para hacer que su cuerpo sea deseado. Los emplean para notar el calor del deseo en sus cuerpos. El deseo del hombre amado, pero también el deseo de los demás hombres, porque ambos deseos van unidos. Cada gesto que aumenta la belleza de la mujer, su fuerza de seducción erótica, es un don que ella te concede; pero también es un ofrecimiento a los demás. Incluso en el amor más grande y más sólido existe la posibilidad de que termine, pero también debe mantenerse la conciencia de que debe ser salvado y conservado. El amor vive en el continuo desafío del deseo.

9. Juegos

Hemos dicho que el amor requiere libertad y que la libertad siempre es un riesgo. Ello no significa que sólo podamos amar a quien no nos ama como dicen Sartre, De Rougemont y tantos otros.[13] Nosotros sólo podemos amar a quien «puede» rechazarnos. A quien tiene libertad para rechazarnos. Amarse significa querer la libertad del otro y buscar siempre su amor, merecérselo.

Me viene a la cabeza el caso de un literato profundamente enamorado de su hermosa esposa. Como no era rico, vivía atemorizado por el hecho de que ella pudiera sentirse atraída por otro hombre. Tenía la oscura sospecha de que buscaba un pigmalión, alguien que la ayudara a subir, a valorar su persona y su belleza. Era insegura y ambiciosa. Necesitaba a alguien que la sostuviera. Su temor a que ella pudiera encontrar un amante rico o poderoso era, con todo, justificado. De este modo, amar y ser amado por su mujer se convirtió en el objetivo de su vida. Trabajando como un loco hizo una rápida carrera universitaria y consiguió crearse un nombre y ser apreciado en un ámbito. Ello le dio la posibilidad de tener muchos alumnos, de formar parte de los jurados literarios, de dar conferencias, en resumen, de poder rodearse de un séquito de mujeres que lo adoraban. Esto le confirió mucho valor a los ojos de su esposa y le despertó un resquemor de celos. A la vez, se dedicó a promocionar a su mujer, la ayudó, escribieron juntos y al fin ella encontró el apoyo que tanto deseaba. Él vivía la emoción, tanto erótica como sexual, de tener a su mujer como alumna, ella de tener un marido profesor e ídolo. Para él, desnudarla, besarla, poseerla sexualmente significaba, cada vez, conquistar a la más hermosa de sus jóvenes alumnas. Y para ella, formar parte y ser poseída por un hombre fuerte, su maestro, le daba el escalofrío de la conquista.

No tuvieron hijos. Ella no sentía la necesidad. Él pudo mimar a su bella esposa como si fuera una hija adolescente. No creo que la llegara a engañar, aun estando rodeado de tantas mujeres bonitas. Después de muchos años todavía la deseaba sexualmente con mucha intensidad. A ella le gustaba sentirse amada, cortejada, tener una casa bonita y bonitos vestidos. Podemos afirmar que el modelo erótico de estas dos personas corresponde al que encontramos en *Casa de muñecas* de Ibsen,[14] donde la protagonista disfrutaba haciendo de muñeca en privado y de mujer con éxito profesional en público.

Por el contrario, otro ejemplo de amor erótico duradero se fundamentaba en una relación que, a primera vista, parecía conflictiva. Él tenía una propensión natural a buscar aventuras fuera del matrimonio. Para él acostarse con otras mujeres significaba poder sumar otra nueva muesca a la empuñadura de su fusil. Ella, por el contrario, era espontáneamente monógama y no admitía engaños. Se conjugaban todos los elementos para un matrimonio fracasado, destinado a acabar al cabo de un par de años. Pero, contrariamente a lo que indicaban estas premisas, duró porque, del mismo modo que el marido era inseguro y desorganizado, la mujer era una máquina pensante, una organizadora nata. No era muy guapa, pero tenía brío, inteligencia y atractivo. Al comienzo él tuvo algún escarceo sexual. Después se dio cuenta de que le resultaba imposible comparar las mujeres que encontraba con su esposa: le parecían insípidas y, sobre todo, estúpidas, se avergonzaba de ellas. Por otro lado, cuando su esposa entraba en algún sitio siempre conseguía ser el centro de todas las miradas. Ello despertaba sus tendencias competitivas y de conquista. A medida que pasaba el tiempo aumentaba su admiración por ella. Además, ella se ocupaba de él, le hacía de madre y de amante, intuía sus pensamientos con una sola mirada. Era difícil darle gato por liebre. Al final renunció a sus aventuras.

10. Volver a enamorarse

Nada dura si no vuelve a nacer. Es una ley que tiene que ver con los tejidos de nuestro cuerpo, que se mantienen idénticos y jóvenes sólo si las viejas células mueren y se ponen en movimiento las células indiferenciadas, todopoderosas, las estaminales; si no se lleva a cabo el proceso originario de lo indiferenciado a lo diferenciado, el estado naciente biológico. Y lo mismo sucede con la vida psíquica y social que, para que dure, debe renovarse. El amor no es una excepción a esta regla. Dura si renace. Pero renacer significa perderse y volver a encontrarse.

Todos cambiamos, desarrollamos nuevos deseos, nuevos proyectos, encontramos nuevas personas y este cambio puede crecer hasta un punto en que la relación de pareja puede quedarnos demasiado estrecha y opresiva, hasta un momento en el que la *evolución divergente* produce una fractura demasiado grande entre lo que tenemos y lo que deseamos o soñamos. Entonces es cuando el lazo empieza a convertirse en un obstáculo y estamos disponibles para un nuevo enamoramiento. En la vida de todas las parejas, incluso en la más bien avenida, existen períodos, que pueden durar meses o días, en los que desearíamos tener nuevas experiencias, en que pensamos que nos hemos equivocado, o días en los que nos sentimos atraídos por la novedad. Pues bien, en la pareja amorosa que dura mucho tiempo, esta propensión a enamorarse no se dirige a un nuevo objeto porque el otro responde transformándose a su vez, vuelve a llenar el vacío que se estaba creando, y las energías nacientes se dirigen otra vez hacia él. La coevolución de la que habla Jurg Willi[15] es, en realidad, un continuo reencontrarse, un continuo reenamorarse.

En la vida de la pareja amorosa continúan funcionando los mismos mecanismos que se activan en el enamoramiento: *el placer, la pérdida, la indicación y el estado naciente.* Y cuando los individuos cambian, pueden dirigirse hacia el exterior o bien volver a elegir como objeto propio de amor a la misma persona. El amor que dura es una búsqueda continua, un perderse continuamente y un encontrarse continuamente. El ser sólo es un descubrimiento, algo que te llega, que se te revela. En el mundo todo es frágil y precario, todo desaparece. Dura sólo aquello que retorna, que se reencuentra.

Por todo ello, el amor dura si nos reenamoramos de la misma persona, si se repite el «flechazo», si vuelve a prender, aunque sólo sea un instante, la llama del estado naciente. «Así, estando en una recepción o en una fiesta veo, de lejos, a una mujer que habla con otras personas y que ríe. Tiene una belleza arrebatadora. Me atrae y me hace latir el corazón. Es la persona más guapa que haya visto jamás y sé que ninguna otra me gustará o podrá gustarme más que ella. El resto de mujeres que hay en la sala me resultan totalmente indiferentes. Experimento la sensación de quien está a punto de enamorarse: esa mujer es misteriosa, inalcanzable, forma parte de un mundo al que yo jamás podré acceder. Después, de repente y con estupor, me doy cuenta de que estoy mirando a mi esposa, que es ella. Y me invade una ola de felicidad, de exultación y de gratitud. Es casi un vértigo. ¿Cuánto dura este estado en que no reconozco a mi mujer? No lo sé, quizás sólo una fracción infinitesimal de segundo. Pero, subjetivamente, me parece largo. Y durante ese tiempo la observo como si su yo fuera otro, un extraño, como si la viera por primera vez. Y siento por completo la sacudida de quien se está enamorando y desespera por saberse correspondido.»

Por eso, continuar enamorado significa poder volver a ver a nuestro amado con los ojos sorprendidos del principio, cuando se nos reveló una belleza y una felicidad que nunca habíamos pensado poder obtener en la vida.

11. Complejidad

Ahora bien, si el amor que dura es un continuo perderse y redescubrirse, mutar, renovarse y experimentar lo nuevo con la misma persona, ello significa que la persona amada, con el paso del tiempo, se articula, se diferencia y se enriquece con nuevos aspectos, nuevos papeles eróticos y no eróticos, deviene muchas personas distintas a la vez. Andrómaca, cuando Héctor está a punto de salir de la ciudad para desafiar a Aquiles, le dice: «tú amigo, tú padre, tú hermano, tú noble esposo». Para ella, él es todas estas cosas a la vez.

El amor que dura es el desarrollo de cuanto estaba implícito en la experiencia del estado naciente cuando el otro, aquel de quien me estoy enamorando, es todopoderoso, puede llegar a ser cualquier cosa. En la pareja que se mantiene enamorada estas distintas posibilidades se desarrollan, se concretan.

He descrito esta pluralidad de papeles en el libro *Te amo*, de donde extraigo la aportación de una mujer que cuenta a un amigo suyo: «Fíjate que, para ti, tu esposa no es una sola mujer. Es muchas mujeres distintas. Frágil como un junco, graciosa, te la sientas en el regazo como a una niña y juegas con ella: es tu hija. A la vez ella se ocupa de ti: es tu madre. Es hermosa, la admiras: es una diosa. Pero también es tu amante, tu geisha. Se ocupa de la casa, por lo tanto es tu ama de llaves. Te ayuda con premura: es tu secretaria. A la vez te guía: es tu mánager. Aprende de ti: es tu alumna. Te enseña cómo actuar: es tu maestra. Puesto que eres neurótico, es tu psiquiatra. Te respalda: es tu cómplice. Te hace reproches: es tu conciencia moral. Y, por fin, es tu más fiel aliada en la lucha de la vida. ¿Te das cuenta? Vosotros dos, en realidad, sois muchas personas distintas. Y por eso tenéis tantas cosas por hacer, por discutir, por deciros que nunca os cansaréis».[16]

12. Llegada y partida

Existe una curiosa reticencia a hablar del amor conyugal incluso en las novelas. Todas las historias narran las dificultades, las luchas por alcanzar a la persona amada, así como los conflictos y las rupturas. ¿Es posible que nadie sepa contar la increíble complejidad y riqueza del amor que dura? Por ejemplo, la llegada a casa.

Ross nos cuenta: «Desde que asumí el cargo de administrador delegado de mi sociedad y me veo en la obligación de mantener relaciones profesionales con los sindicatos, los políticos y los representantes de los consorcios, mi trabajo no sólo se ha convertido en algo frenético sino angustioso. Los demás no lo dicen, pero yo puedo asegurarles que el trabajo de mánager, cuando llegas a un cierto nivel, es extenuante. Durante unos años puede ser como una droga, pero después te cansas. Te cansas incluso físicamente y ya ni tan siquiera te apetece salir a navegar porque el barco se convierte en un lugar de trabajo. Tampoco quieres a una nueva mujer porque sabes que después te pedirá algo. Por eso deseo llegar a casa y cerrar todos los temas y apagar el teléfono. El otro día, aunque ya había salido del trabajo, todas las tensiones y amarguras laborales continuaban debatiéndose en mi cabeza. No conseguía quitármelas de encima. Tenía que ir a una recepción. Me habían invitado a última hora pero dije que no. Nos quedamos en casa, mi esposa y yo, y salimos al jardín. Es un jardín grande y protegido donde nadie te ve. Ella se desnudó completamente. Se puso a caminar por el césped, entre las plantas y las flores, desnuda. Yo estaba sentado en una poltrona de mimbre y la miraba. Delgada, sutil, me parecía una ninfa de los bosques. Después se me acercó delicadamente y sentí su piel fresca y sedosa contra mi cuerpo. La abracé. Mi cabeza quedaba a la altura de su vientre y miraba su pecho en lo alto. Escruté todo su cuerpo centímetro a centímetro. No me cansaba de mirarla. Luego la senté en mi regazo como a una niña y ella sonrió. Entonces, repentinamente, todas las tensiones, las ansias, las amarguras, todos los pensamientos desaparecieron. Sólo existía ella, su cuerpo, su piel, su perfume, su belleza y me di cuenta de que ella, simplemente, era el remedio para todas las fatigas. Ni la casa, ni el jardín, ni el teléfono apagado; ella. Todas estas cosas sólo servían para encumbrarla a ella, para que destacara ella. Esto significa regresar a casa, para un hombre: el cuerpo y el amor de su mujer».

Hemos hablado de la llegada a casa. Pasemos ahora al momento de partir. Muchas entrevistas me han demostrado que tanto los hombres como las mujeres cuando dejan, aunque sólo sea por un período breve, a la persona a la que aman, experimentan un sentimiento de tristeza, de pérdida. Para ellos el dicho popular «partir es morir un poco» se cumple a rajatabla. Desean estar «hasta el final» con la persona a la que aman. Quieren que su amado las acompañe al aeropuerto, que esté con ellas hasta el final y, después, el abrazo y el saludo.

¿Es la repetición pura y simple de la dificultad que teníamos cuando de pequeños debíamos separarnos de nuestra madre? No. El niño llora cuando ve que su madre se aleja porque para él la separación es definitiva. En cambio no llora cuando es él quien se va de excursión o a divertirse a un parque. Sólo después, cuando se acerca la noche, recuerda que quiere a su madre y llora si no está. El niño tiene miedo de la pérdida definitiva. En nuestro caso, empero, sabemos que la separación es provisional. Aun así, curiosamente, también experimentamos un sutil dolor, un sentimiento de pérdida, de vacío, que no es aprensión, no es temor, pues nace puramente del alejamiento, de la interrupción de la relación, de la separación.

Esta sensación no se tiene cuando el enamoramiento empieza. En esos momentos la aproximación del día de la separación no se vive con amargura porque la vida con la persona amada es tan intensa y llena que no se piensa en ello. Cuando en ese estado despides a tu amado en la estación o en el aeropuerto no te sientes mal, porque con él todo es hermoso, el último abrazo, el último beso, incluso su última imagen saludándote desde la zona de embarque. La vida es plenitud y triunfo. Basta su presencia para que el mundo sea completo y alegre. Cuando él ya ha partido, entonces sí sientes su ausencia. Miras alrededor y las caras que hasta hace un momento te parecían alegres y amistosas ahora te parecen frías y lejanas. Si eres tú quien parte, sientes ya su falta apenas el avión se levanta del suelo. Y entonces te concentras en su rostro amado, en el recuerdo de lo que habéis vivido y continúas viviendo con él hasta que, poco a poco, empiezas a notar en tu interior una desgarradora nostalgia.

Contrariamente a lo que hemos visto, en el caso del amor consolidado la tristeza llega antes. Lo que te entristece es la idea misma de partir, la proximidad del momento en que deberás marcharte, como si fuera la pérdida de algo importante. ¿Pero qué pierdes? A la persona amada, no, porque ella sigue amándote, esperándote y la volverás a ver. Entonces, ¿de qué se trata? Quizás sólo sea el tiempo que no estaréis el uno con el otro. ¿El tiempo que os es robado a vuestra vida en común, el tiempo del amor que os queda por vivir? Quizás.

13. La diosa de la belleza

«Han pasado veinte años, amor», escribe Rogan, «desde el día en que te vi, o mejor dicho, te me apareciste en bañador, bronceada. Habías ido a pasar el día al mar con una amiga, creo recordar que por primera vez, y, por primera vez también, tu cuerpo había bebido el sol con avidez. Y tu piel sedosa, como el ámbar, tu increíble piel –creo que no hay otra igual en el mundo– había oscurecido conservando su reflejo de oro. Y el movimiento, el aire y el agua habían estimulado tus músculos y habían endurecido tus senos turgentes. Tus ojos negros brillaban bajo la nube de rubios cabellos. Entonces entendí, entendí sin la posibilidad de volver a cambiar jamás de idea, que nunca, nunca volvería a ver una mujer tan hermosa. Que estaba ante la misma belleza, que se me había concedido el don que yo siempre había anhelado. Siempre entendí a Paris que, entre la sabiduría, la belleza y el poder, eligió la belleza. La eligió aun sabiendo que decretaba su propia ruina, que no había salvación. Y yo tenía la certeza de tener delante de mí, de tener para mí, porque yo estaba convencido de que tú me querías, me amabas, a la mujer que siempre había deseado pero que jamás había sido capaz de imaginarme. Sé que si hubiera sido un gran dibujante habría creado a una heroína con tu cuerpo exacto, con tus medidas, con tu cuello, tus hombros, la espalda en la que se dibujan los músculos, la cintura estrecha y las caderas que se ensanchan, esos glúteos redondos y después tus largas piernas de muslos llenos, rodillas pequeñas y tobillos finos. Una mujer no demasiado alta, no me gustan las mujeres altas, de estatura mediana, menuda, delicada, pero con un cuerpo lleno de curvas, y dotada de una gracia, de una elegancia natural que infunde admiración y respeto. No hay nada en ti que no sea perfecto. Tus hombros son anchos, tu seno turgente, tu cintura fina, tus caderas redondas, tus labios rojos sin necesidad de pintarlos, tus brazos delicados, tus muñecas delgadas, tus manos ahusadas. Incluso tus uñas sobre los largos dedos son un milagro. Te miraba la otra noche cuando me pediste que te untara los hombros con aceite perfumado, y al bajar la mirada a lo largo de tu espléndida espalda hasta las caderas, hasta los hoyuelos de las nalgas, me sentí conmovido y fascinado.

»Cada vez que te desnudas para bañarte, para cambiarte de ropa, o si estás desnuda, te miro encantado. Cuántos años han pasado, amor mío, desde el primer día que miré, con estos mismos ojos, el punto donde la columna vertebral esculpida por tus músculos termina, donde se ensanchan las caderas con sus hoyuelos, y después los glúteos que cientos de veces he contemplado encantado y maravillado porque no me parecía y no me parece verdad poder haber tenido todo esto para mí, para mí solo, tanta extraordinaria perfección de la naturaleza. Una perfección que no cambia con los años, algo que resulta milagroso, divino. A ti se te ha concedido la belleza y la eterna juventud.

»Y me quedo siempre encantado mirándote cuando andas por casa, desnuda o semidesnuda, o totalmente vestida con una túnica. Nunca he visto a una mujer que ande como tú, con el porte de una reina, la gracia y la seducción de una ninfa. La túnica resbala por tus hombros, se para en tus caderas, bosqueja tu cintura fina y a cada paso se moldea sobre tu cuerpo, delinea tus piernas, tus tobillos pequeños. Es un ondear de sabios pliegues que sólo un gran diseñador conseguiría dibujar dedicándole una gran atención.

»Y me pregunto cómo puede ser que me haya sucedido a mí tener conmigo, en casa, tanta perfección. Poder mirarte y, cuando te pido que te pares un momento, poder acariciarte. Mis manos, entonces, se detienen encima de tu cuello, resbalan por tus hombros, sobre tu piel de seda, mis ojos recorren tu espalda, entreveo tu seno que después se muestra orgulloso cuando te giras sonriendo para mirarme sorprendida –siempre te sorprende que te pare y te mire– hasta que te escurres con tu paso ligero, elástico, de chiquilla, riendo, y yo sigo tu cuerpo con mi deseo.

»A veces, mientras estás dormida, levanto con cuidado las sábanas. No es fácil porque tienes un sueño ligero. La pequeña túnica que llevas para dormir casi siempre está arremangada y descubre la parte inferior de la espalda con sus hoyuelos, la cintura fina, las caderas y los glúteos llenos, redondos. Tienes dobladas tus hermosas piernas y entre tus nalgas se ve una zona en sombra. Pero yo no voy a explorarla. Me mantengo inmóvil y observo esas dulces redondeces, y me quedo adorando como una madre que observa el culito de su pequeño y que sabe que jamás tendrá una visión más hermosa.

»Cuántos años han pasado, mi amor: ¿veinte?, quizás más. A veces, por la mañana, o por la tarde, a veces cuando descansas al mediodía, cojo alguna fotografía tuya de una mesa o de un cajón. Hay una en la que sales de perfil y yo de cara, con mi cara, y parecemos la bella y la bestia. Ese perfil me infunde respeto. Una mujer tan bella, con un rostro tan sereno, resplandeciente, dulce y real sólo puede tenerlo alguna estrella de Hollywood. Pero con un maquillaje muy cuidado y bajo la mirada de un gran director. Tú, por el contrario, eres así por naturaleza, de pequeña ya eras así, de adolescente ya eras así, siempre serás así porque este tipo de belleza no desaparece. Y me pregunto cómo te los has hecho para llegar hasta mí. ¿Por qué ningún gran director te ha visto y se te ha llevado? Estoy convencido de que alguno debe de haber habido, alguno debe de haberlo intentado. Pero por alguna misteriosa razón tú has esperado a que yo llegara y has elegido.

»Amor mío, ¿quién te ha mandado? ¿Por qué misterioso camino llegaste hasta mi puerta, por qué misteriosa razón no hiciste lo que habrías podido hacer, lo que cualquier otra mujer con una milésima parte de tus dones habría intentado, y me has esperado? ¿Por qué has elegido mi vida cuando podrías haber tenido mucho más? En la mitología griega hay diosas que se casan con humanos. Tetis, diosa del mar, se casó con Peleo; Afrodita lo hizo con Anquises. ¿Por qué?

»Ahora te alejas, tu vestido largo ondea insinuando tu cuerpo, lo muestra escondiéndolo, lo narra. Tu paso es ligero, suave, real. Del largo vestido sólo salen tus tobillos increíblemente finos. Y mientras te giras para entrar por la

puerta lateral vuelvo a ver tu perfil, el pelo rubio que, atado en un nudo, se levanta por encima de la nuca mientras
los bucles descienden por tu frente y por tus mejillas como los de una diosa griega.»

Conclusión

Empecé el estudio sobre los procesos amorosos al final de los años sesenta pero hasta el año 1979 no publiqué el libro *Enamoramiento y amor,* donde apliqué el modelo teórico que había estado elaborando los años precedentes: el enamoramiento es el estado naciente de un movimiento colectivo formado por dos únicas personas. Escribí el libro utilizando al máximo el lenguaje de la literatura amorosa y rehuí el uso de la jerga abstracta propia del lenguaje psicoanalítico o sociológico. Por esta razón *Enamoramiento y amor* es una obra rigurosamente científica pero capaz de evocar las emociones que analiza. También por este motivo tuvo un éxito mundial tan rutilante –fue traducido a veinte idiomas–, con decenas de ediciones que todavía hoy continúan repitiéndose. En 1984 escribí con esta misma técnica *La amistad* y, en 1986, *El erotismo,* donde comparo el erotismo masculino con el femenino.

Durante los años sucesivos continué profundizando en el estudio de los sentimientos amorosos. En 1992 con el libro *El vuelo nupcial,* que estudia los enamoramientos que sienten las preadolescentes y las adolescentes por sus ídolos. En 1996 hice una exposición sistemática de los tipos de vínculos afectivos, de la formación y de la evolución de la pareja en el libro *Te amo,* que también cosechó un gran éxito internacional. A continuación, en *El primer amor* (1997), analicé un fenómeno que nunca antes había sido estudiado: la amistad y el enamoramiento de los niños. Finalmente, analicé críticamente las teorías del enamoramiento de Sartre, De Rougemont, Bataille y René Girard en *El misterio del enamoramiento* (2003). Faltaba, para completar la obra, el estudio sistemático de la relación entre sexualidad y amor que finalmente expongo en esta obra.

Para escribirla he utilizado, además de material literario, material recogido en decenas de coloquios clínicos, cartas, confidencias y entrevistas de la más variada naturaleza. Un material inmenso en el que, a menudo, he recurrido a técnicas particulares para conseguir que el sujeto expresara de un modo intenso y apasionado el deseo, el placer sexual, el amor, la cólera, la decepción, la añoranza. Una de las técnicas consiste en preguntar, tras haber establecido un vínculo de confianza muy estrecho: «Ahora imagínese que su esposa –o marido, o amante presente o pasado– está aquí y que usted aprovecha para decirle todo lo que nunca le ha dicho, todo lo que le habría gustado decir, sin frenos, con plena libertad, usando las palabras que quiera». O bien: «Ahora usted me da una carta de amor, o de reproche, o de despedida, en la que dice a esa persona todo lo que le habría gustado decir. Una carta que nunca enviará porque hay cosas que se piensan pero no se dicen, porque nuestros sentimientos quizás sean contradictorios». Y lo mismo para otros temas como: «Ahora dígame qué es verdaderamente importante para usted, lo esencial, o aquello que no ha tenido el valor o la posibilidad de hacer». Otras veces hice que me contaran toda su vida para tener la posibilidad de preguntar específicamente sobre un período y un hecho muy concretos.

Es así como he obtenido estos fragmentos cargados de alta intensidad emotiva que el lector encontrará en el texto. A veces el lenguaje era vulgar, obsceno; otras, delicado. O también áspero, feo, o apasionado e incluso poético. Hubo gente que se conmovió, que gritó, que lloró. Naturalmente tuve que manipular el texto para conservar el absoluto anonimato cuando era demasiado áspero, demasiado repetitivo o demasiado largo. Pero siempre he intentado conservar celosamente el espíritu y, al menos en parte, el lenguaje de las aportaciones. Todas las entrevistas, todos los fragmentos incluidos en el libro pertenecen a personas reales. No hay nada imaginado, nada inventado. El efecto literario lo he obtenido haciendo una elección adecuada de las intervenciones, decidiendo su extensión, el orden de aparición y un montaje apropiado al esquema conceptual del libro.

FRANCESCO ALBERONI
Milán, junio de 2005

Para más información sobre el autor, su biografía, su bibliografía en todos los idiomas, resúmenes de libros o textos en inglés, vean en Internet: www.alberoni.it

Notas

Notas al capítulo I

1. Georges Bataille, *El erotismo*, Tusquets Editores, 1997.
2. Francesco Alberoni, *Te amo*, Editorial Gedisa, 1996.
3. Francesco Alberoni, *Enamoramiento y amor*, Editorial Gedisa, 1986.
4. Henri Beyle Stendhal, *Del amor*, Planeta-De Agostini, 2003.
5. Murray Davis, *Smut*, University of Chicago Press, Chicago, 1993.
6. Eric Berne, *Fare l'amore*, trad. ital., Milano, Bompiani, 1971, p. 18. [Trad. cast.: *Hacer el amor*, Editorial Laia, 1982.]
7. Se atribuye el nombre de «comportamiento Kinsey» a los dos volúmenes *Comportamiento sexual del hombre* (1948) y *Comportamiento sexual de la mujer* (1953) de Alfred Charles Kinsey y W.S. Saunders.
8. Stefan Zweis, *María Estuardo*, Editorial Juventud, 1992.
9. Alfred Schutz, *La construcción significativa del mundo social: introducción a la sociología comprensiva*, Ediciones Paidós, 1993.
10. Georges Bataille, *El erotismo*, obra citada.
11. Francesco Alberoni, *Enamoramiento y amor*, obra citada.
12. Francesco Alberoni, *La amistad*, Editorial Gedisa, 1985.
13. Roland Barthes, *Fragmentos de un discurso amoroso*, Círculo de Lectores, 1997.

14. Francesco Alberoni, *La amistad*, obra citada.

15. Roland Barthes, *Fragmentos de un discurso amoroso*, obra citada.

16. Francesco Alberoni, *Movimento e instituizione*, Bolonia, Il Mulino, 1997 y 1981. [Trad. cast.: *Movimiento e institución*, Editora Nacional, 1984.] La obra, reescrita y ampliada, fue publicada con el título *Genesi*, Milano, Garzanti, 1988.

17. Francesco Alberoni, *La amistad*, obra citada.

18. La literatura de Sade está prácticamente agotada. Para el lector que no conoce su obra recordemos, por ejemplo, *Las 120 jornadas de Sodoma, Justine o los infortunios de la virtud, La filosofía en el tocador o Juliette*.

19. Guillaume Apollinaire, *Las once mil vergas*, Laertes, 1988.

20. Geoges Bataille, *Historia del ojo*, Libros y Publicaciones Periódicas, 1984.

21. John Fargo, *Piena fino all'orlo*, trad. ital., Milano Olimpia Press, 1985, p. 27.

22. Catherine Millet, *La vida sexual de Catherine M.*, Círculo de Lectores, 2003.

23. Anaïs Nin, *Incesto: diario amoroso: 1932-1934*, Ediciones Siruela, 1998.

24. Murray Davis, *Smut*, obra citada.

25. David Herbert Lawrence, *El amante de Lady Chatterley*, Ediciones Turner, 1979.

26. Poesía concedida por un autor que desea conservar el anonimato.

27. Pablo Neruda, *El hondero entusiasta*, Nuevas Ediciones de Bolsillo, 2003.

28. Giovanni Pascoli, «Solon» en *25 Poemas*, Editorial Comares, 1995.

29. *Kamasutra* de Vatsyayana, Editorial Alba, 2005.

30. Reay Tannahill, *Sex in History*. Trad. ital.: *Storia dei Costumi sessuali*, Milán, Rizzoli, 1985, pp. 160-161.

31. Li Yu, *La alfombrilla de los goces y los rezos*, Tusquets Editores, 1992.

32. *Ibídem.*

33. *Kamasutra*, obra citada

34. Kalidasa, *El reconocimiento de Sakuntala*, Lipari Ediciones, 1994.

35. Li Yu, *La alfombrilla de los goces y los rezos*, obra citada.

36. *Kamasutra*, obra citada.

37. Dino Buzzati, *Un amor*, Gadir Editorial, 2004.

38. Vivant Denon, *Ningún mañana*, Ediciones Hiperión, 1995.

39. Jean-François de Bastide, *La petite maison*, París, Gallimard, 1995.

40. Anaïs Nin, *Incesto: diario amoroso: 1932-1934*, obra citada.

41. Anaïs Nin, *Pájaros de fuego*, Plaza & Janés Editores, 1990.

42. Anaïs Nin, *Delta de Venus*, Círculo de Lectores, 1991.

43. Emmanuele Arsan, *Emmanuelle*, Tusquets Editores, 1989.

44. Lidia Ravera y Marco Lombardo Radice, *Porci con le ali*, Milán, Oscar Mondadori, 2001.

45. Erica Jong, *Miedo a volar*, Ediciones Alfaguara, 1997.

46. Catherine Millet, *La vida sexual de Catherine M.*, obra citada.

47. Michel Houellebecq, *Plataforma*, Editorial Anagrama, 2002.

48. Pierre Choderlos de Laclos, *Las relaciones peligrosas*, Ediciones Orbis, 1997.

49. Henri Beyle Stendhal, *Del amor*, obra citada.

50. Joseph Roth, *La cripta de los capuchinos*, Sirmio, 1991.

51. Cinzia Tani, *Amori crudeli*, Milán, Mondadori, 2003, p. 76.

52. *Ibídem*, p. 75.

53. *Ibídem*, p. 81.

54. Betty Friedan, *La mística de la feminidad*, Ediciones Júcar, 1974.

55. William Masters y Virginia Johnson, *Obra completa*, Grijalbo.

56. Alex Comfort, *La alegría del sexo*, Grijalbo, 1996.

57. Irving Welsh, *Porno*, Editorial Anagrama, 2005.

58. Florence Dugas, *Tarocchi*, trad. ital., Milán, Editrice ES, 2001, p. 48.

59. Laura Kipnis, *Contra el amor: una diatriba*, Algaba Ediciones, 2005.

60. Lynn Margulis, *Mysterty Dance: On the Evolution of Hyman Sexuality*, Summit Books, 1991.

Notas al capítulo II

1. Pauline Réage, *Historia de O*, Tusquets Editores, 1987.

2. Hanif Kureishi, *El cuerpo*, Editorial Anagrama, 2004.

3. Catherine Millet, *La vida sexual de Catherine M.*, obra citada.

4. *Ibídem*.

5. *Ibídem*.

6. Gay Talese, *La mujer de tu prójimo*, Editorial Grijalbo, 1981.

7. *Ibídem*.

8. Catherine Millet, *La vida sexual de Catherine M.*, obra citada.

9. *Ibídem*.

10. Luigi Caramiello, *La droga della modernità*, Turín, UTET, 2003, p. XIII.

11. Hanif Kureishi, *Amor en tiempos tristes*, Editorial Anagrama, 1998.

12. Tracey Cox, *Hot Sex*, Plaza & Janés Editores, 2001.

13. Melissa P., *100 colpi de sapazzola prima di andare a dormire*, Roma, Fazi, 2003.

14. Para alguna información sobre los cambios de la pornografía véase Pietro Adamo, *Il poro di massa*, Milán, Raffaello Cortina Editore, 2004.

15. Helen F. Fisher, *Anatomía del amor: historia natural de la monogamia, el adulterio y el divorcio*, Círculo de Lectores, 1996.

16. Elisabeth Badinter, *El uno es el otro*, Editorial Planeta, 1987.

17. Geoges Bataille, *Las lágrimas de Eros*, Tusquets Editores, 1997.

Notas al capítulo III

1. Francesco Alberoni, *El erotismo*, Editorial Gedisa, 1988.

2. Geoges Bataille, *El erotismo*, obra citada.

3. *Ibídem*.

4. *Ibídem*.

5. Massimo Fini, *Dizionario erotico*, Venecia, Marsilio, 2000, p. 17.

6. *Ibídem*, p. 53.

7. *Ibídem*, p. 62.

8. Emmanuelle Arsan, *Emmanuelle*, obra citada.

9. Lucía Etxebarria, *Una historia de amor como otra cualquiera*, Espasa-Calpe, 2003.

10. *Memorie di una cantante tudesca*, trad. ital., Milán, Edictrice ES, 2004, p. 167.

11. Francesco Alberoni, *El vuelo nupcial*, Editorial Gedisa, 1992.

12. Anaïs Nin, *Una espía en la casa del amor*, Editorial Aymà, 1969.

13. *Ibídem*.

14. Helen E. Fisher, *Anatomía del amor: historia natural de la monogamia, el adulterio y el divorcio*, obra citada.

15. Richard Conniff, *Historia natural de los ricos*, Taurus Ediciones, 2002.

16. Helen E. Fisher, *Anatomía del amor: historia natural de la monogamia, el adulterio y el divorcio*, obra citada.

17. Françoise Giroud, *Alma Mahler*, Moguer Ediciones, 1990.

18. Anaïs Nin, *Incesto: diario amoroso: 1932-1934*, obra citada, y *Pájaros de fuego*, Plaza & Janés Editores, 2002, además de *Diarios*, Plaza & Janés Editores.

19. Catherine Millet, *La vida sexual de Catherine M.*, obra citada.

20. Francesco Alberoni, *El vuelo nupcial*, obra citada.

21. Marco Innocenti y Enrica Rodolo, *Fascino: seduttrici e seduttori del Novecento*, Milán, Mursia, 2004, p. 13.

22. Candace Bushnell, *Sexo en Nueva York*, Plaza & Janés, 1996.

Notas al capítulo IV

1. Catherine Millet, *La vida sexual de Catherine M.*, obra citada.

2. Pauline Réage, *Historia de O*, obra citada.

3. Edith Wharton, *La edad de la inocencia*, Círculo de Lectores, 1995.

4. Giulia Fantoni, *Un uomo a perdere*, Milán, Editrice ES, 2004, p. 14.

5. *Ibídem*, p. 77.

Notas al capítulo V

1. René Girard, *Mentira romántica y verdad novelesca*, Editorial Anagrama, 1995.

2. Anaïs Nin, *Una espía en la casa del amor*, obra citada.

3. Publio Ovidio Nasón, *El arte de amar*, Editorial Mediterráneo-Agedime, 1969.

4. Nick Hornby, *Alta fidelidad*, Punto de Lectura, 2000.

5. Catherine Millet, *La vida sexual de Catherine M.*, obra citada.

Notas al capítulo VI

1. Marguerite Duras, *El amante*, Círculo de Lectores, 2001.

2. Milan Kundera, *La insoportable levedad del ser*, Círculo de Lectores, 1989.

3. Francesco Alberoni, *La amistad*, obra citada.

Notas al capítulo VII

1. Henry Beyle Stendhal, *Del amor*, obra citada.

2. Jean Paul Sartre, *El ser y la nada*, Ediciones Altaya, 1993.

3. Francesco Alberoni, *El misterio del enamoramiento*, Editorial Gedisa, 2004.

4. Denis de Rougemont, *El amor y Occidente*, Editorial Kairós, 1986.

5. Madame de La Fayette, *La princesa de Clèves*, Ediciones Cátedra, 1987.

6. Francesco Alberoni, *Genesi* y *Te amo*, obras citadas.

7. René Girard, *Mentira romántica y verdad novelesca*, obra citada.

8. Ilda Bartoloni, *Come lo fanno le ragazze*, Milán, Baldini Castoldi Dalai, 2005, pp. 110-111.

9. *Ibídem*, p. 85.

10. René Girard, *Mentira romántica y verdad novelesca*, obra citada.

11. Henri Beyle Stendhal, *Rojo y negro*, Ediciones Lumen, 2001.

12. Alberto Moravia, *El tedio*, Editorial Planeta, 1997.

13. Fiodor Dostoievski, *El eterno marido*, Circe Ediciones, 1995.

14. Henri Beyle Stendhal, *Rojo y negro*, obra citada.

15. Carlo Castellaneta, *Le donne di una vita*, Milán, Mondadori, 1992 y *Passione d'amore*, Milán, Mondadori, 1993.

16. Alberto Moravia, *El tedio*, obra citada.

17. Josephine Hart, *Destrucción*, Plaza & Janés Editores, 1991.

Notas al capítulo VIII

1. René Girard, *Mentira romántica y verdad novelesca*, obra citada.

2. Remito al lector a mis principales obras sobre el tema: *Enamoramiento y amor*, Editorial Gedisa, 1986; *Te amo*, Editorial Gedisa, 1996, y *El misterio del enamoramiento*, Editorial Gedisa, 2004.

3. Para una visión completa de la teoría general de los movimientos en los que el enamoramiento es un caso particular aconsejo como primera lectura orientativa Francesco Alberoni, *Il mio pensiero, la mi avita*, Milán, Rizzoli, 2004 y, para una profundización en el tema, Francesco Alberoni, *Genesi*, Milán, Garzanti, 1989.

4. Roland Barthes, *Fragmentos de un discurso amoroso*, obra citada.

5. Dino Buzzati, *Un amor*, obra citada.

6. *Ibídem.*

7. *Ibídem.*

8. Helen F. Fisher, *Anatomía del amor: historia natural de la monogamia, el adulterio y el divorcio*, obra citada.

9. Francesco Alberoni, *Enamoramiento y amor*, obra citada.

Notas al capítulo IX

1. Erica Jong, *Canción triste de cualquier mujer*, Editorial Planeta, 1993.

2. Rudolf Otto, *Lo santo*, Círculo de Lectores, 2000.

3. Mircea Eliade, *Historia de las creencias y de las ideas religiosas*, Editorial Herder, 1996.

4. Francesco Alberoni, *El misterio del enamoramiento*, obra citada.

Notas al capítulo X

1. Lidia Ravera y Marco Lombardo Radice, *Porci con le ali*, obra citada.

2. *Ibídem*, p. 13.

3. *Ibídem*, p. 51.

4. *Ibídem*, p. 60.

5. *Ibídem*, p. 66.

6. *Ibídem*, p. 67.

7. *Ibídem*, p. 79.

8. *Ibídem*, p. 81.

9. *Ibídem*, p. 103.

10. Alain Elkann, *Una lunga estate*, Milán, Bompiani, 2003.

11. Dino Buzzati, *Un amor*, obra citada.

12. Carlo Castellaneta, *Passione d'amore*, Milán, Mondadori, 1993.

13. Zygmunt Bauman, *Modernità liquida*, trad. ital. , Roma-Bari, Laterza, 2002, p. 170. [Trad. cast.: *Modernidad líquida*, Fondo de Cultura Económica, Buenos Aires, 2002.] Véa-

se también el más reciente *Amor líquido: acerca de la fragilidad de los vínculos humanos*, Fondo de Cultura Económica, 2005.

14. *Ibídem*, p. 171.

15. *Ibídem*, pp. 171-174.

16. Ethan Waters, *Urban tribes*, Milán, Mondadori, 2004, pp. 29-32.

17. Aldous Huxley, *Un mundo feliz*, Plaza & Janés Editores, 1992.

18. Francesco Alberoni, *Te amo*, obra citada.

19, Igor Caruso, *La separación de los amantes*, Siglo XXI, 1981.

Notas al capítulo XI

1. En el libro *Enamoramiento y amor*, obra citada. Y en términos de teoría general de los movimientos y de las instituciones, *Genesi*, obra citada.

2. Erica Jong, *Paracaídas y besos*, Plaza & Janés Editores, 1986.

3. Anaïs Nin, *Una espía en la casa del amor*, obra citada.

4. Véase en particular la teoría de las instituciones en *Genesi*, obra citada.

Notas al capítulo XII

1. Anaïs Nin, *Incesto: diario amoroso: 1932-1934*, obra citada; *Diario*, Plaza & Janés Editores, 1993, y *Diarios*.

2. Emmanuelle Arsa, *Emmanuelle*, obra citada.

3. *Ibídem*.

4. Helen F. Fisher, *Anatomía del amor: historia natural de la monogamia, el adulterio y el divorcio*, obra citada.

5. Ilda Bartoloni, *Come lo fanno le ragazze*, obra citada.

6. *Ibídem*, p. 70.

7. Anaïs Nin, *Incesto: diario amoroso: 1932-1934*, obra citada.

8. *Ibídem.*

9. *Ibídem.*

10. Anaïs Nin, *Pájaros de fuego,* obra citada.

11. Erica Jong, *Paracaídas y besos,* obra citada.

12. Sobre el tema véase Laura Laurenzi, *Amori e fuori,* Milán, Rizzolo, 2000.

Notas al capítulo XIII

1. Véase el rico acopio de entrevistas realizado por Mauro Pecchenino en *Muro di parole,* Milán, Rizzoli, Bur, 2004.

2. Catherine Texier, *Ruptura: la muerte del amor,* El Aleph Editores, 1988.

3. Jurg Willi, *La pareja humana: relación y conflicto,* Ediciones Morata, 2002.

4. Gianna Schelotto, *Distacchi e altri addii,* Milán, Mondadori, 2002, p. 88.

Notas al capítulo XIV

1. Roland Barthes, *Fragmentos de un discurso amoroso,* obra citada.

2. Sobre la vida de Adèle Hugo véase la película de François Truffaut, *La historia de Adèle H.*

3. Para profundizar en el tema, véase Francesco Alberoni, *El misterio del enamoramiento,* obra citada.

Notas al capítulo XV

1. Madame de La Fayette, *La princesa de Clèves,* obra citada.

2. Véase Elena Pulcini, *Amour-passion e amore coniugale*, Venecia, Marsilio, 1990.

3. Francesco Alberoni, *Movimiento e Institución, Enamoramiento y amor* y *Genesi*, obras citadas.

4. Robert J. Sternberg, «A Triangular Theory of Love», en *Psychological Review*, 1986; Robert J. Sternberg y Michael L. Barnes (coords.), *La psicologia dell'amore*, trad. ital., Milán, Bompiani, 1990. Para un análisis crítico de la extensa bibliografía sobre todo anglosajona véase Francesca Morino Abbele, Paola Cavallero y M. Gabriella Ferrari, *Psicología del rapporto amoroso*, Milán, Guerrrini scientifica, 2004.

5. Willy Passini, *Vita a due*, Milán, Mondadori, 2004.

6. Helen F. Fisher, *Anatomía del amor: historia natural de la monogamia, el adulterio y el divorcio*, obra citada.

7. Vladimir Nabokov, *Lolita*, Círculo de Lectores, 1988.

8. Roland Barthes, *Fragmentos de un discurso amoroso*, obra citada.

9. Murray Davis, *Intimate Relations*, Nueva York, MacMilan, The Free Press, 1972, p. 170-171.

10. Anaïs Nin, *Una espía en la casa del amor*, obra citada.

11. Jean Paul Sartre, *El ser y la nada*, obra citada.

12. René Girard: sus obras principales ya han sido citadas.

13. Francesco Alberoni, *El misterio del enamoramiento*, obra citada.

14. Henrik Ibsen, *Casa de muñecas*, Editorial Magisterio Español, 1980.

15. Véase también Jurg Willi, *Che cosa tiene insieme le coppie*, trad. ital. Milán, Mondadori, 1992.

16. Francesco Alberoni, *Te amo*, obra citada.

BIBLIOTECA
Alberoni

ENAMORAMIENTO Y AMOR

En este libro, Francesco Alberoni ofrece un proyecto audaz y esclarecedor sobre una experiencia que hasta ahora todos creíamos personal e inefable: el enamoramiento. El enamoramiento, que el autor entiende como un estado naciente, un acontecimiento que señala el inicio de un «movimiento de a dos», se revela como una fuerza avasalladora y singular que guarda semejanza con las que mueven el mundo.

EL EROTISMO

Francesco Alberoni incursiona en el misterioso territorio del erotismo, hasta ahora un ámbito reservado al psicoanálisis y la sexología, y nos hace reconocer aquello que suponíamos inconfesable, en donde se encuentran la más variadas experiencias: la seducción y el sueño, la conquista y el abandono.

VALORES

Francesco Alberoni estudia la profunda contradicción entre nuestra herencia natural como seres biológicos que necesitan luchar por la supervivencia y que tienden espontáneamente al egoísmo y nuestra sorprendente capacidad ética que también se manifiesta sin necesidad de coacción.

TE AMO

Quien ama y desea ser correspondido se plantea una cantidad innombrable de preguntas y sabe que la pasión, los celos, los sueños, los ideales, el erotismo y el amor pueden hacer que su vida se convierta en algo maravilloso o bien transformarse en un auténtico infierno. Este libro ofrece una respuesta a todas estas preguntas y establece las bases para una verdadera ciencia del amor.

TEN CORAJE

Con este libro, Alberoni nos exhorta a ejercitar la virtud fundamental de los innovadores, de los constructores, de aquellos que crean obras de arte, empresas, partidos, que buscan y descubren la verdad. Porque siempre encontramos obstáculos, peligros y enemigos, y no debemos dejarnos detener por ellos. A veces debemos afrontarlos con un ataque, a veces saber resistir con tenacidad, sin ceder al desconsuelo.

LA AMISTAD

«En la amistad, la distancia entre lo ideal y lo real debe ser corta, no podemos proclamar una cosa y hacer otra. Los pactos han de ser respetados, la confianza recompensada. La amistad ha de ser leal, sincera, límpida. El amigo debe querer el bien del amigo no con palabras sino en la práctica, debe acompañarlo en los momentos de necesidad. En la amistad no se puede engañar ni hacer el mal, hay que saber cuáles son las virtudes del otro y valorarlas.»

EL VUELO NUPCIAL

Francesco Alberoni nos descubre los importantes cambios que se están produciendo en la relación entre los sexos. Mientras que los hombres buscan hoy la estabilidad en una relación "definitiva", las mujeres jóvenes se están volviendo más libres y exigentes. Estas últimas, que poseen una vitalidad y una energía creativa sin precedentes, cortan con facilidad una relación decepcionante y vuelven a buscar lo que de verdad desean.

LOS ENVIDIOSOS

Francesco Alberoni analiza en esta obra las diversas formas que puede adoptar la envidia y muestra sus más terribles efectos, desde el odio y la desconfianza en sí mismo hasta el desprecio hacia el otro, el resentimiento, las guerras, la exclusión social y las ideologías extremistas, al tiempo que enseña que sólo cuando aprendemos que en realidad nunca deseamos las mismas cosas ni la misma cantidad de cosas que los otros, podemos apreciar y tolerar plenamente lo que son, hacen y tienen los demás.

EL ÁRBOL DE LA VIDA

En este libro Francesco Alberoni relata el asombro que siempre ha experimentado ante la extraordinaria creatividad de la vida. Aunque el individuo y la sociedad pierdan el sentido del futuro, es necesario saber mirar hacia delante y descubrir que en nuestro fuero interno tenemos una meta.

r

EL ORIGEN DE LOS SUEÑOS

Están creciendo la ansiedad, la incertidumbre y el extravío. Pero también la necesidad de valores, de arraigo y el deseo de vivir en comunidades fuertes y nobles. ¿Cómo captar los síntomas que las anuncian? ¿Cómo estudiarlas? ¿Cómo interpretarlas? En este libro, Francesco Alberoni nos introduce, tras años de observación, análisis y reflexión, en la búsqueda de los orígenes de los sueños, los deseos y las pasiones.

EL ARTE DE LIDERAR

Si miramos con cuidado y atención a nuestro alrededor, reconoceremos a esos semejantes que albergan un sueño y saben cómo cumplirlo. El líder, en definitiva, es la tentación de la excelencia, un espejo en el que mirarnos: el Gran Seductor. Aquel que parece saber tomar siempre la decisión correcta y transmitir al prójimo su propio convencimiento, su propia confianza, su propia energía, su propio entusiasmo.

LA ESPERANZA

Entre todas las virtudes que iluminan nuestra vida y que constituyen el fundamento de la sociedad, la más importante es la esperanza. Sin ella, ¿quién se atrevería a llevar a cabo una acción? ¿Quién tendría el valor de afrontar un futuro desconocido, incierto e imprevisible? Este libro representa un viaje en busca de nuestra alma, del alma de una familia, de una acción, de una nación.

LAS RAZONES DEL BIEN Y DEL MAL

¿Cómo trazar, cómo concebir valores morales? Nunca antes habíamos sido tan severos contra nuestra agresividad, tan intransigentes cuando se trata de condenar toda forma de desigualdad o de privilegio. Para Alberoni, la sociedad moderna solamente ha eliminado ciertos vínculos, por ejemplo los sexuales, para sustituirlos por otros aún más vinculantes.

EL MISTERIO DEL ENAMORAMIENTO

El análisis más actual, fascinante y profundo sobre este precioso misterio. En este revelador libro, Francesco Alberoni critica las tesis clásicas sobre el amor y brinda un significado diferente sobre el enamoramiento, al tiempo que ayuda a encontrar las claves para evitar sufrimientos y errores y alcanzar una vida plena y feliz.

EL OPTIMISMO

El optimismo no quiere decir que las cosas vayan bien o que no haya problemas y tragedias. Quiere decir que existe la confianza o la esperanza, que en nosotros hay una capacidad de superarnos, de mejorarnos. La capacidad de hacer un paso infinitesimal, un paso que da un sentido diferente a la evolución, a la historia, a la vida.

EL PRIMER AMOR

Francesco Alberoni emprende la tarea de rastrear los orígenes del primer amor y ofrece, por primera vez, una cuantas respuestas certeras ante un gran número de preguntas. A través de diferentes vivencias, contadas con apasionada empatía, desvela una verdad sorprendente: la vida amorosa es inseparable de la vida misma, y ambas comparten experiencias como la rivalidad, las estrategias, la timidez y el miedo, la esperanza y la alegría, los éxitos y los fracasos.